FR[illegible]

Françoise Bourdin [illegible] des personnages hauts en couleur et de la musique des mots. Très jeune, elle écrit des nouvelles ; ainsi, son premier roman est publié chez Julliard avant même sa majorité. L'écriture se retrouve alors au cœur de sa vie. Son univers romanesque prend racine dans les histoires de famille, les secrets et les passions qui les traversent. Elle a publié une quarantaine de romans chez Belfond depuis 1994 – dont quatre ont été portés à l'écran –, rassemblant à chaque parution davantage de lecteurs. Françoise Bourdin vit aujourd'hui entre Paris et la Normandie.

Retrouvez toute l'actualité de l'auteur sur :
www.francoise-bourdin.com

LE CHOIX DES AUTRES

DU MÊME AUTEUR
CHEZ POCKET

L'HOMME DE LEUR VIE
LA MAISON DES ARAVIS
LE SECRET DE CLARA
L'HÉRITAGE DE CLARA
UN MARIAGE D'AMOUR
UN ÉTÉ DE CANICULE
LES ANNÉES PASSION
LE CHOIX D'UNE FEMME LIBRE
RENDEZ-VOUS À KERLOC'H
OBJET DE TOUTES LES CONVOITISES
UNE PASSION FAUVE
BERILL OU LA PASSION EN HÉRITAGE
L'INCONNUE DE PEYROLLES
UN CADEAU INESPÉRÉ
LES BOIS DE BATTANDIÈRE
LES VENDANGES DE JUILLET *suivies de* JUILLET EN HIVER
UNE NOUVELLE VIE
NOM DE JEUNE FILLE
SANS REGRETS
MANO A MANO
D'ESPOIR ET DE PROMESSE
LES SIRÈNES DE SAINT-MALO
LE TESTAMENT D'ARIANE
DANS LES PAS D'ARIANE
SERMENT D'AUTOMNE
DANS LE SILENCE DE L'AUBE
COMME UN FRÈRE
BM BLUES
UN SOUPÇON D'INTERDIT
LA PROMESSE DE L'OCÉAN
L'HÉRITIER DES BEAULIEU
D'EAU ET DE FEU
À FEU ET À SANG
LA CAMARGUAISE
AU NOM DU PÈRE
FACE À LA MER
LE CHOIX DES AUTRES

Françoise Bourdin
présente
GALOP D'ESSAI

FRANÇOISE BOURDIN

LE CHOIX DES AUTRES

belfond

Pocket, une marque d'Univers Poche,
est un éditeur qui s'engage pour la préservation
de son environnement et qui utilise du papier fabriqué
à partir de bois provenant de forêts gérées
de manière responsable.

ISBN : 978-2-266-28628-2
Dépôt légal : septembre 2018

À Fabienne et Frédérique, mes filles,
qui sont la plus belle part de ma vie

1

Virgile s'arrêta pour reprendre son souffle. La fillette commençait à peser lourd, accrochée à son cou, mais elle était transie et il ne pouvait pas la reposer dans la neige. Devant lui, Lucas semblait fatigué lui aussi car il marqua une pause. De gros flocons continuaient à tomber dru, noyant le paysage. Jamais ils n'auraient dû pousser aussi loin cette balade avec les jumelles. Elles skiaient bien pour leurs sept ans, mais ils avaient présumé de leurs forces. Le jour déclinant, la température chutait, et ils n'avançaient pas très vite dans la poudreuse. Chacun s'était chargé d'une enfant, en plus des bâtons et des skis, ce qui les ralentissait.

— Tu sais où nous sommes ? s'enquit Lucas d'un ton faussement désinvolte.

— À peu près…

Tout était blanc autour d'eux, la visibilité réduite à rien.

— J'ai froid, gémit Émilie.

Selon son habitude, Julie répéta aussitôt la phrase de sa sœur.

— Voulez-vous marcher un peu pour vous réchauffer ? proposa Lucas.

— Non, papa ! s'exclamèrent-elles ensemble.

— D'accord, d'accord…

De ses doigts gantés, il essuya les flocons accumulés sur ses lunettes, puis regarda autour de lui d'un air découragé.

— Alors, Virgile, à ton avis ?

— Une fois la crête franchie, je crois qu'on n'aura plus qu'à se laisser glisser, en appuyant un peu à gauche.

Ils avaient pris un raccourci pour aller plus vite, mais dans ces tourbillons de neige, ils manquaient de repères. Heureusement, ils étaient des skieurs aguerris ; ils possédaient une bonne expérience de la montagne et connaissaient l'endroit.

— Ah oui, La Joue du Loup doit être par là-bas ! acquiesça Lucas. Et donc, chez nous…

Tournant la tête à droite, puis à gauche, il n'acheva pas sa phrase. Sans les filles, ils auraient été là bien plus tôt, aussi avaient-ils envoyé un message rassurant au chalet. Quelques minutes auparavant, Virgile avait senti son portable vibrer dans la poche intérieure de sa doudoune mais, ayant les mains prises, il avait renoncé à l'attraper. Clémence s'inquiétait forcément pour son mari et pour ses jumelles, elle avait dû essayer de les joindre l'un après l'autre.

— Appelle ta femme, suggéra Virgile. Je suis sûr qu'elle commence à paniquer.

Lucas planta ses bâtons dans la neige, ôta ses gants et extirpa son smartphone.

— Pas de réseau ici, annonça-t-il au bout de quelques instants.

— Alors viens, ne traînons pas.

Ils reprirent leur progression, peinant dans la montée. Le fart de retenue de leurs skis de fond les empêchait de glisser, mais ils devaient fournir de gros efforts pour grimper, chargés comme ils l'étaient. Virgile imaginait déjà les critiques qu'ils allaient essuyer en rentrant. Faire du hors-piste avec les gamines était une très mauvaise idée, impossible de justifier cette décision de se lancer dans du ski nordique en quittant les traces. Pourtant, tout à l'heure, les jumelles se fatiguant plus vite que prévu, emprunter un raccourci leur avait semblé judicieux. Mais il ne neigeait pas autant et le vent ne s'était pas encore levé. À présent, ça ressemblait à une tempête, ce que la météo n'avait pas prévu.

Une fois en haut, ils firent une nouvelle halte pour souffler et se concerter.

— Je passe devant, proposa Virgile, tu me relaieras à mi-pente.

La neige continuait de tomber, recouvrant le moindre relief, et ils avaient l'impression d'être seuls au monde, loin de tout. Prudemment, ils descendirent dans la poudreuse, Lucas s'appliquant à rester dans les traces des skis de Virgile. Lorsqu'ils s'arrêtèrent pour échanger leurs places, leurs regards se croisèrent. Ils étaient un peu inquiets pour les fillettes qui tremblaient de froid, contraintes à l'immobilité, et qui commençaient à se relâcher.

— Courage, mes puces ! lança Lucas.

Elles s'accrochaient à leur cou mais devaient avoir les doigts gelés malgré les moufles.

— Si tu es crevé, suggéra Virgile, abandonnons les skis des filles.

— Non, ça va aller. Je manque un peu d'entraînement, je paresse trop souvent au coin du feu…

Il plaisantait sans conviction, les traits tirés, la respiration sifflante.

— Je vais rester devant toi, décida Virgile.

Faisant face à la pente, il se remit à descendre.

Clémence allait et venait sous le regard réprobateur de Philippine, qui finit par soupirer :

— Calme-toi, ils ne vont sûrement plus tarder.

Trop inquiète pour l'écouter, Clémence s'approcha d'une fenêtre et scruta les environs du chalet.

— La neige tombe encore, et il fait quasiment nuit !

— Ils sont trop bons skieurs pour commettre des imprudences, surtout avec les petites.

— Mais une chute est toujours possible. Une avalanche aussi !

— Et pourquoi pas un tremblement de terre ? ironisa Philippine.

Elle gagna la cuisine, ouverte sur le séjour, pour mettre de l'eau à chauffer.

— Le temps de boire une tasse de thé et, tu verras, ils arriveront.

Elle en profita pour raccorder son iPhone à la chaîne hi-fi, sélectionna un morceau de musique parmi ses favoris.

— Leur dernier message a été envoyé il y a longtemps, rappela Clémence d'un ton sinistre.

— Oh, arrête ! Tu sais bien qu'on n'a pas toujours de réseau en montagne. D'ailleurs, ils ne sont pas censés donner des nouvelles tous les quarts d'heure. Écoute plutôt ça, j'adore ce groupe…

Elle monta le volume tout en jetant un coup d'œil de regret vers son livre abandonné sur le comptoir. La lecture occupait une grande partie de ses journées, même lorsqu'elle préparait un repas elle gardait un livre à portée de main. Mais pas question de lire, l'inquiétude de Clémence était communicative, et mieux valait s'occuper à autre chose qu'à regarder désespérément la pendule.

À la fin du morceau, elle fit défiler sur son écran la liste des titres pour en sélectionner un autre. Soudain, deux violents coups de heurtoir les firent sursauter. Virgile et Lucas avaient leurs clefs, jamais ils n'auraient frappé. Pressentant une catastrophe, Clémence fonça vers la porte, qu'elle déverrouilla et ouvrit d'un même geste. Saisie, elle recula de quelques pas.

— Qu'est-ce que…

Sans achever sa phrase, elle se tourna instinctivement vers Philippine comme pour chercher du secours. L'homme qui se tenait sur le seuil eut un sourire crispé.

— Je peux entrer ?

Au-delà du porche, derrière lui, la neige tourbillonnait dans la lueur des lanternes qui s'allumaient automatiquement dès la tombée du jour.

— Pourquoi es-tu là, Étienne ?

La voix de Clémence manquait d'assurance, et toute son attitude exprimait la méfiance.

— Je suis revenu dans la région. Après tout, j'y suis chez moi !

Il avança, referma la porte et s'y adossa.

— On m'a dit que tu t'étais installée ici, alors j'ai eu envie de passer te dire un petit bonjour. Après tout ce temps… En voilà un putain de beau chalet !

Son regard parcourut la grande pièce organisée autour d'une cheminée centrale où brûlait un bon feu. S'en approchant, il tendit les mains vers les flammes. Il était grand, massif, avec un visage aux traits durs.

— On ne se connaît pas, déclara-t-il à l'adresse de Philippine.

— Étienne est mon ex-mari, intervint Clémence.

Philippine le dévisagea sans se présenter, puis lui fit un simple signe de tête. Éprouvant le besoin instinctif de s'éloigner un peu, elle passa de l'autre côté du comptoir. Il se désintéressa aussitôt d'elle et ouvrit sa grosse veste de cuir pour se mettre à l'aise. Quelque chose dans ses manières paraissait bizarre, voire inquiétant. Il était entré sans y être invité et faisait mine de vouloir s'incruster.

Neuf ans plus tôt, Clémence avait connu un divorce houleux avec lui. Elle avait raconté à Philippine les menaces et les propos haineux qu'elle avait subis, mais elle était restée discrète quant aux détails de sa vie conjugale, se bornant à affirmer que cet homme était capable de tout, y compris du pire. Qu'il soit revenu dans la région était une très mauvaise nouvelle, surtout si sa première démarche avait été de se renseigner au sujet de Clémence.

Philippine eut soudain envie d'avoir son téléphone sous la main, mais il était toujours relié à la chaîne hi-fi par son câble et se trouvait hors de portée.

— Tu n'as pas changé, constata Étienne en détaillant Clémence avec insistance. Toujours aussi mignonne !

Dans le silence qui suivit, l'atmosphère devint soudain plus tendue. Étienne ne lâchait pas son ex-femme du regard, et il affichait à présent un sourire de prédateur.

— J'ai beaucoup pensé à toi, ces temps-ci… On n'était pas si mal, tous les deux, hein ? Et tu sais quoi ? Je crois bien que tu me manques.

Pétrifiée, Clémence ne répondait rien tandis qu'Étienne, sans la moindre gêne, continuait à la dévorer des yeux. Philippine baissa la tête vers le plan de travail devant elle, ouvrit sans bruit un tiroir et posa les doigts sur le manche d'un couteau. À tout hasard.

— Tu devrais partir, déclara enfin Clémence, tu n'as rien à faire chez nous.

Cette fois, elle avait réussi à s'exprimer fermement, pourtant elle n'obtint de lui qu'un petit rire méprisant.

— Oh, je peux bien me réchauffer cinq minutes, non ? Si j'étais un étranger, tu m'offrirais l'hospitalité, et je ne suis *pas* un étranger… Mais dis-moi, ton mec n'est pas là ?

Clémence ignorant la question, il se tourna vers Philippine et ajouta :

— Le vôtre non plus ?

— Quelle importance ? riposta la jeune femme.

Instinctivement, elle resserra ses doigts sur le couteau, tout en étant bien consciente qu'elle serait incapable de s'en servir.

— Alors comme ça, ma Clémence, tu as eu des enfants ? Quand je pense que tu n'en voulais pas avec moi ! Les femmes, quel bazar dans leur tête…

De nouveau, il eut ce rire désagréable qui n'augurait rien de bon. À quoi rimait sa visite surprise ? Et qu'aurait-il fait si c'était un homme qui lui avait ouvert ? Il ne pouvait pas savoir qu'elles étaient seules, à moins de les avoir espionnées à travers les carreaux.

— Va-t'en, Étienne, insista Clémence en se dirigeant vers la porte.

Elle l'ouvrit en grand et un vent glacial s'engouffra dans la pièce. Les flammes vacillèrent, le feu se mit à ronfler. Étienne parut hésiter une seconde, décontenancé, puis il la rejoignit, s'arrêtant juste devant elle.

— Tu aurais pu m'offrir à boire, tu n'es décidément pas très gentille. De ce point de vue-là aussi, tu n'as pas changé ! Enfin, ce n'est pas grave, on se reverra, n'est-ce pas ? Quoi qu'il arrive.

Il était trop près d'elle et lui soufflait à la figure. Exaspérée, elle esquissa un geste pour le pousser dehors, mais elle se garda bien de le toucher. Il jeta alors un coup d'œil par-dessus son épaule et toisa Philippine, qui n'avait pas bougé. Elle soutint son regard, parfaitement immobile. La situation pouvait encore basculer.

— À bientôt, mes belles ! lança-t-il en franchissant le seuil.

La nuit tombait lorsque Virgile et Lucas arrivèrent en vue du chalet. Le garage était allumé et de la lumière brillait à toutes les fenêtres.

— On va se faire accueillir comme des princes ! prophétisa Lucas.

— Je pense que ta femme va t'arracher les yeux.

Ils se baissèrent pour laisser descendre les fillettes et déchaussèrent leurs skis.

— C'est vrai ? demanda Émilie à son père.

— Que maman va m'arracher les yeux ? Bien sûr que non. Mais elle sera peut-être en colère contre moi parce qu'il est très tard et qu'elle a dû se faire du souci pour nous.

La rampe conduisant au sous-sol avait été salée le matin même par Lucas et ils l'empruntèrent pour aller ranger leur matériel. Après avoir aidé les jumelles à se débarrasser de leurs chaussures et de leurs chaussettes mouillées, ils gagnèrent le rez-de-chaussée par l'escalier intérieur.

— Nous voilà ! claironna Lucas en pénétrant dans le séjour.

Au lieu de subir l'accueil furieux de Clémence, il la découvrit en larmes, recroquevillée dans un fauteuil. Philippine, assise sur l'accoudoir, lui entourait les épaules de son bras.

— Oh, ma chérie, s'empressa-t-il, je suis désolé… Je n'avais pas de réseau pour te prévenir, mais on va bien, tous les quatre ; on s'est juste un peu égarés à cause de cette fichue tempête ; en plus, il a fallu porter les filles qui étaient trop fatiguées, et…

Il fut interrompu par un geste de Philippine lui imposant silence.

— Nous avons eu de la visite, déclara-t-elle. Étienne.

Elle n'avait pas besoin de préciser davantage. Lucas avait connu Clémence alors qu'elle était encore mariée à Étienne, et il l'avait aidée à se sortir de ses griffes.

— Il ne vit pas dans le Nord ? s'étonna Virgile.

— Il est revenu dans la région.

Philippine se leva pour céder sa place à Lucas.

— Venez, dit-elle aux jumelles, c'est moi qui surveille votre bain, ce soir !

Depuis qu'ils vivaient ensemble tous les six, les fillettes s'étaient beaucoup attachées à Virgile, ainsi qu'à Philippine, qu'elles suivirent sans se faire prier.

— Qu'est-ce qu'elle a, maman ? demanda Émilie en s'engageant dans l'escalier.

Julie répéta la question et Philippine leur répondit, d'une voix posée :

— Elle était inquiète, mais maintenant, elle est rassurée puisque tout va bien…

Clémence attendit que ses filles soient arrivées à l'étage pour se tourner vers Lucas.

— J'ai eu la trouille ! dit-elle entre ses dents.

— Est-ce qu'il t'a menacée ?

— Non… Mais j'ai eu du mal à le faire partir, et il a dit qu'on se reverrait de toute façon.

— Pas question qu'il remette les pieds ici, affirma Lucas. D'ailleurs, comment a-t-il eu notre adresse ?

— Apparemment, il s'est renseigné.

— Vous êtes divorcés depuis longtemps, il n'a plus rien à faire avec toi, il va falloir qu'il le comprenne.

Au contraire d'Étienne, Lucas n'était pas un jaloux obsessionnel, mais il savait ce que Clémence avait vécu auprès de son ex-mari et il ne le laisserait pas approcher d'elle.

— Si seulement j'avais été là ! déplora-t-il. Je m'en veux d'avoir eu cette idée stupide de grande balade avec les filles.

— La tempête n'était pas prévue, lui rappela Virgile d'un ton apaisant.

Il vint s'installer sur l'autre accoudoir et tapota gentiment le bras de Clémence.

— Tu as vraiment eu peur de lui ?

— Oui, et je ne suis pas la seule. Phil a ressenti la même chose que moi, figurez-vous qu'elle avait discrètement empoigné un couteau !

Elle se mit à rire à travers ses larmes.

— Un couteau ? répéta Virgile, éberlué.

— Un truc à gigot, grand comme ça ! Elle ne le lui a pas montré, bien sûr, mais elle se tenait prête à tout.

Par-dessus la tête de Clémence, Lucas et Virgile échangèrent un coup d'œil. Devant un type comme Étienne, deux femmes auraient eu du mal à se défendre en cas de besoin.

— Si je comprends bien, il ne t'a pas expliqué ce qu'il voulait ?

— Dire un « petit bonjour ». Tu parles !

— On devrait installer une alarme, suggéra Virgile. Vous n'aurez qu'à vous enfermer quand nous ne serons pas là.

Il pensait à Philippine qui passait ses journées seule au chalet, occupée à rédiger sa thèse. Tôt le matin, il partait pour l'hôpital de Gap où des opérations l'attendaient dans son service de chirurgie orthopédique. L'hiver, avec tous les accidents de ski, il avait un travail considérable. Lucas s'en allait de bonne heure lui aussi pour rejoindre son garage, très attentif à la gestion de sa concession Land Rover. De son côté, Clémence déposait les jumelles à l'école avant de gagner son salon de coiffure situé dans le centre-ville. Philippine profitait alors de longues heures de tranquillité, ce qu'elle appréciait énormément. Une fois par semaine, elle allait remplir un caddie au supermarché. De temps à autre, elle s'octroyait un après-midi de shopping, mais elle préférait, de loin, entreprendre une promenade solitaire dans la montagne. L'hiver, elle utilisait des raquettes ou des skis de fond, et durant l'été elle s'équipait de solides chaussures de marche. Le reste du temps, elle écrivait, réfléchissait, cherchait de la documentation. Mais quoi qu'elle fasse, elle était seule du matin au soir. Virgile avait parfois abordé ce sujet avec elle, lui recommandant d'être prudente et d'avoir toujours son téléphone portable dans la poche. Cependant, elle était souvent distraite, la tête dans un livre ou les yeux rivés sur sa tablette, uniquement intéressée par ses recherches. Étudier la passionnait ; durant des années, elle avait enchaîné les diplômes avec facilité, sans pour autant songer à exercer un métier. La vie en montagne semblait lui convenir parfaitement, même si elle n'était venue que pour suivre Virgile.

L'acquisition du chalet s'était faite grâce à un concours de circonstances. À l'origine de leur décision de cohabiter se trouvait la longue amitié liant Virgile et Lucas. Parisiens tous les deux, ils s'étaient rencontrés en première, au lycée Chaptal, et ne s'étaient jamais perdus de vue par la suite, malgré des parcours très divergents. Fervents adeptes de ski alpin l'un et l'autre, ils étaient d'abord partis pour de fréquents séjours en montagne, où ils rivalisaient sur les pistes. Après leur bac, pour des raisons diamétralement opposées, ils avaient choisi de fuir leurs familles respectives et s'étaient mis d'accord pour louer ensemble un petit trois-pièces sous les toits, dans le quartier des Batignolles.

Virgile, que son père voulait pousser vers la banque car il voyait en lui son successeur, avait choisi d'entamer des études de médecine afin d'échapper à l'emprise paternelle. Et ce qui n'avait été, au début, qu'une manière de s'opposer s'était rapidement transformé en vocation. Durant son internat, effectué à l'hôpital Lariboisière, il s'était orienté vers la chirurgie orthopédique, une discipline nécessitant autant d'habileté que de concentration, et qu'il trouvait aussi réjouissante qu'un grand jeu de Meccano. Brillant, il avait obtenu son diplôme de fin d'études à vingt-huit ans, après un parcours sans faute.

Pendant ce temps-là, Lucas avait cédé à sa passion des voitures. Il venait d'un milieu beaucoup plus modeste que son ami Virgile, son père étant peintre en bâtiment et sa mère secrétaire. Or, celle-ci travaillait dans un garage qui vendait des voitures de luxe, à Levallois. Chaque fois que Lucas, enfant puis adolescent, avait eu l'occasion de passer la voir, il était resté en contemplation devant les cabriolets aux chromes rutilants, les berlines aux sièges en cuir épais et au tableau de bord en ronce de noyer. À quinze ans, il buvait les paroles du chef d'atelier, penché sur les moteurs, et à dix-neuf, il obtenait dans une petite école de commerce un BTS technico-commercial, suivi d'une spécialisation en négociation-relation client. Tout naturellement, il était entré à son tour dans un garage. Son amour de la mécanique et son bagout en faisaient un excellent vendeur, et dès qu'il avait commencé à gagner sa vie il s'était dépêché de quitter le foyer familial pour soulager ses parents financièrement.

Ni leur famille ni personne ne comprenait comment deux garçons si dissemblables avaient pu entretenir une amitié aussi étroite. Leurs parcours auraient dû les éloigner, cependant il n'en avait rien été. Ils continuaient à passer leurs vacances ensemble, de préférence pour aller skier, ou parfois pour entreprendre un trekking dans un pays lointain afin de satisfaire leur goût pour l'aventure. Durant plusieurs années, ils avaient gardé leur colocation des Batignolles, où chacun ramenait ses conquêtes à sa guise, où ils inventaient d'improbables recettes de spaghettis lors de soirées bien arrosées, où ils vivaient encore comme des étudiants qu'ils n'étaient plus.

Ayant écumé un certain nombre de petites stations de sports d'hiver, ils avaient fini par préférer celle de La Joue du Loup, à proximité de Gap, dans les Alpes-de-Haute-Provence. En altitude, le panorama sur le massif des Écrins, le Vercors et le Luberon les avait séduits. Ils s'y rendaient dès qu'ils pouvaient se libérer, l'un de son hôpital parisien, l'autre de son garage d'Asnières. Au cours d'un séjour, ils avaient eu besoin de se faire couper les cheveux et étaient entrés au hasard dans un salon de coiffure à Gap. Au premier regard, Lucas était tombé sous le charme d'une jolie jeune femme, Clémence. Son sourire mélancolique, ses yeux gris si clairs, sa gentillesse lorsqu'elle s'adressait à ses clients l'avaient subjugué. Il n'avait pas tardé à apprendre qu'hélas elle était mariée, mais en instance de divorce. Décidé à la conquérir, Lucas était descendu à Gap presque chaque week-end, de plus en plus amoureux. Virgile ne pouvait pas se libérer aussi souvent, en raison de ses gardes à l'hôpital, alors il écoutait, attendri, les confidences que Lucas lui faisait à chacun de ses retours. Ils avaient l'habitude de ne rien se cacher, de partager leurs joies et leurs inquiétudes, et Lucas s'angoissait de plus en plus. Il se sentait trop loin de Clémence qui se débattait pour échapper à son mari, un homme violent qui vivait très mal leur séparation. Quelques mois plus tard, l'opportunité de reprendre une concession Land Rover à Gap s'était présentée. Lucas n'avait pas hésité, décidant sur-le-champ de quitter Paris. Virgile, attristé mais compréhensif, avait approuvé son choix. Être près de la femme qu'il aimait, dans une région qu'il aimait, pour y vendre des voitures qu'il aimait… Comment ne pas se réjouir pour son meilleur ami ?

Au moment du départ définitif de Lucas, ils avaient rendu le bail de l'appartement des Batignolles. Leurs années de jeunesse étaient terminées, chacun allait désormais suivre sa route. Virgile avait loué un grand studio près de l'hôpital Lariboisière, mais dès qu'il le pouvait il descendait à Gap retrouver Lucas et Clémence. Ils skiaient ensemble les dimanches d'hiver, faisaient des randonnées l'été. Le divorce de Clémence avait enfin été prononcé, malgré la mauvaise volonté de son ex-mari, et elle continuait à tenir son petit salon de coiffure. Lucas, très épanoui dans son garage, vantait avec succès les mérites de ses 4 × 4 sur les routes de montagne. En repartant pour Paris, Virgile se sentait souvent désemparé. Le bonheur de Lucas et Clémence lui faisait envie, mais il n'avait guère de temps pour sa vie privée et passait d'une conquête à l'autre sans s'attarder. En tant que jeune chirurgien célibataire et séduisant, beaucoup de femmes s'intéressaient à lui ; pourtant, il n'en avait rencontré aucune qui sache le retenir. Jusqu'à l'arrivée de Philippine dans sa vie. Elle avait failli le renverser alors qu'il traversait une rue qu'elle-même remontait à vélo, en sens interdit. Polie, elle s'était arrêtée pour s'excuser, puis s'était mise à rire en reconnaissant le chirurgien qui l'avait opérée l'année précédente d'une fracture du tibia. Comme il n'en gardait aucun souvenir, il avait dû lui présenter ses excuses, lui aussi, et finalement ils étaient allés boire un verre. Philippine préparait une thèse. À presque trente ans, elle étudiait toujours parce qu'elle adorait ça. Après khâgne et Normale sup, elle avait obtenu une agrégation de lettres classiques et comptait décrocher celle de philo. N'ayant pas besoin de travailler, grâce à un héritage substantiel qui lui venait de ses grands-parents, elle comptait consacrer son existence à des recherches. Virgile en avait ri comme d'une bonne plaisanterie, mais elle était très sérieuse. Tout comme il avait eu du mal à croire qu'une aussi belle jeune femme n'ait pas un homme dans sa vie. Pourtant, elle était seule, indépendante et ravie de l'être. D'un commun accord, ils avaient décidé qu'ils pouvaient *essayer* de sortir ensemble.

Quelques mois plus tard, l'un des oncles de Virgile, grand ponte en médecine et qui comptait de nombreux amis dans le monde politique, avait souhaité prendre en main la carrière de son neveu. Exaspéré par cette nouvelle ingérence familiale et n'ayant pas l'intention de se laisser dicter son avenir, Virgile s'était rebellé. Il n'avait pas une ambition assez dévorante pour entrer dans la course aux titres, ni pour se jeter dans une lutte sans merci jusqu'au poste suprême de chef de service, qu'il était de toute façon beaucoup trop jeune pour obtenir avant longtemps. Par conséquent, il préférait opérer que perdre du temps en dîners mondains et en intrigues. Son refus de coopérer l'avait fâché avec son oncle, le ton était monté, et cette querelle lui avait valu un coup de téléphone incendiaire de son père. Puisqu'il décevait tout le monde, qu'il se débrouille ! Mais justement, dans un bloc opératoire, il se débrouillait très bien. C'était un chirurgien habile et consciencieux, et tout le monde l'appréciait ; néanmoins, il se retrouva un peu sur la touche, s'étant lui-même écarté du pouvoir.

Dégoûté, il décida de quitter Paris et, tout naturellement, pour rejoindre Lucas, il postula à Gap, où il fut accepté. Cet hôpital n'avait rien à voir avec l'énorme structure de Lariboisière ; cependant, le service de chirurgie orthopédique et traumatologie y était très performant et bien équipé en raison des nombreux accidents de montagne.

Cette fois, au lieu de louer un logement, il était déterminé à se lancer dans une acquisition. Comme il ne souhaitait pas habiter en ville mais au contraire profiter de la nature environnante, il chargea une agence immobilière de lui trouver une maison.

Après plusieurs visites décevantes, on finit par lui montrer, sans conviction, un très grand chalet dont la construction n'était pas tout à fait achevée. Il fut aussitôt conquis par l'emplacement isolé, l'altitude idéale de neuf cents mètres ainsi que la vue splendide sur la vallée. Mais c'était beaucoup trop vaste pour lui, et surtout trop cher. Déçu, il était sur le point de renoncer, lorsque Lucas lui proposa d'acheter à deux. Avec Clémence, depuis la naissance des jumelles, ils se trouvaient à l'étroit dans leur appartement de Gap et rêvaient d'un jardin. Dès qu'ils découvrirent le chalet, en compagnie de Virgile et de l'agent immobilier, ils eurent un coup de foudre. À partir d'une belle terrasse en surplomb, le terrain s'étendait en pente douce, planté de hêtres et de sapins. Un large balcon entourait tout le premier étage qui comptait six chambres. Le bois utilisé pour la construction était du mélèze de belle qualité, la toiture se terminait par de grands débords, enfin le sous-sol pouvait aisément abriter quatre ou cinq voitures. L'architecte avait conçu ses plans pour une famille nombreuse, prévoyant des rangements dans chaque pièce, deux grandes salles de bains et deux salles de douche. Au rez-de-chaussée, une immense pièce à vivre s'articulait autour d'une cheminée centrale, et des parois de pierres apparentes s'opposaient à des murs de bois blond. L'ensemble était remarquable, mais il fallait s'occuper des finitions, ce qui risquait de prendre du temps et de coûter de l'argent.

Emballés, Virgile et Lucas n'avaient pas eu besoin de se concerter, sachant d'expérience que la cohabitation ne leur poserait aucun problème. Quant à

Clémence, elle trépignait d'avance à l'idée de vivre là. Avec leurs trois salaires, ils avaient pu obtenir le crédit nécessaire à l'achat et ils s'étaient joyeusement lancés dans l'aventure.

Virgile avait donc liquidé en vitesse et sans états d'âme tout ce qui le rattachait à Paris. Restait la question épineuse de Philippine. Leur liaison, qui avait été insouciante et délicieuse durant trois ans, semblait devoir s'achever avec le départ de Virgile ; or ils n'en avaient envie ni l'un ni l'autre. Après mûre réflexion, Philippine avait suggéré qu'ils n'étaient peut-être pas obligés de se quitter. Ayant parfois accompagné Virgile lorsqu'il s'offrait une semaine de sports d'hiver, elle connaissait Lucas et Clémence, et la perspective de partager leur quotidien ne l'effrayait pas. Elle aimait la montagne, avait besoin de calme pour travailler ; elle était prête à faire un essai de quelques mois si Virgile était d'accord.

C'est ainsi qu'ils s'étaient retrouvés tous les quatre – tous les six avec les jumelles – dans ce superbe chalet isolé où il fallait terminer les peintures et poser le carrelage des salles de bains. Pendant la première année, presque tous les week-ends y avaient été consacrés, et peu à peu leur mode de vie s'était organisé. Philippine n'était finalement pas rentrée à Paris, poursuivant une expérience qui semblait la satisfaire. Elle faisait la cuisine et s'occupait du ravitaillement, Clémence rapportait chaque jour des produits frais, les hommes se chargeaient de tout le bricolage et de l'entretien du jardin. Le partage des tâches s'était fait par accord tacite, les dépenses étaient réparties de manière équitable et l'entente régnait. Si un jour des problèmes devaient survenir entre eux, ils avaient prévu de se séparer sans rancune et sans insister, chacun récupérant alors sa mise de fonds.

Virgile et Lucas n'y pensaient pas, Clémence non plus, seule Philippine se posait parfois la question de son avenir. Pour ne pas perdre Virgile, elle s'était greffée sur un projet conçu sans elle, où elle avait néanmoins trouvé sa place et son bonheur. Mais, depuis quelque temps, elle remarquait avec quel attendrissement Virgile s'était mis à regarder les jumelles. En s'occupant d'elles, il commençait à rêver d'enfants, ce qui était légitime à trente-sept ans, toutefois Philippine n'en avait que trente, et elle n'éprouvait pas le même désir. Si elle aimait beaucoup Émilie et Julie, c'est parce qu'elles étaient déjà autonomes, bavardes, gaies et ravissantes. De là à supporter une grossesse, un accouchement, puis des nuits sans dormir avec un nouveau-né tout fripé et hurlant dans son berceau, il y avait un grand pas, qu'elle n'était pas prête à franchir. Déterminée à rester une femme indépendante, elle n'était tentée ni par le mariage ni par la maternité, mais elle devinait que ce serait rapidement une source de conflit.

De leur côté, Clémence et Lucas, comblés par leurs jumelles, ne se posaient pas ce genre de questions. Pour eux la vie était belle, simple et sans ombre. Du moins jusqu'à l'irruption inattendue d'Étienne. Son retour ne pouvait pas être un hasard, Clémence en avait l'angoissante certitude.

Virgile dégagea délicatement son bras, sur lequel Philippine s'était endormie. Il s'écarta un peu d'elle pour s'étirer, les muscles douloureux. Les efforts fournis à skis allaient sans doute provoquer des courbatures, or une journée chargée l'attendait à l'hôpital, où plusieurs opérations étaient programmées. Avoir une crampe durant une intervention était la pire des choses.

Il se leva sans bruit et traversa la chambre dans l'obscurité. Une fois sous la douche, il fit couler l'eau de plus en plus chaude, puis se sécha et se frictionna longuement avec une lotion anti-inflammatoire, avant d'avaler deux comprimés d'aspirine. Lucas serait dans le même état au matin, mais c'était moins gênant pour lui.

Lorsqu'il regagna la chambre, il trouva la lumière allumée et Philippine plongée dans un livre.

— Je t'ai réveillée en me levant ?

— Non, je somnolais. Et j'ai trouvé très attendrissantes les précautions que tu as prises !

Elle lui adressa un grand sourire, posa son livre et enleva ses lunettes.

— Pourquoi une douche en pleine nuit, mon chéri ?

— Pour éviter les courbatures. On a beaucoup lutté dans la poudreuse.

— Skier hors traces est toujours plus fatigant, ironisa-t-elle.

— Surtout en portant quelqu'un ! Heureusement que les filles ne sont pas lourdes.

— Tu trouves ?

— Eh bien... Bon, j'admets qu'une vingtaine de kilos sur le dos, ça finit par peser. Sans compter l'encombrement des skis et des bâtons.

— Mais vous n'étiez pas tout à fait perdus, n'est-ce pas ?

— Non, juste un peu désorientés, et on ne voulait pas le montrer pour ne pas effrayer les petites.

— Elles ne pouvaient vraiment pas rester sur leurs skis ?

— La fatigue les avait fait tomber plusieurs fois, elles avaient de la neige dans leurs chaussures, elles claquaient des dents. En plus, le vent devenait glacial, on n'y voyait rien avec les flocons, et les pentes étaient plutôt raides à monter. J'espère que Clémence ne nous en veut pas de les avoir entraînées dans cette galère.

— Elle a autre chose en tête depuis la visite de son ex. Je ne l'avais jamais rencontré, mais, bon sang, qu'il est antipathique !

— Oui. Son retour est très contrariant.

— Crois-tu qu'il soit dangereux ?

— Il l'a été, donc il pourrait l'être encore. Promets-moi de t'enfermer quand tu es seule ici.

— C'est Clémence qui l'intéresse, pas moi. Il la dévorait des yeux d'une manière indécente, comme si elle était sa chose et qu'il allait lui sauter dessus. Pourtant, elle a trouvé le courage de le faire partir et il a cédé, je me demande encore pourquoi. Peut-être parce que nous étions deux ? En tout cas, j'espère qu'il ne la coincera jamais seul à seule.

— Les confidences qu'elle a faites à Lucas alors qu'elle se débattait dans son divorce sont édifiantes. Pauvre Lucas, il devenait fou de la savoir seule face à cette brute et il a précipité son installation à Gap pour veiller sur elle. Mais sa présence aux côtés de Clémence a rendu Étienne encore plus enragé.

Il n'acceptait pas que sa femme puisse lui échapper, encore moins qu'elle se réfugie dans les bras d'un autre. Sa jalousie est pathologique. Lucas a été obligé d'appeler les gendarmes à plusieurs reprises, parce que Étienne passait ses journées à surveiller le salon de coiffure, et dès que Clémence en sortait, il la suivait partout. Quand il a quitté la région, on a ouvert le champagne !

— Et il est resté absent pendant des années. Alors, pourquoi ce retour ?

— Aucune idée. Quelque chose a dû arriver dans sa vie qui l'a ramené ici. Il faut vraiment que nous soyons sur nos gardes.

Il jeta un coup d'œil à son réveil et proposa :

— On dort ?

— Je vais lire encore un peu.

Amusé, il la regarda ajuster la tige flexible de sa lampe de chevet afin de ne pas le gêner, puis remettre ses lunettes, qui lui donnaient un irrésistible petit air sérieux, et rouvrir son livre. Parfois, comme en cet instant, il se demandait pourquoi elle restait avec lui, dans ce coin isolé de montagne. Elle ne semblait pas avoir envie de fonder une famille, et pas davantage d'exercer un métier. À sa place, lui qui était tellement passionné par son travail de chirurgien, il serait mort d'ennui. Il avait besoin de l'atmosphère du bloc, d'une équipe soudée autour de lui pour l'assister lors des interventions délicates qui étaient souvent un défi. Chaque fois qu'un patient s'émerveillait de pouvoir marcher à nouveau, ou simplement le remerciait de ne plus souffrir, il se sentait utile et conforté dans sa vocation. Se rendre à l'hôpital le matin n'était jamais une contrainte, il avait même du mal à prendre des vacances. Comment Philippine pouvait-elle supporter la solitude, le silence, l'absence de but ? Et comment parvenait-elle à ne pas penser au lendemain, à l'avenir ? Il avait parfois l'impression qu'elle se laissait porter au gré du vent, sans aucun objectif. À peine obtenait-elle un diplôme qu'elle s'attaquait au suivant, passant d'une discipline à l'autre par plaisir. Elle n'envisageait pas d'enseigner, ni de rejoindre le CNRS, elle apprenait par soif de savoir et ne comptait pas mettre sa science au service de la société.

Avant de fermer les yeux, il l'observa encore quelques instants. Elle était très belle, grande, fine et racée. Ses cheveux châtains coupés court encadraient un visage aux traits réguliers, avec un ravissant petit nez et un regard doré brillant d'intelligence. On pouvait la trouver intéressante, drôle, amicale – mais rarement chaleureuse, car elle conservait toujours une sorte de distance. Même dans l'intimité, Virgile avait la conviction qu'elle ne se livrait jamais tout à fait. Néanmoins, elle était là, apparemment heureuse et amoureuse. Devait-il forcer ses défenses en lui reposant la question cruciale des enfants ? Il venait d'avoir trente-sept ans, pour lui il était temps, il ne voulait pas être un vieux père. Avec un soupir résigné, il se laissa aller au sommeil qui l'envahissait.

Le mardi matin, après avoir déposé ses filles à l'école, Clémence gagna péniblement le centre-ville. Bien que les rues aient été salées, de gros paquets de neige tombés des toits s'entassaient dans les caniveaux.

Le parking où elle se garait habituellement était entièrement gelé et les conducteurs manœuvraient avec une prudence extrême. Comme chaque hiver, elle se réjouit de disposer d'un 4 × 4 pour effectuer ses trajets quotidiens. Dix ans plus tôt, à l'époque de son mariage avec Étienne, elle ne possédait qu'une toute petite cylindrée qui patinait à la moindre plaque de verglas, mais ils habitaient alors en ville et il prétendait qu'elle n'avait pas besoin d'autre chose. Depuis, grâce à Lucas, elle avait toujours une voiture sûre entre les mains. Comme elle redoutait de ne pas savoir maîtriser un véhicule trop imposant et trop lourd, il lui avait d'abord déniché une Suzuki compacte puis, plus récemment, un Rav4 Toyota. Il voulait qu'elle et les jumelles soient en sécurité, quel que soit le temps. Il en avait fait une condition non négociable lorsqu'ils avaient acheté le chalet, sachant qu'ils auraient à emprunter des routes enneigées tout l'hiver. Certes, en tant que concessionnaire, il bénéficiait de tarifs très intéressants pour l'achat et l'entretien de ce genre de voitures, mais cela représentait quand même un budget. Virgile et Philippine étaient évidemment clients chez lui, mais ils avaient plus de moyens et restaient attachés à Range Rover depuis le début de leur installation en montagne.

Marchant avec précaution pour ne pas glisser sur un trottoir, elle rejoignit le salon de coiffure, qu'elle ouvrait à 9 heures. En échange, son employée, Sonia, faisait souvent la fermeture. Et un apprenti, Michaël, les aidait trois jours par semaine. La clientèle était nombreuse, fidèle, pourtant Clémence n'avait jamais voulu s'agrandir ou engager davantage de personnel.

Son désastreux mariage avec Étienne l'avait rendue très prudente et, en épousant Lucas, elle avait insisté pour établir un contrat de séparation de biens. Lorsqu'elle y songeait aujourd'hui, elle se trouvait un peu bête d'avoir pu se méfier de lui, car il était la meilleure chose qui soit arrivée dans sa vie. Un bon père et un époux attentif, protecteur, aimant. Pour elle, le chemin parcouru en dix ans semblait époustouflant. Être devenue une femme heureuse et épanouie l'étonnait encore, elle ne manquait pas de s'en réjouir chaque matin, et elle évitait de regarder en arrière, ayant fait une croix sur son passé. Du moins jusqu'à la visite d'Étienne l'avant-veille.

— Comment as-tu fait pour arriver jusqu'ici ? lui lança Sonia en la voyant pousser la porte. En voiture, on frôle l'accident à tous les carrefours, et sur les trottoirs, on risque la fracture à chaque pas ! Il est vrai que, dans un cas comme dans l'autre, tu saurais à qui t'adresser…

La plaisanterie n'était pas nouvelle, mais Clémence eut un sourire amusé. Aux yeux de Sonia, avoir un mari garagiste et un ami chirurgien protégeait sa patronne des dangers de l'hiver.

— Il paraît que nous avons le pire mois de janvier de ces vingt dernières années, enchaîna Sonia. J'espère que nos clients oseront mettre le nez dehors, mais je crains que la journée ne soit très calme.

Clémence se tourna machinalement vers la vitrine pour observer la rue. Les passants étaient rares et ils avançaient à petits pas, engoncés dans des doudounes ou de lourds manteaux. Il faisait sombre sous un ciel gris plombé qui annonçait sans doute une prochaine chute de neige. Clémence remarqua la silhouette massive d'un homme vêtu d'une veste de cuir, arrêté près d'un réverbère sur le trottoir d'en face. Brusquement en alerte, elle retint sa respiration jusqu'à ce que l'inconnu se remette en marche et s'éloigne. Elle lâcha alors un long soupir de soulagement.

— Qu'est-ce que tu regardes comme ça ? s'enquit Sonia, intriguée.

— Rien. Un type qui me rappelait mon ex… Mais ce n'était pas lui.

— Tu y penses encore ?

Au moment de leur divorce, durant des semaines Étienne l'avait espionnée, suivie, harcelée, menacée. Il lui arrivait, comme cet homme venait de le faire, de prendre position à côté du même réverbère et de rester là, à regarder la devanture du salon de coiffure.

— Je n'y pensais plus, mais j'ai eu la mauvaise surprise de le voir débarquer chez moi avant-hier.

— Non ?

— Il est revenu dans la région et il a obtenu mon adresse.

— Lucas l'a laissé entrer ?

— Il faisait une balade à skis avec les filles.

— Tu étais seule ? Quelle horreur !

— Philippine était là.

— Comme garde du corps, ta copine intello ne fait pas le poids, ricana Sonia.

— Bref, j'ai réussi à le faire partir. Je ne sais pas pourquoi il voulait me voir, il devrait m'avoir oubliée depuis tout ce temps. J'étais persuadée qu'il avait refait sa vie de son côté et que je n'entendrais plus parler de lui, mais apparemment…

Elle n'acheva pas sa phrase, songeuse. Étienne représentait-il un danger ? Si elle se mettait ce genre d'idées en tête, n'importe quelle silhouette entraperçue allait la terroriser.

— Bon sang, j'ai cru que je n'arriverais jamais jusqu'ici..., s'exclama une cliente en entrant.

Elle se débarrassa de sa parka et de son écharpe, qu'elle tendit à Sonia, puis elle ôta son bonnet de laine.

— Vous voyez ces racines ? Même au péril de ma vie, je n'aurais pas renoncé à venir ! On va faire ma couleur habituelle, et peut-être quelques mèches ?

Guettant l'approbation de Clémence, elle ébouriffa ses cheveux d'un geste désinvolte.

— Mettez-y un peu de soleil, c'est ce qui nous manque le plus en ce moment, n'est-ce pas ?

Clémence acquiesça avec un sourire avant de décrocher un peignoir.

Virgile ruisselait de sueur quand il put enfin quitter le bloc, après une intervention très délicate qui avait duré plus de quatre heures. Il jeta ses gants dans une poubelle, arracha son masque, sa charlotte et sa casaque.

— Ma parole, ils sont cinglés avec le chauffage ! pesta-t-il. Personne ne pense à réguler la température des salles ? Un jour on crève de chaud, et le lendemain de froid. Travailler dans ces conditions est insupportable.

L'infirmière qui avait passé son temps à lui tamponner le front pour qu'il ne soit pas aveuglé par la transpiration lui adressa un sourire complice.

— En effet, c'était la Guyane…

— Soyez gentille d'aller signaler ce dysfonctionnement à l'administration. J'ai une fracture instable du bassin en début d'après-midi, et dites-leur que je ne commencerai pas l'opération tant qu'il fera 27 dans ce bloc.

L'anesthésiste franchit à son tour la porte battante, suivi d'une panseuse et d'une instrumentiste.

— Le réveil devrait bien se passer, annonça-t-il. Tu as fait un boulot remarquable sur ce genou, chapeau !

— Mon petit Sébastien, j'adore tes compliments, ironisa Virgile.

Il appréciait beaucoup son confrère, qu'il entraîna vers le couloir.

— J'ai besoin d'une douche, mais avant, je veux du café, plein de café ! Pas toi ?

— Une citronnade glacée me faisait très envie tout à l'heure.

Devant les ascenseurs, la température s'était sensiblement refroidie.

— En plus, on va attraper la crève ! s'indigna Sébastien. Quand tout le personnel médical sera cloué au lit avec une bronchite…

Ils gagnèrent l'étage de la cafétéria, où ils remplirent chacun un plateau avec des boissons fraîches, des sandwichs, des fruits et du café.

— Je pose un jour de repos demain, annonça Sébastien avec une mimique d'excuse.

— Tu plaisantes ? Tu as vu le planning ?

— Je sais, mais j'ai une urgence familiale.

— Grave ?

— Si on veut. Mon père se remarie pour la troisième fois et je suis curieux de voir à quoi ressemble la nouvelle élue… qui doit être beaucoup plus jeune que moi !

Virgile éclata de rire et sentit que la tension de ses épaules se relâchait enfin. L'intervention de la matinée avait été épuisante, mais par chance il récupérait vite.

— On va s'aérer cinq minutes ? proposa Sébastien.

Sans doute voulait-il fumer une cigarette, et Virgile accepta de le suivre pour échapper un peu à l'atmosphère de l'hôpital. Il lui arrivait de ne pas en sortir pendant douze heures d'affilée, ce qu'il détestait. En franchissant les portes, ils furent surpris par le vent glacial qui s'était levé. Emmitouflés dans leurs doudounes, ils restèrent sous l'auvent qui abritait l'entrée des urgences, un endroit où tout le personnel soignant se retrouvait pour discuter, loin du hall d'entrée où ils auraient risqué de rencontrer leurs patients.

— Heureusement que nous ne sommes pas en période de vacances scolaires, fit remarquer Virgile. Sinon, ce serait le ballet des ambulances !

Quand les touristes arrivaient en masse dans les stations de sports d'hiver, ils se précipitaient sur les pentes quel que soit le temps, mal préparés mais bien décidés à profiter au maximum des pistes, et les accidents se multipliaient.

— Avec un temps pareil, les pistes sont gelées et dangereuses. Avant-hier, lors d'une simple balade en skis de fond avec mon copain Lucas et ses filles, on s'est fait surprendre par une tempête de neige imprévue.

Sans expérience ni entraînement, les choses auraient pu mal tourner.

— Sans doute, mais tu es un fondu de montagne et tu la connais par cœur.

— Il ne faut jamais se surestimer, personne n'est à l'abri d'un coup du sort.

Sébastien prit une dernière bouffée de sa cigarette et alla l'écraser dans le cendrier mural.

— On y retourne ? lança-t-il en jetant un coup d'œil à sa montre. Tu verras, on va trouver qu'il fait juste assez chaud à l'intérieur !

Ils reprirent le chemin de la chirurgie orthopédique, dans le bâtiment A. Situé au cœur de la ville, à l'emplacement des anciens hospices, le centre hospitalier intercommunal des Alpes du Sud, autrement appelé CHICAS, était né de la fusion des sites de Gap et de Sisteron. Un récent programme d'extension avait permis la mise en service de quatre nouveaux bâtiments, et une rue hospitalière desservait désormais l'ensemble. Virgile s'y plaisait, loin des luttes de pouvoir qu'il avait connues à Paris, et à son arrivée ses confrères débordés l'avaient bien accueilli. Au fil du temps, il avait même forcé leur admiration par son savoir-faire, sa rigueur, ainsi que sa solidarité en toutes circonstances. Bien sûr, il avait parfois provoqué un peu de jalousie ou d'agacement, néanmoins, lorsqu'il avait été nommé responsable du service, nul n'avait protesté. Ponctuel, charismatique, jamais hautain, il était de surcroît séduisant avec sa silhouette athlétique et ses yeux bleus pailletés d'or qui faisaient chavirer tout le personnel féminin. Mais il n'était pas à la recherche d'aventures éphémères, il ne collectionnait pas les conquêtes. Très attaché à Philippine et très accaparé par l'hôpital, il n'avait aucune envie de se compliquer l'existence. Et il savait trop bien, pour l'avoir souvent constaté à Lariboisière, à quel point les liaisons secrètes et les histoires sentimentales pouvaient désorganiser un service en brouillant tous les rapports humains.

Comme il disposait encore d'une demi-heure avant de regagner le bloc, il décida de faire une petite visite aux patients opérés la veille.

Lucas dissimula un sourire de satisfaction. Il savait comment s'y prendre avec d'éventuels acheteurs, et si celui-ci s'était montré un peu réticent au début, finalement, Lucas avait trouvé la faille. Décrire les prouesses techniques et les innombrables options du véhicule qu'il voulait vendre n'avait déclenché qu'un intérêt relatif, mais lorsque Lucas avait évoqué, avec un certain lyrisme, le programme « Territoire », l'homme s'était montré plus enthousiaste.

— Land Rover propose régulièrement des événements et des privilèges à ses clients. Dès que vous prenez possession de votre voiture, vous appartenez à une sorte de club très fermé. Vous avez accès à des lieux privés où vous êtes traité en VIP…

Son bureau était stratégiquement installé au bout du hall d'exposition afin que ses interlocuteurs aient en permanence sous les yeux les superbes 4 × 4 aux peintures laquées et aux chromes qui scintillaient sous des spots savamment orientés. Comment résister à l'envie de partir au volant d'un de ces beaux monstres capables d'ignorer le verglas, la neige ou la boue ? Certes, les prix étaient dissuasifs, mais la longévité des véhicules et leurs qualités les justifiaient.

— Le Range Rover est une véritable légende, fit remarquer Lucas.

— C'est vrai, admit le client d'un air réjoui.

La perspective de faire partie d'un groupe d'initiés l'avait conquis, il était prêt à signer le bon de commande. Lucas poursuivit son bavardage, à la fois amical et très professionnel, tout en remplissant les formulaires. Il s'agissait d'une voiture neuve et les délais étaient assez longs, ce qui renforçait l'impression d'avoir une voiture fabriquée pour soi, selon ses désirs.

Décidément, la semaine s'annonçait bonne, car le temps exécrable avait incité les gens à pousser la porte de la concession pour se renseigner sur les véhicules d'occasion disponibles. Lucas avait conclu deux ventes coup sur coup, une performance qui bouclait bien le mois de janvier, une période généralement assez calme.

Après le départ de son client, il gagna l'atelier situé à l'arrière du bâtiment. Chaque fois qu'il y entrait, il se sentait rajeunir, se revoyant dans le garage de Levallois où sa mère travaillait lorsqu'il était adolescent. Les odeurs d'huile chaude et d'essence, les chiffons pleins de cambouis, les pièces de rechange rangées dans des casiers et les capots ouverts au-dessus de moteurs tournant au ralenti étaient pour lui un spectacle aussi familier que réjouissant. Même si le progrès technique, avec des ordinateurs de bord sophistiqués, compliquait désormais le travail des mécaniciens.

Il échangea quelques mots avec son chef d'atelier, consulta le planning et remarqua qu'un néon manquait du côté du pont élévateur et n'avait pas été remplacé ; enfin, il s'assura que la livraison de pneus neige avait eu lieu comme prévu. Pour satisfaire une clientèle exigeante, il savait que tous les détails avaient leur importance, et, surtout, que les délais devaient toujours être respectés lors d'une intervention sur un véhicule. En passant devant le petit bureau de la secrétaire, coincé entre l'atelier et le hall d'exposition, il ouvrit la porte vitrée.

— Partez quand vous voulez, Élise ! Le thermomètre est en chute libre et les routes vont devenir impraticables.

— D'accord, je me sauve, accepta-t-elle avec reconnaissance.

Elle lui adressa un signe amical avant d'éteindre son ordinateur. Bien qu'il fût à peine 17 heures, il faisait déjà nuit tant le ciel semblait chargé. Habiter un chalet en altitude avait ses avantages, mais lors d'un hiver aussi rigoureux que celui-ci, les retours pouvaient être laborieux. Clémence avait dû récupérer les filles à l'école, une tâche qu'ils se partageaient selon leurs rendez-vous respectifs. Lucas espéra qu'elles étaient bien au chaud à la maison, en train de goûter, d'apprendre une leçon ou de jouer. Y penser le ramena à cette visite d'Étienne, si traumatisante pour Clémence. Après avoir eu tant de mal à se débarrasser de son ex-mari, elle s'était persuadée qu'elle n'aurait plus jamais affaire à lui, qu'il deviendrait juste le mauvais souvenir d'une erreur de jeunesse. Erreur dont elle s'était d'ailleurs vite rendu compte, reprenant en cachette sa pilule contraceptive dès la première année du mariage pour ne pas faire d'enfant avec un homme aussi violent. Au bout de deux ans, elle lui avait annoncé qu'elle le quittait, et Étienne avait vu rouge. De crise de jalousie en crise d'autorité, il lui avait fait vivre un enfer. Elle était son épouse, elle lui appartenait, pas question de la laisser partir. Cependant, Clémence, contrairement à ce que son apparence de petite femme douce pouvait laisser croire, possédait une grande force de caractère. Elle savait ce qu'elle voulait – et surtout ce qu'elle ne voulait plus. À l'époque où Lucas l'avait rencontrée, elle se battait pour sortir du piège conjugal, sacrifiant en honoraires d'avocat le livret de caisse d'épargne qu'elle détenait depuis son enfance. Une fois le divorce prononcé, Étienne avait décidé de quitter la région. Ruminait-il une vengeance depuis tout ce temps ? Avant de partir, Lucas s'en souvenait très bien, il s'était répandu en propos abjects, assortis de vagues menaces, que tout le monde avait mis sur le compte du dépit et de la colère. Depuis, la page était tournée, Clémence et Lucas s'aimaient, la naissance des jumelles les avait comblés, ils étaient heureux. Ils n'avaient plus pensé à Étienne depuis longtemps, et seul Virgile demandait parfois à Lucas si quelqu'un savait ce que ce sale type était devenu. Pourquoi s'en souciait-il ? Parce qu'il était moins naïf et moins optimiste que Lucas ? Perspicace, il avait toujours su juger les gens. Lucas lui demandait souvent son avis et se fiait à son opinion. Bien qu'il ait un an de plus que Virgile, il le considérait comme son aîné, ou plus exactement comme son grand frère, tant le lien qui les unissait était fort après plus de vingt ans d'une amitié sans faille. Une fois encore, Lucas allait s'en remettre à Virgile pour déterminer si Étienne pouvait à présent représenter un réel danger.

Entendant descendre le rideau électrique de l'atelier, il alla verrouiller les portes du hall d'exposition, brancha les alarmes. À l'évidence, aucun client ne se présenterait plus ce soir-là, il pouvait fermer avant l'heure et rentrer chez lui.

2

Philippine avait écarté le volet intérieur pour s'assurer qu'il s'agissait bien de la voiture de Clémence, puis elle était retournée devant son ordinateur. Grâce à une bonne insonorisation, les bruits du rez-de-chaussée ne parvenaient quasiment pas au premier étage. Tout le chalet avait été construit avec des matériaux haut de gamme, et parfaitement conçu pour que les deux familles ne se gênent pas. Ainsi, malgré le chahut que devaient faire les jumelles en bas, comme toujours en rentrant de l'école, Philippine pouvait continuer à travailler en paix. Avec Virgile, elle habitait l'aile est, tandis que Lucas, Clémence et les jumelles avaient opté pour l'aile ouest. Une grande pièce palière servant de bibliothèque séparait ces deux parties distinctes et indépendantes. Dès le début, Philippine avait adoré le chalet. Elle aurait voulu participer à son acquisition pour se sentir sur un pied d'égalité, mais Virgile l'avait déjà acheté avec Lucas et Clémence lorsqu'il lui avait proposé de venir y vivre.

Elle relut les dernières phrases qu'elle venait de taper puis, à peu près satisfaite, décida d'arrêter là.

Quittant le petit bureau qu'elle s'était aménagé pour ses recherches, elle gagna la salle de bains. Dans les miroirs qui tapissaient le mur du fond, elle s'observa attentivement. Sa silhouette longiligne, moulée dans un jean étroit et un pull en cachemire, était irréprochable. Elle entretenait sa forme physique en faisant du sport, prenait soin de sa peau mate et veloutée, savait coiffer ses cheveux châtain clair en mèches courtes et structurées, utilisait un maquillage habile pour souligner ses grands yeux couleur d'ambre. « Des cheveux de miel mais des yeux de loup ! » affirmait Virgile avec tendresse. Elle avait parfaitement conscience d'être une très belle femme, mais elle n'en jouait pas. Enfant grandie trop vite, à l'adolescence elle était déjà très séduisante et accrochait tous les regards, ce qui l'avait d'abord embarrassée, puis complexée. Pour échapper aux garçons trop pressants, elle s'était réfugiée dans l'étude, devenant une excellente élève, et elle y avait pris goût. Être admirée pour ses capacités intellectuelles la rassurait, la valorisait. Au décès de ses grands-parents, dont elle était l'unique petite-fille chérie, elle avait hérité d'un patrimoine qu'elle gérait avec discernement et qui lui procurait une totale indépendance financière. Elle pouvait donc continuer à enchaîner les diplômes par plaisir, sans se soucier de poursuivre une carrière ou de trouver un mari. D'une nature sauvage et solitaire, elle aurait pu être comblée par ce mode de vie, mais il y avait Virgile. Malgré l'insouciance et la légèreté qu'elle affichait, elle s'était terriblement attachée à lui. Et ce qu'elle avait pris pour une belle aventure s'était transformé peu à peu en un amour solide et exigeant. Comment le gérer, désormais ? Virgile voulait des enfants, pas elle, et il pensait à l'avenir alors qu'elle s'accrochait à l'idée de rester une éternelle étudiante. Dire que c'étaient leurs différences qui l'avaient séduite au début ! Lui, le chirurgien sérieux, l'homme posé, qui semblait décider de quoi allait être fait chaque jour de sa vie. Elle, l'intellectuelle dilettante, qui se laissait porter par les circonstances sans prévoir le lendemain. Lui qui s'était acharné à prouver qu'il pouvait réussir sans l'aide de sa puissante famille, et elle qui vivait déjà comme une rentière à vingt ans. Lui pour qui l'amitié était sacrée, elle qui ne se liait avec personne…

Tournant le dos aux miroirs, elle lâcha un soupir agacé. Pourquoi se contemplait-elle ainsi ? Craignait-elle que Virgile ne soit séduit par une autre ? Après tout, son hôpital grouillait de jolies femmes, et son statut de célibataire faisait de lui une proie de choix ! Combien étaient-elles à se pâmer devant les irrésistibles yeux bleus du chef de service, prêtes à tout pour lui plaire ? Et parmi elles, combien rêvaient très classiquement de mariage et d'une ribambelle d'enfants ?

— Tu es jalouse, c'est pitoyable, marmonna-t-elle.

Virgile était sans doute trop intègre pour la tromper, mais enfin, c'était un homme, et l'opinion de Philippine sur les hommes n'avait rien de flatteur. Avant Virgile, tous ceux qu'elle avait connus l'avaient déçue. Demandait-elle trop en voulant qu'on l'aime pour ce qu'elle était vraiment, quelqu'un d'intelligent et de cultivé, et pas seulement une très jolie jeune femme ? Jusque-là, Virgile ne lui avait infligé aucune désillusion, et malgré sa méfiance, elle s'était laissée aller à l'aimer. Peut-être trop. Était-elle encore libre ou bien était-elle tombée en état de dépendance ?

Son téléphone, qu'elle avait posé sur le bord du lavabo, vibra avant d'afficher un message : « Je fais des gaufres. Tu en veux ? » La perspective était assez réjouissante, en cette fin de journée glaciale, pour qu'elle rejoigne aussitôt Clémence au rez-de-chaussée.

— Où trouves-tu l'énergie de te démener en cuisine après une journée de boulot ? lui demanda-t-elle gentiment.

— Ça me détend. Et les filles en mouraient d'envie pour leur goûter !

— Où sont-elles ?

— Là-haut. Comme elles n'avaient pas de devoirs, elles sont montées regarder un dessin animé avant leur bain.

Elle sortit deux gaufres brûlantes du gaufrier, les saupoudra de sucre glace et en tendit une à Philippine.

— La route est de pire en pire. Une vraie patinoire ! Même en ville, les trottoirs sont gelés. Nous avons vu très peu de clients au salon, personne ne veut prendre le risque de se casser une jambe pour aller se faire couper les cheveux. En revanche, il paraît que Lucas a eu une très bonne journée. Ce qui fait le malheur des uns…

— As-tu pensé à verrouiller les portes ? la coupa Philippine.

— Bien sûr. J'ai dû le jurer à Lucas.

Le sourire attendri de Clémence, chaque fois qu'elle évoquait son mari, avait quelque chose de vaguement agaçant, ce qui poussa Philippine à insister.

— Tu crois que ton ex reviendra t'embêter ?

— Étienne est cinglé, alors… pourquoi pas ? C'est une tête brûlée, il n'a pas de limites.

— Tu étais très amoureuse de lui quand tu l'as épousé ?

— Oui, mais ça n'a pas duré longtemps ! Je n'avais que vingt ans, aucune expérience des hommes, et je voulais fonder une famille. Étienne avait l'air solide, sûr de lui, je l'ai pris pour un bon gros nounours et j'ai cru qu'il me protégerait. On ne se connaissait que depuis quelques mois lorsqu'il m'a demandée en mariage, un bouquet de fleurs dans une main, l'autre sur le cœur, et des serments d'amour plein la bouche.

— En somme, il t'a sorti le grand jeu ?

— Le petit aurait suffi. Je suis une enfant de la DDASS, j'ai été ballottée à droite et à gauche avant de tomber sur une bonne famille d'accueil. Mais auparavant, je n'avais pas connu d'affection et j'en étais avide.

La révélation prit Philippine au dépourvu. Lucas n'y avait jamais fait allusion, considérant les « parents » de Clémence comme son beau-père et sa belle-mère. Lorsqu'ils venaient au chalet, Philippine avait bien remarqué que Clémence les appelait par leurs prénoms, mais elle n'y avait pas particulièrement prêté attention, croyant à un jeu entre eux.

— J'ignorais que tu… que tu avais connu une enfance difficile, dit-elle doucement.

— Oh, je n'étais pas Cosette chez les Thénardier ! À compter du jour où je suis arrivée chez Jean et Antoinette, j'ai même eu une adolescence agréable.

J'ai pu me construire une identité grâce à eux et je leur dois beaucoup. Mais évidemment, je rêvais de bâtir un foyer idéal, bien à moi. Étienne était plutôt beau parleur, et j'ai cru à ses promesses.

Philippine se demanda si leur amitié n'avait pas été très superficielle jusque-là. Elles s'appréciaient, riaient ensemble, établissaient les menus de la semaine, jouaient avec les jumelles à des jeux de société, parlaient de Virgile ou de Lucas, s'échangeaient des trucs de maquillage, mais elles ne s'étaient jamais livrées à de véritables confidences. Philippine décida de profiter de ce moment d'intimité pour en apprendre davantage.

— Quand as-tu découvert la vraie nature d'Étienne ?

— Presque tout de suite. Dès que nous avons été mariés, il a radicalement changé de comportement. Je suis devenue sa propriété et il a pu laisser libre cours à sa jalousie maladive. Au salon de coiffure, il refusait que j'embauche des garçons, mes apprentis devaient toujours être des filles. Je venais juste de monter ma petite affaire, aidée par Jean et Antoinette, qui m'avaient prêté de l'argent, or je tenais à les rembourser et je ne voulais pas d'histoires, donc j'engageais des filles. Chez nous, pas question d'inviter mes amis, il leur inventait tous les défauts possibles pour mieux faire le vide autour de moi. Même Jean et Antoinette ne trouvaient pas grâce à ses yeux, il a réussi à les écarter aussi. Quand nous dînions au restaurant, si je regardais un homme, j'avais droit à une scène. Il exigeait que j'aille travailler en jean, pas en jupe, et si je ne rentrais pas pile à l'heure, il se mettait à tourner comme un lion en cage.

— Et tu acceptais tout ça ?

— Les premiers mois, j'essayais de lui faire plaisir, d'éviter les disputes… Ses exigences se sont additionnées, petit à petit. Le jour où j'ai commencé à protester, il est devenu brutal et il m'a flanqué ma première paire de gifles. Pas la dernière, hélas !

— Il te frappait ? s'exclama Philippine, stupéfaite.

— Uniquement des claques. Des petites claques méprisantes, comme à une gamine désobéissante. Mais c'était en train de dégénérer. J'ai repris la pilule en cachette, très heureuse de ne pas être tombée enceinte, et en laissant mes plaquettes au salon de coiffure, par précaution.

Philippine secoua la tête, déconcertée par le récit de Clémence. Pour elle, qui se sentait si indépendante, la passivité d'une femme soumise à un mari jaloux et violent était incompréhensible.

— Le plus dur a été de lui annoncer que j'allais le quitter.

— Comment a-t-il réagi ?

— Très mal, évidemment ! J'ai eu droit à tout. La colère, les supplications, les réconciliations de force sur l'oreiller…

— De force ?

— Il fait deux fois mon poids, rappela Clémence avec un rictus amer. Il prétendait qu'il était capable de me rendre très heureuse au lit, et qu'ainsi tout s'arrangerait entre nous. Ben voyons ! Il osait même me dire que si j'étais plus docile, plus aimante, nous n'aurions plus aucun problème. J'ai vite compris qu'en me faisant l'amour matin et soir, que je sois d'accord ou pas, il cherchait surtout à ce que je tombe enceinte.

Pour lui, un enfant m'aurait empêchée de partir. Il paniquait vraiment à l'idée que je m'en aille. Son ego ne pouvait pas le tolérer, et je crois qu'il était, à sa manière, très amoureux de moi.

— Quand on aime une femme, on ne lui distribue pas des claques ! s'indigna Philippine. Si un homme levait la main sur moi, j'appellerais les flics illico et je porterais plainte.

— Nous n'avons pas le même caractère, ni, surtout, le même passé. Je suppose que, pour toi, tout a été facile, évident. Moi, à vingt et un ans, je n'avais pas beaucoup d'assurance, et mon mariage raté n'arrangeait rien. Je n'osais pas demander conseil à Jean et Antoinette, que j'avais honteusement laissés tomber à cause d'Étienne. Il n'y avait que Sonia, au salon, à qui je pouvais me confier. Elle m'a soutenue, alors je me suis tout de même décidée à consulter un avocat et à entamer une procédure. Quand le courrier est arrivé chez nous, j'en étais malade ! Mais contre toute attente, Étienne a d'abord été comme assommé. Me doutant qu'il finirait par sortir de son abattement, je me suis réfugiée chez Sonia, qui m'a hébergée. C'est à peu près à ce moment-là que Lucas et Virgile sont venus se faire couper les cheveux…

De nouveau, elle avait eu ce sourire un peu niais en prononçant le prénom de son mari, pourtant, cette fois, Philippine n'en fut pas agacée.

— Eh bien, j'ignorais tout ça, dit-elle d'un ton de regret. Je savais seulement que ton divorce avait été compliqué et que ton ex-mari était odieux, mais sans précisions. Pourquoi ne m'as-tu rien expliqué avant aujourd'hui ?

— Parce que tu ne me l'as jamais demandé. Tu es toujours le nez dans tes livres et la tête dans les nuages, Phil ! En plus, je préfère oublier cette période, dont je ne suis pas sortie grandie. J'aurais dû tout arrêter plus tôt, j'ai été lâche…

— Non ! Tu as eu le courage de te défendre et de partir. Il a pris les torts à sa charge, j'imagine ?

— Pas si simple. Après tout, j'avais quitté le domicile conjugal, mais mon avocate a été formidable, elle a plaidé la jalousie maladive, la violence et le harcèlement. Comme nous n'avions pas d'enfant, ni de bien en commun, le divorce a été rapidement prononcé.

Tout en parlant, elle avait continué à faire des gaufres et elle en proposa une autre à Philippine.

— L'arrivée de Lucas dans ma vie a été une bénédiction, reprit-elle d'un ton joyeux. Et avec la naissance des jumelles, je suis devenue une femme comblée. J'ai eu une chance folle !

Philippine fit une moue sceptique. Être une enfant de la DDASS puis épouser un type comme Étienne dénotait aussi une sacrée malchance. Mais en effet, à présent Clémence semblait très heureuse, épanouie par son second mariage et la maternité. Exactement ce dont Philippine ne rêvait pas.

Un bruit de moteur les mit soudain sur le qui-vive, et Clémence bondit vers une fenêtre.

— C'est Lucas ! annonça-t-elle avec soulagement.

Allaient-elles s'angoisser chaque fois qu'une voiture approcherait du chalet ? Ce serait d'autant plus stupide que, lors de sa visite, Étienne avait probablement dû finir le chemin à pied, puisqu'elles ne l'avaient pas entendu arriver.

— Je vais préparer le dîner, décida Philippine.

Elle avait soudain envie que Virgile rentre lui aussi et la prenne dans ses bras, mais il l'avait prévenue en fin de matinée qu'il risquait de revenir assez tard. Sa réputation s'étendait bien au-delà de la région et il était très sollicité, certains patients exigeant d'être opérés par lui et personne d'autre. Tournant le dos à Clémence et Lucas qui, comme tous les soirs, s'étreignaient tendrement, elle se mit à inspecter le contenu du réfrigérateur.

L'établissement du planning opératoire avait donné lieu à une discussion animée, Virgile ayant refusé de fixer en urgence une fracture complexe à laquelle il voulait d'abord réfléchir. Il sortait d'une intervention lourde sur un blessé instable qui avait causé de grandes frayeurs à l'équipe chirurgicale, et il avait encore à réduire une luxation de la hanche avant de quitter l'hôpital.

— Tu veux toujours travailler avec les mêmes, lui reprocha l'un des chirurgiens. Nous aussi, on aime bien Sébastien, change un peu d'anesthésiste !

Virgile esquissa un sourire conciliant mais il répliqua :

— On a tous nos habitudes.

— Ben voyons ! Pourquoi changer une équipe qui gagne, hein ?

— Exactement. Toutefois, je vous signale que, la semaine dernière, j'ai opéré avec Thierry.

Dans l'éclat de rire général qui suivit, une voix s'éleva pour rappeler :

— Sébastien était en congé !

Amusé, Virgile modifia deux horaires sur le tableau, sans pour autant changer les noms. Sa confiance en Sébastien lui permettait d'opérer sereinement, ce qui n'était pas toujours le cas, et comme la plupart des interventions délicates lui revenaient, il estimait avoir le droit de choisir ses collaborateurs. Pourtant, il n'abusait que très rarement de ses prérogatives de chef de service, tout le monde le savait.

— Bien, dit-il avec un coup d'œil à l'horloge murale, si personne n'a d'autre question, je n'ai pas tout à fait fini ma journée.

Dès qu'il quitta la salle de réunion pour rejoindre le bloc opératoire, il se concentra sur la luxation qui l'attendait, espérant que la réduction serait possible. Le patient était un jeune homme en bonne santé qui avait fait une chute très violente lors d'une descente à skis. Quand Virgile l'avait examiné, un peu plus tôt dans l'après-midi, il semblait croire qu'il serait vite sur pied. Or, même si tout se passait bien, le malheureux allait être immobilisé une dizaine de jours en traction ; suivraient deux mois de non-appui, avant d'entamer la rééducation. En plus de ses vacances, fichues, il risquait de rater tout un trimestre de ses études. Mais aussi, qu'était-il allé faire sur une piste noire dès le jour de son arrivée à la montagne ? Y penser donna à Virgile l'envie de s'offrir une journée entière de ski alpin, le dimanche suivant. Avec Lucas, ils veillaient chaque hiver à ne pas perdre leur condition physique pour conserver leur niveau de bons skieurs. Ce qui, théoriquement, les préservait des accidents.

À condition de ne pas faire la course comme des gamins, mais ça…

— Le bloc est prêt, lui annonça une infirmière.

Hochant la tête, il s'approcha d'un des éviers pour commencer à se laver les mains et les avant-bras. En tant que responsable, il insistait pour que tout le personnel médical respecte une hygiène parfaite, et pas seulement dans les salles d'opération. Depuis des mois, il réclamait à l'administration d'équiper les portes de poignées en cuivre, un métal naturellement antibactérien. Des tests pratiqués à Rambouillet et Amiens s'étaient révélés très positifs dans le cadre de la lutte contre les maladies nosocomiales, véritable fléau des hôpitaux avec plus de trois mille décès par an. Seul problème : si le cuivre était très efficace, il était également très onéreux.

— Toujours le fric ! ronchonna-t-il à mi-voix.

— Besoin de quelque chose ? lui demanda timidement une panseuse qu'il ne connaissait pas.

Il se retourna pour la dévisager et la trouva très jeune.

— Non, merci. Vous êtes… Ah oui, vous remplacez Brigitte pendant son congé maternité, c'est ça ?

— Tout à fait.

Elle avait rougi en lui répondant, apparemment très intimidée, ce qui était presque toujours le cas pour un nouveau membre de l'équipe chirurgicale. Il allait devoir la mettre à l'aise s'il voulait qu'elle soit efficace.

— Ravi de vous accueillir, dit-il chaleureusement.

— Je suis très honorée de pouvoir travailler sous vos ordres, docteur Decarpentry, bredouilla-t-elle comme une leçon bien apprise.

— Oh, je vous préviens, ce n'est pas toujours rose ! répliqua-t-il en riant.

— Non, renchérit Sébastien qui venait de les rejoindre, il lui arrive d'être odieux, mais uniquement les soirs de pleine lune. Son côté loup-garou, sans doute…

La jeune fille sourit et parut se détendre un peu. Virgile et Sébastien échangèrent alors un clin d'œil complice avant de pousser les portes du bloc. Sébastien avait pris l'habitude de plaisanter, à la fois amusé et exaspéré par l'effet que Virgile produisait sur le personnel féminin. Il raillait les expressions utilisées dans les conversations entre filles qu'il lui arrivait de surprendre. La *maîtrise incroyable*, la gentillesse *craquante*, la couleur *à tomber* des yeux *lapis-lazuli* du chef de service et autres superlatifs le faisaient rire. « Tu pourrais choisir celle que tu veux, tu n'as qu'à la cueillir ! » disait-il à Virgile avec une pointe d'envie. Mais celui-ci restait fidèle à Philippine et ne prêtait guère attention à l'émoi qu'il provoquait. Même s'il avait été seul dans la vie, sans doute n'aurait-il pas élu une femme appartenant de près ou de loin à l'hôpital. C'était pour lui une règle absolue, et il suggérait à Sébastien d'en faire autant afin d'éviter les ennuis. Hélas, résister à la tentation n'était pas si facile pour Sébastien, et la nouvelle panseuse suscitait déjà son intérêt. Dès qu'il lui aurait fait comprendre que Virgile était intouchable, peut-être aurait-il sa chance ?

En s'avançant vers la table d'opération, il chassa de ses pensées tout ce qui n'était pas l'anesthésie à venir.

Virgile avait beau être amical, il ne pardonnait pas la moindre erreur.

Étienne rongeait son frein. Avoir revu Clémence l'avait mis dans tous ses états, comme prévu. Cela faisait si longtemps qu'il pensait à elle ! Avec toujours la même passion et la même fureur, qui ne lui laissaient pas de repos.

Juste après leur divorce, il s'était pourtant juré de tirer un trait sur elle, d'expédier son souvenir au diable vauvert. Et bien sûr, il en avait été incapable. Non seulement il n'était jamais arrivé à se détacher d'elle, mais la blessure infligée à son orgueil le faisait toujours autant souffrir. Il avait bien tenté de remplacer Clémence par quelques aventures, qui avaient tourné court, puis par une liaison plus aboutie, qui s'était, hélas, soldée par un nouvel échec. À croire que la malchance le poursuivait. Ou bien c'était la foutue duplicité des bonnes femmes !

Avec Clémence, il avait vraiment vécu le summum. Elle était très jolie à l'époque, et elle le restait, inchangée. Appétissante, effarouchée, la plupart du temps docile, parfois un peu rétive mais vite matée : tout ce dont il raffolait. Il regrettait amèrement de ne pas avoir réussi à lui faire un enfant. Non pas que les mouflets l'intéressent, tant s'en faut, mais au moins ils l'auraient empêchée de le quitter. Peut-être aurait-il dû l'obliger à vendre son fonds de commerce ? Ou au moins exiger que ce soit un salon de coiffure exclusivement pour dames, sans qu'aucun homme puisse en franchir le seuil ? Ses ciseaux à la main, elle accueillait des tas de types, leur souriait, caressait leur nuque au-dessus du peignoir avec sa tondeuse… Y penser le rendait enragé. Voilà comment Lucas Vaillant l'avait séduite ! Il avait dû lui lancer des regards de merlan frit dans le miroir, la pousser à des confidences et lui promettre son aide. Car, Étienne en était certain, sans ce mec tordu, elle n'aurait pas eu le courage de s'entêter dans la voie du divorce. De toute façon, elle avait dû se plaindre, écouter les conseils de n'importe qui, par exemple de Sonia, la fille qui travaillait avec elle au salon, ou encore de ses faux parents de la famille d'accueil, Jean et Antoinette. Ceux-là, Étienne les avait détestés tout de suite. Ils avaient eu une façon de le considérer avec méfiance, sourcils froncés et lèvres pincées, qui l'avait poussé à les tenir à l'écart. Que s'étaient-ils imaginé ? Qu'il était intéressé par le minable salon de coiffure que Clémence venait de monter grâce à leurs économies ? Eh bien, pas du tout, il avait d'autres ambitions ! Électricien de formation, il savait qu'il était bon dans sa partie et que n'importe quelle boîte de la région l'aurait volontiers embauché. Mais il préférait travailler en free-lance, se faisant souvent payer de la main à la main, et il ne manquait jamais d'argent. Avec ça, il avait gâté Clémence. Il l'accompagnait dans les boutiques pour lui offrir de jolis vêtements – en particulier de la lingerie fine, qu'il serait le seul à admirer – et il rentrait parfois avec un bouquet de fleurs ou une bouteille de bon vin. Elle ne pouvait rien lui reprocher. Sauf quelques gifles par-ci par-là, dont elle faisait toute une histoire, sans se rendre compte qu'il aurait pu la frapper pour de bon s'il l'avait voulu. Il en avait d'ailleurs rêvé à plusieurs reprises, depuis leur divorce. Lui administrer la correction qu'elle méritait pour lui avoir préféré un autre. Un petit con de garagiste !

Certains soirs, les idées de vengeance ou de reconquête semblaient exploser dans sa tête comme un feu d'artifice. Se débarrasser de Lucas Vaillant. Reprendre Clémence en main. L'emmener loin, quitte à embarquer ses gosses si elle y tenait. Et puis, ils seraient un excellent moyen de la faire se tenir tranquille.

Longtemps, il avait échafaudé des plans, dont aucun ne convenait tout à fait. Jusqu'au moment où il avait décidé de revenir. À des centaines de kilomètres, il restait évidemment impuissant. Pourquoi était-il parti si loin ? Il avait voulu mettre le maximum de distance entre elle et lui, mais ça n'avait pas suffi à l'apaiser. Ne se plaisant pas du côté d'Amiens, il s'était peu à peu déplacé vers le sud, comme attiré par un aimant. Il avait vécu deux ans à Châteauroux, avant de descendre à Clermont-Ferrand. Sans liens, il allait où il voulait, retrouvait du travail, mettait un peu d'argent de côté. Il menait une vie simple, ne buvait jamais, n'avait quasiment aucun besoin. Séduire ne lui posait pas de problème non plus. Les femmes aimaient son côté ours, son autorité. Mais voilà, il ne s'était senti bien nulle part et avait fini par comprendre qu'il devait rentrer chez lui. Il était né là, dans une ferme isolée près du col du Noyer, où ses parents élevaient des brebis. Il était viscéralement attaché à la région, et elle lui avait beaucoup manqué. Presque autant que Clémence ! Et depuis qu'il était revenu, il allait mieux. Prêt à se battre pour récupérer celle qui n'avait pas cessé d'être son épouse, au moins devant Dieu, puisqu'on ne pouvait se marier qu'une seule fois à l'église et que le serment était indissoluble. Il saurait le rappeler à Clémence lorsqu'elle serait de nouveau à ses côtés.

Pour commencer, il avait loué un petit pavillon à la sortie de Gap. Un logement sans intérêt, surtout comparé au chalet où Clémence vivait pour l'instant. Mais elle n'était pas vraiment chez elle, ainsi qu'il l'avait appris en interrogeant ici et là d'anciennes connaissances. Sans doute était-ce ce Decarpentry, un chirurgien, qui en était le propriétaire. Un garagiste et une coiffeuse n'auraient pas pu s'offrir ça ! Par conséquent, il expliquerait à Clémence qu'il valait mieux un petit chez-soi qu'un grand chez les autres.

Restait juste à trouver comment et quand mettre la main sur elle pour avoir une conversation à cœur ouvert. Elle n'allait pas céder tout de suite, il s'y attendait, mais il parviendrait à la convaincre, parce qu'il avait de bons arguments. Entre autres, une séance au lit. N'avait-il pas toujours su lui donner du plaisir ? Elle faisait parfois sa mijaurée, mais elle appréciait. Et d'ailleurs, de quoi pouvait-elle lui garder rancune ? De s'être montré trop jaloux ? Mais quand on aime, on est forcément jaloux, voyons ! Jaloux d'une jolie femme qui est la vôtre, rien de plus humain. Lucas Vaillant était-il jaloux ? Ben non, il était arrivé *après*, il n'avait aucun droit. Sauf qu'il était le père des gosses… Tant pis, un problème à la fois. Étienne devait rester méthodique, comme lorsqu'il installait un tableau électrique.

Parcouru de frissons désagréables, il alla jeter un coup d'œil au-dehors. La nuit tombait sur l'épaisse couche de neige entassée dans le jardinet. Au-delà, tout le long de la rue, une sorte de boue grisâtre, formée par le passage des voitures, allait geler. Clémence avait-elle déjà fermé son salon de coiffure ? L'envie d'aller l'observer était forte, mais il se maîtrisa. Autant ne pas trop se faire remarquer pour l'instant. Il avait tout son temps. Il était de retour, c'était le principal.

En sifflotant, il alluma la radio, vérifia que les radiateurs étaient poussés au maximum. Le loyer du pavillon n'était pas cher, mais ça ne valait pas davantage. Quoi qu'il arrive, son installation ici était provisoire, il s'en contenterait. Et puisque le four fonctionnait, alors il allait y glisser deux grandes pizzas sans attendre. Son appétit d'ogre n'était pas une légende, il avait besoin de nourrir son mètre quatre-vingt-dix et ses cent kilos.

— J'en suis arrivée au point où je dois discuter avec mon directeur de thèse, annonça Philippine pendant le dîner. J'ai rendez-vous avec lui à Paris vendredi, ensuite j'en profiterai pour régler quelques affaires. Je pars demain, et je pense rentrer mardi ou mercredi.

Cette nouvelle parut plonger Clémence dans la consternation. Depuis la visite d'Étienne, elle appréciait la présence de Philippine, lorsqu'elle rentrait en fin d'après-midi. Lucas arrivait presque toujours après elle, et Virgile encore plus tard ; elle allait donc se retrouver seule avec les jumelles durant des heures. Mais Philippine se rendait quatre ou cinq fois par an à Paris, soit pour ses études, soit pour rencontrer le notaire qui gérait ses biens. Elle avait conservé un beau studio boulevard Saint-Germain, qui lui servait de pied-à-terre, et elle aimait se replonger dans l'atmosphère de la capitale. Virgile ne l'accompagnait qu'exceptionnellement, pour faire une visite de courtoisie à ses parents. Ces derniers n'ayant ni compris ni admis les choix de leur fils, leurs rapports restaient froids. Quant à son oncle, le grand ponte en médecine qui avait voulu régenter sa carrière, il ne lui adressait plus la parole. Son unique sœur, Laetitia, avait docilement suivi la voie de la finance et travaillait dans la banque paternelle. Elle était sa cadette de sept ans et avait été très impressionnée par les querelles opposant Virgile à la famille. Pour se tenir hors du conflit, elle ne rencontrait son frère qu'en secret, sans rien dire à leurs parents, une attitude que Virgile jugeait à la fois immature et vexante.

— Tu ne viendras pas avec moi, je suppose ? s'enquit Philippine.

— Impossible, le planning de l'hôpital est trop chargé, et ce sera sans doute la même rengaine jusqu'au printemps.

Ayant l'habitude de ces refus, elle n'en prit pas ombrage, mais elle remarqua l'air soulagé de Clémence, à qui elle adressa un sourire.

— Deux hommes pour veiller sur toi, ma belle !

— Je m'arrangerai pour ne pas rentrer tard, promit Lucas en posant sa main sur celle de sa femme.

Une promesse difficile à tenir, car si Clémence pouvait confier le salon de coiffure à Sonia, en revanche, dans son garage, Lucas était le seul à s'occuper des ventes.

— Ne créons pas une psychose au sujet d'Étienne, ajouta-t-il d'un ton résolu.

Néanmoins, ils y pensaient tous les quatre, contrariés par cette menace qui troublait leur tranquillité. Jusqu'alors, l'isolement du chalet leur avait semblé un avantage. Les premiers voisins étaient loin, plus bas dans la vallée, et la situation dominante offrait une vue splendide, ainsi que la possibilité, dès l'arrivée de la neige, de partir se promener skis aux pieds. Lorsqu'ils recevaient des amis, ils pouvaient faire tout le bruit qu'ils voulaient sans gêner personne, été comme hiver. La contrepartie était, parfois, une impression de solitude, qui n'avait pourtant pas gêné Clémence ou Philippine jusqu'à ce jour.

— De toute façon, s'il revient, on n'aura qu'à prévenir la gendarmerie, suggéra Virgile.

— Pour leur dire quoi ? Étienne est menaçant mais c'est subjectif. En réalité, il ne nous a menacées de rien, Philippine et moi. Passer dire bonjour n'est pas un délit. Et les gendarmes ont autre chose à faire. Même à l'époque où il me harcelait, pendant le divorce, c'était la croix et la bannière pour intéresser les forces de l'ordre à mon cas !

Clémence en parlait amèrement. Elle voulait oublier cette période de sa vie où la honte, la peur et la culpabilité auraient fini par lui faire perdre pied si Lucas n'était pas arrivé.

— Quelqu'un aimerait une infusion, un digestif ? proposa Philippine en se levant.

En pensée, elle était déjà à Paris, discutant avec son directeur de thèse. Virgile la suivit du regard tandis qu'elle se dirigeait vers le comptoir de la cuisine. Même si elle prétendait se plaire à la montagne, il ne la croyait qu'à moitié. De ses séjours parisiens, elle revenait toujours avec mille choses à raconter. Les amis qu'elle revoyait, les boutiques qu'elle dévalisait, les livres qu'elle rapportait étaient la preuve de son plaisir. Restait-elle ici uniquement par amour pour lui ? Elle ne voulait pas d'enfant, ce qui revenait à dire qu'elle ne voulait pas d'engagement définitif – alors que lui en rêvait. Quelques mois plus tôt, il l'avait emmenée dîner à La Menthe poivrée, un restaurant de Gap dont il appréciait la cuisine, servie dans une belle salle voûtée, et après avoir commandé du champagne, il lui avait tendu un petit écrin. Elle s'était contentée de sourire, puis de secouer la tête, sans faire un geste pour prendre l'écrin. « Je devine ce que tu vas me dire, malheureusement c'est trop tôt pour moi. Range ça dans ta poche, Virgile, tu me l'offriras quand le moment sera venu. » Il était resté muet quelques instants, dépité. D'autant plus qu'il s'était donné du mal pour choisir un bijou susceptible de lui plaire, et qu'il ne s'agissait pas du tout d'une bague mais de boucles d'oreilles. Avec ce cadeau, destiné à la surprendre, il espérait seulement provoquer une discussion sérieuse. Il était prêt à lui laisser encore du temps, mais il voulait savoir de quelle manière elle concevait leur avenir. Lucide, il était obligé d'admettre que son propre désir de fonder une famille devenait impérieux. Quand l'un de ses confrères, à l'hôpital, annonçait une naissance et décrivait sa joie d'être père, Virgile l'enviait. Dans ces occasions, il ne manquait jamais d'offrir une peluche ou un doudou, et à force de se rendre dans un magasin de jouets, il se sentait pressé d'éprouver à son tour les bonheurs de la paternité. Plus il approchait de la quarantaine, plus ce sentiment était présent. Tout en respectant les décisions de Philippine et en comprenant son besoin farouche d'indépendance, il s'interrogeait de plus en plus souvent. Allaient-ils pouvoir continuer leur route ensemble ?

Elle devait avoir surpris son regard sur elle car, après avoir déposé le plateau des infusions sur la table basse, elle vint s'asseoir près de lui.

— Si ça t'ennuie que je m'en aille…

— Non, pas du tout.

— Je dois absolument savoir si je travaille dans la bonne direction. Ces derniers jours, j'avais l'impression de piétiner, ou de m'égarer.

— Je comprends très bien, chérie.

— Et toi, Clémence, tu es sûre que ça ira ?

— Mais oui ! Ne t'en fais donc pas. Préviens-moi seulement si tu prolonges ton séjour. Dans ce cas-là, je demanderai peut-être à Jean et Antoinette de venir nous voir, ils ne demandent que ça.

— Excellente idée ! s'enthousiasma Lucas. Il y a aussi mes parents, qui s'ennuient de leurs petites-filles et qui sont disponibles. Ils avaient prévu de venir le mois prochain, pour profiter du congé scolaire de février, mais ils peuvent avancer leur voyage.

Un peu tranquillisée, Clémence lui adressa un sourire reconnaissant. Disposer de chambres d'amis permettait de recevoir sans créer de gêne et ils ne s'en privaient pas.

— Oh, oui, tes parents, Lucas ! approuva Virgile.

Durant ses années d'études à Paris, il avait toujours été chaleureusement accueilli chez eux. Alors qu'il était en rupture de ban avec sa famille, cette ambiance gaie et généreuse lui avait apporté ce qu'il ne trouvait plus auprès des siens.

— J'adore discuter avec ton père, il est le bon sens personnifié. Et si ta mère pouvait nous mitonner sa divine blanquette…

— Mais on va les mettre au courant, pour Étienne ? s'inquiéta Clémence.

Elle n'avait aucune envie d'évoquer son ex-mari devant ses beaux-parents, un sujet qu'elle avait évité avec soin jusque-là. Les larmes aux yeux, elle semblait soudain perdue. Étaler cette période de sa vie l'humiliait, elle se sentait dévalorisée. Déjà, elle avait dû se confier à Philippine pour lui faire comprendre le degré de dangerosité d'Étienne, et elle le regrettait.

— Alors ? insista-t-elle, le regard braqué sur Lucas.

Comme il ne répondait pas, Virgile intervint, d'une voix douce mais ferme :

— On a toujours parlé de tout très librement avec eux. Ils t'aiment, Clémence. Tu rends leur fils heureux, tu leur as donné des petites-filles superbes, ils ne te jugeront pas sur ton passé.

— D'autant plus que tu n'as rien fait de mal ! ajouta Philippine d'un ton péremptoire.

Clémence faillit protester mais s'en abstint. Rien de mal, certes, pourtant c'était bien à cause d'elle qu'ils se faisaient désormais du souci. Peut-être à juste titre, car elle savait que lorsque Étienne se mettait une idée en tête, rien ne pouvait l'arrêter. Il n'était pas revenu par hasard, il ne l'avait pas oubliée et il n'avait pas pardonné.

— On devait finir de ranger le garage avant d'aller se coucher, rappela Lucas à Virgile en se levant. On en a pour un petit quart d'heure.

Son ami lui jeta un coup d'œil surpris mais le suivit. Ils s'engagèrent dans l'escalier intérieur, refermant la porte derrière eux.

— Une folle envie de rangement nocturne ? railla Virgile.

Comme il faisait froid au sous-sol, il prit l'un des blousons pendus aux patères, en lança un autre à Lucas. Ils contournèrent les voitures pour gagner le fond du garage où se trouvaient le casier à skis et l'établi couvert d'outils.

— Je voulais te parler, expliqua Lucas à mi-voix.

— Je m'en doute, parce que ici, tout est en ordre. Tu es inquiet pour Clémence ?

— Je me demande ce qu'on peut faire pour la protéger de ce type. Et pas seulement elle mais aussi les filles.

— Tu crois qu'il s'en prendrait à des enfants ?

— Il a dit qu'il reviendrait, alors je veux tout prévoir. Comme convenu, j'appelle mes parents dès demain matin. Ils viendront, évidemment, mais ils ne vont pas s'installer chez nous pendant des mois ! Je me demandais si on ne devrait pas prendre un gros chien de garde, bien dissuasif.

— Philippine a peur des gros chiens.

— Ah oui, c'est vrai…

— Et c'est dommage, parce que ça me plairait beaucoup d'en avoir un.

Ils restèrent silencieux quelques instants, chacun envisageant d'éventuelles solutions.

— Je pourrais aller le voir, finit par suggérer Lucas.

— Tu ne ferais que jeter de l'huile sur le feu. À mon avis, tu es la personne qu'il déteste le plus.

— Mais on ne va pas vivre sous cette menace permanente ! Clémence y pense sans arrêt. Et moi aussi.

— Tu as dit toi-même de ne pas créer de psychose. Plus on en parle, plus ta femme s'affole. On devrait essayer de l'oublier. Et s'il se pointe à nouveau, on s'expliquera pour de bon avec lui.

— Nous, oui, mais pas elle toute seule. Devant lui, elle est comme un lapin pris dans les phares.

— Tu crois que ta femme est une petite nature, or ce n'est pas le cas. La preuve, quand il est venu, elle n'est pas restée hébétée, elle a réussi à le mettre dehors.

— Je sais qu'elle est capable de beaucoup de choses, mais face à cette brute… Étienne n'est pas seulement enragé, il est *dérangé* ! Pour être toujours obsédé par elle après tant d'années, il faut qu'il soit fou. Au sens propre.

Virgile secoua la tête avec agacement.

— Je n'ai rien de valable à te suggérer. Dis à Clémence d'être très prudente, très vigilante. S'il y a un nouvel incident, on avisera. Je connais certains des gendarmes, ils me prendront au sérieux.

Lucas acquiesça, peu convaincu.

— C'est bien la première fois que je regrette d'habiter ici, dit-il en se dirigeant vers l'escalier.

Virgile le rattrapa et lui posa la main sur l'épaule.

— Attends… Explique-moi ça.

— Nous sommes loin de tout. Vraiment isolés. Précisément ce qui nous a plu, quand nous avons acheté le chalet. Être seuls au monde à flanc de montagne était si séduisant ! Partir du chalet sur nos skis, on l'a fait cent fois, heureux comme des gamins. La contrepartie est que ma femme et mes filles sont tous les jours sur la route, et quand elles rentrent à la maison, elles deviennent vulnérables. J'avoue n'y avoir pas trop pensé jusqu'à maintenant. Mais les journaux sont pleins de faits divers, Virgile, ça n'arrive pas qu'aux autres ! Un jaloux ou un désespéré qui prend un coup de sang et qui tire dans le tas… Je ne sais pas si Étienne possède une arme, ni même s'il est *réellement* dangereux, mais c'est une possibilité. Un risque.

— D'accord. Je comprends. Si tu dois sentir ta famille plus à l'abri dans un appartement ou une maison à Gap, veux-tu qu'on vende le chalet ?

Stupéfait, Lucas dévisagea Virgile, choqué par la brutalité de sa proposition.

— Nous nous étions promis que si l'un de nous voulait partir, ce ne serait pas un problème, rappela Virgile.

— Oui, mais… Mais non ! Franchement, ce serait trop dommage. D'ailleurs, on traîne encore un crédit, on…

— Mauvaise excuse, vieux. On a beaucoup amélioré le chalet. En finissant tout ce qui était resté en plan à la construction, on lui a donné de la valeur, tu le sais bien.

— Je sais aussi que je n'ai pas envie de partir. Clémence non plus, malgré ses angoisses. Ici, les jumelles ont une vie de rêve, elles sont dehors été comme hiver ! On a toute la place voulue pour recevoir nos familles, et nous nous entendons parfaitement, tous les six, non ?

— Lucas, la question n'est pas là. On parlait de sécurité. Tu veux partir ?

— Mais enfin, comment peux-tu être aussi... détaché ?

— Je ne le suis pas. Nous avons fait le choix de ce chalet et de la cohabitation il y a quelques années, en pesant les avantages et les inconvénients, mais la situation peut changer, et je ne t'en voudrai pas pour autant. Tu es mon meilleur ami et tu le resteras, sens-toi libre de faire ce qu'il y a de mieux pour ta famille.

Malgré ce qu'il entendait, qui aurait dû le rassurer quant à l'état d'esprit de Virgile, Lucas avait l'impression que la confiance absolue qu'ils avaient l'un dans l'autre était entamée.

— Tu partirais sans regrets ? marmonna-t-il. Je n'y crois pas une seconde !

— Ta priorité est de protéger ta famille, ne te soucie pas de ce que je pense.

— Virgile, qu'est-ce qui te prend ?

Déstabilisé, Lucas ne comprenait pas cette froide logique que lui opposait Virgile.

— Est-ce que je t'ai... blessé ? risqua-t-il.

— *Blessé* ? Où vas-tu chercher ça ? Même si je ne suis pas le mari de Clémence, ni le père des jumelles, elles me sont précieuses et je me maudirais s'il leur arrivait quoi que ce soit. Mais je ne prendrai pas la décision à ta place.

— Je ne prends aucune décision pour l'instant. Je me contente d'échanger des idées avec toi. Je n'aurais pas dû dire que je regrette d'habiter ici, parce que c'est faux. Juste un instant de doute.

— Tu n'as jamais été quelqu'un qui doute, Lucas.

— Alors, je ne dois pas me laisser terroriser par ce type qui surgit du passé. Je vais l'y renvoyer !

Il se sentait soudain plus fort et plus déterminé.

— Bon, on a fini de « ranger » ? s'enquit Virgile d'un ton ironique.

— Pour moi, maintenant, tout est en ordre !

Ils échangèrent un long regard, se sourirent puis se mirent à rire franchement, redevenus complices.

— Prends contact avec l'électricien et faisons installer cette fichue alarme, ajouta Virgile en se dirigeant vers l'escalier.

Dans le séjour, ils trouvèrent Philippine et Clémence en train de bavarder gaiement devant la flambée à laquelle elles avaient ajouté une grosse bûche.

— La neige s'est remise à tomber ! leur annonça Clémence.

C'était l'un des hivers les plus froids qu'ils aient connus depuis qu'ils habitaient le chalet. Grâce à la parfaite isolation du toit et des murs, ainsi qu'au triple vitrage des fenêtres, la température intérieure restait agréable ; cependant, ils faisaient du feu presque tous les soirs pour le plaisir de s'attarder près de la cheminée. Philippine laissait traîner des plaids en mohair, légers et chauds, sur les accoudoirs des deux grands canapés où elle aimait se lover pour lire ou pour discuter, et Clémence allumait souvent des bougies à la cannelle ou au santal. Entre elles, les heurts étaient rares, elles se concertaient toujours pour les décisions communes concernant l'organisation de la vie quotidienne. En revanche, au premier étage, chacun des deux couples faisait ce qu'il voulait dans son espace privé.

Lucas alla écarter l'un des volets intérieurs et alluma les lanternes du porche. Dans la lumière, de gros flocons tourbillonnaient.

— Avant de partir, demain matin, il vaudra mieux attendre le passage du chasse-neige... s'il monte jusqu'ici ! À quelle heure est ton train, Philippine ?

— Onze heures moins le quart. Je descendrai avec l'un de vous, inutile de laisser ma voiture plusieurs jours à la gare.

Elle se leva, s'étira, tendit la main à Virgile.

— Je monte faire ma valise. Tu viens ?

Il lui adressa un sourire machinal avant de la suivre.

— Il n'est pas un peu tendu, Virgile, en ce moment ? chuchota Clémence dès qu'ils furent seuls.

S'allongeant carrément sur le canapé, elle posa la tête sur les genoux de Lucas.

— Je le trouve plus sombre et moins disponible, ajouta-t-elle. Pas du tout son genre. Est-ce qu'il aurait un problème avec Philippine ou avec l'hôpital ?

— Il ne s'est pas confié, avoua Lucas. Mais je suis d'accord, il doit avoir des soucis. Et je ne pense pas que ça vienne de son boulot. Tout ce que je sais, c'est qu'à force de retarder l'échéance, Philippine le met dans une impasse. Il a beau l'aimer, il se pose des questions. Quand je le vois avec Émilie et Julie...

Il adore les enfants, ça crève les yeux, et il en veut. Pas dans dix ans.

— Toutes les femmes n'ont pas forcément envie d'être mère. Philippine tient à sa liberté, elle ne veut pas de chaîne au pied. Si elle s'écoutait, elle voyagerait autour du monde la moitié de l'année et s'enterrerait au fond d'une bibliothèque le reste du temps.

— Et Virgile, dans ce joli programme ?

— C'est là que le bât blesse.

— Elle t'en a parlé ?

— Des allusions par-ci par-là. Plus fréquentes, ces derniers temps.

— Peut-être que leur histoire s'essouffle. Tout à l'heure, Virgile me disait qu'il serait heureux d'avoir un chien, mais que Philippine en a peur. Alors, pas d'enfant, pas de chien, pas d'attaches et pas d'engagement…

— Mais elle l'aime, j'en suis certaine.

— L'amour, c'est aussi le partage. Je pense que Virgile souffre de tous les refus de Philippine. Et il est trop intelligent pour croire qu'il va la changer.

— Tout ça est très dommage, murmura Clémence, qui se sentait gagnée par le sommeil.

Elle appréciait énormément Virgile qui, avec le temps, n'était plus seulement l'ami de Lucas mais était aussi devenu le sien. Durant des années, elle avait imaginé qu'il finirait par épouser Philippine, une perspective réjouissante. Pourtant, ce ne serait sans doute pas le cas. Alors, qu'allait devenir leur vie commune ? L'équilibre de la cohabitation risquait d'être perturbé, et cette menace s'ajoutait à celle de la présence d'Étienne dans les parages. Elle poussa un long soupir, ferma les yeux. D'ici peu, il faudrait éparpiller les braises et installer les pare-feux des deux côtés de la cheminée avant de monter, mais elle voulait rester encore quelques minutes blottie contre Lucas, et profiter d'une impression de paix, qui ne durerait peut-être pas.

3

Philippine éclata de rire en entendant la nouvelle plaisanterie de son directeur de thèse, qui adorait les jeux de mots sophistiqués. Attablés dans la brasserie Les Bouquinistes, où elle l'avait invité à déjeuner, ils avaient longuement discuté du travail de Philippine et de la meilleure orientation à lui donner.

— Votre obstination a payé, comme toujours. Vous avez vraiment creusé le sujet et vous lui apportez un éclairage très intéressant. Si vous tenez compte de mes conseils, je crois que le résultat sera… remarquable.

Ravie, Philippine régla l'addition, malgré les protestations de son professeur, et elle l'accompagna jusqu'à la station de métro. Elle avait le temps de faire un peu de shopping avant son rendez-vous avec Laetitia, la sœur de Virgile. Son séjour tombait bien : celle-ci l'avait appelée en expliquant qu'elles devaient absolument se voir pour une question familiale, ce qui semblait très mystérieux, et Philippine avait hâte de savoir de quoi il retournait. *Familiale* ? Elle ne fréquentait pourtant pas la famille de Virgile, et lui-même s'en tenait délibérément éloigné.

Comme il faisait beaucoup moins froid à Paris qu'à Gap, Philippine en profita pour flâner, s'attardant devant les vitrines. Elle finit par acheter une élégante paire de bottes à hauts talons qu'elle n'aurait sans doute pas l'occasion de porter au chalet mais qui lui plaisaient et qu'elle laisserait ici, dans son studio parisien. En revanche, elle craqua pour une doudoune en duvet d'oie, très chaude mais très chère, qui serait idéale en montagne. Pouvoir dépenser de l'argent sans rendre de comptes à personne était une liberté qu'elle devait à ses grands-parents, et dans ces moments-là, elle avait toujours une pensée reconnaissante pour eux. Ils l'avaient mise à l'abri du besoin en lui léguant une partie de leur fortune. L'autre était revenue à ses parents, mais sa mère était décédée peu après et Philippine avait reçu un nouvel héritage. Son père s'était remarié deux ans plus tard et avait suivi sa nouvelle épouse à Québec. Il écrivait chaque mois un long courriel à sa fille, se rendait une fois par an à Paris pour la serrer dans ses bras et s'assurer qu'elle allait bien. Ces séjours étaient très brefs, jamais il ne s'attardait, pressé de repartir ; toutefois, il invitait Philippine à venir le voir au Canada, et lui répétait qu'en cas de besoin il serait toujours là pour elle. Leurs rapports étaient affectueux, apaisés, mais Philippine ne tenait pas trop à fréquenter sa belle-mère. Il lui suffisait de savoir que son père aimait toujours sa fille unique, même à distance.

Laetitia l'attendait déjà quand Philippine, chargée de ses paquets, poussa la porte du pub où elles s'étaient donné rendez-vous, rue Hautefeuille. Comme elles se voyaient rarement, il y eut d'abord quelques instants de gêne, puis Laetitia demanda des nouvelles de son frère.

— Virgile va très bien, il croule sous le boulot ! Mais tu le connais, il adore ça.

— Et quel temps avez-vous, là-bas ? Il paraît que vous êtes en permanence sous la neige…

— Avec une température polaire, oui. Dieu merci, le chalet est très confortable, et grâce à Lucas nos voitures ne craignent pas le verglas, sinon on ne pourrait plus bouger de chez nous.

Philippine dévisagea Laetitia, qui semblait en forme. Elle était vêtue d'un tailleur strict, très femme d'affaires, et apparemment sa seule fantaisie était de laisser ses longs cheveux détachés. Son regard bleu sombre pailleté d'or rappelait celui de son frère, mais elle ne possédait pas son charisme, et malgré son apparente assurance, on devinait qu'elle manquait de confiance en elle. Bien qu'ayant le même âge toutes les deux, elles n'avaient jamais cherché à se rapprocher. Pour Philippine, qui avait vécu seule très tôt, que Laetitia soit encore sous la coupe de ses parents était une aberration.

— De quoi voulais-tu me parler ? s'enquit-elle pour couper court aux banalités qu'elles échangeaient.

Le serveur vint les interrompre et elles commandèrent deux verres de pouilly.

— Je vais avoir besoin de toi, annonça finalement Laetitia. C'est un peu délicat, mais voilà, nous allons fêter les soixante-dix ans de papa… Ma mère tient à marquer l'événement et veut organiser une belle réception avec la famille au complet, ainsi que quelques amis très proches. Et elle espère de tout cœur que Virgile viendra, parce que, sans lui…

Elle marqua une pause, attendant sans doute que Philippine dise quelque chose. Devant son silence, elle se résigna à poursuivre :

— Lui et papa ne sont pas fâchés, juste un peu en froid, alors ce serait l'occasion idéale pour les réunir. Bien entendu, tu es invitée aussi. La date est fixée au dernier samedi de février, dans un peu plus d'un mois. La fête aura lieu à la maison, maman est en pleins préparatifs et elle ne lésine pas, elle voit les choses en grand !

— J'imagine.

— Écoute, il n'y a que toi qui puisses convaincre Virgile. Je sais que papa souffre de ne quasiment jamais le voir, de n'avoir aucun échange avec lui. Ils sont restés sur un malentendu qu'ils n'ont pas réussi à dissiper, c'est trop bête. Les années passent, papa ne rajeunit pas.

— Laetitia…, soupira Philippine. Tu t'entends ? *Papa* ceci, *maman* cela : quel âge as-tu ?

— Oh, c'est une façon de parler ! À la banque, je l'appelle monsieur, mais là, il s'agit de quelque chose d'intime. Cet anniversaire est un symbole, qui sonne aussi le glas de son activité professionnelle, et il va avoir du mal à s'adapter. Faire la paix avec son fils serait l'un des plus grands bonheurs qu'on puisse lui offrir.

— Vous ne vous êtes pas tellement préoccupés de ce « grand bonheur » jusqu'ici. Si vous aviez voulu que les choses s'arrangent entre eux, il fallait agir au grand jour. Mais, depuis des années, tu te contentes de rencontrer ton frère en cachette de tes parents, comme s'il était infréquentable, et ta mère ne l'appelle que lorsqu'elle est seule. D'ailleurs, pourquoi ne l'invite-t-elle pas elle-même ?

— Elle a peur d'essuyer un refus. Il est capable de prétexter qu'il a trop de travail et qu'il ne peut pas quitter l'hôpital. Sauf que n'importe qui a le droit de prendre deux jours de congé, n'est-ce pas ? Ce serait vraiment génial si vous passiez le week-end avec nous.

— Ça ne dépend pas de moi.

— Bien sûr que si ! Virgile t'écoute, tu peux l'influencer.

— Pourquoi devrais-je le faire ? Je ne me sens pas concernée.

— Tu exagères, Philippine. Tu es la femme qui partage sa vie. La drôle de vie qu'il s'est faite en allant exercer dans un trou, à l'autre bout de la France, tout ça parce qu'il ne supportait pas les conseils de la famille, qu'il…

— Un *trou* ? l'interrompit sèchement Philippine. Une *drôle* de vie ? Gap n'est pas un trou, l'hôpital est très bien équipé, et ton frère aime la vie en montagne, comme tu le sais. En es-tu réduite à croire, par pur snobisme, que les genoux ou les poignets sont moins intéressants à opérer hors de Paris ? Qu'au-delà du périphérique, tout devient médiocre ? Si j'en crois ce que m'a raconté Virgile, c'était déjà ça, le sujet de la dispute avec votre père. Alors, si vous en êtes toujours là, il y a peu de chances qu'une réunion de famille puisse bien se passer !

— Ne te fâche pas, voyons… Mais reconnais que les grandes carrières se font à Paris.

— Ton frère n'avait pas envie d'une grande carrière, du genre de celle que votre oncle prétendait lui imposer. Il voulait exercer son métier sereinement. Le faire bien et dans de bonnes conditions.

— Je sais. Et pap… mon père l'a admis, aujourd'hui.

— Qu'il le lui dise.

— Il le fera si vous lui en donnez la possibilité. Si vous venez.

Agacée, Philippine vida d'un trait le reste de son verre. Elle n'avait aucune envie de se mêler de cette vieille querelle familiale. Ce qui manquait à Virgile n'était pas une réconciliation avec son père et son oncle, mais plutôt les enfants qu'elle refusait de lui donner. Serait-il attendri par la tentative de Laetitia ? Accepterait-il de se rapprocher des siens ? Pour sa part, même si elle ne tenait pas du tout à participer à l'événement, ce serait l'occasion de passer deux ou trois jours à Paris avec Virgile. Une fois la corvée du dîner d'anniversaire expédiée, ils pourraient profiter des restaurants, des magasins, visiter une exposition ou aller au théâtre ensemble, ce qu'ils ne faisaient jamais. Et, accessoirement, elle pourrait satisfaire sa curiosité envers la famille Decarpentry, qu'elle connaissait à peine.

— Bien, déclara-t-elle enfin, je vais lui en parler et voir si je peux le convaincre, mais je ne te promets rien.

— C'est très gentil ! s'enthousiasma Laetitia.

Se réjouissait-elle à l'idée de pouvoir retrouver son frère, ou seulement parce qu'elle avait satisfait le désir de ses parents ? Philippine la laissa régler les consommations, et elles s'embrassèrent avant de se quitter.

Clémence regardait sans cesse dans son rétroviseur, quasiment certaine d'être suivie. Elle s'en était rendu compte en quittant la route en direction de Montmaur, et depuis qu'elle se dirigeait vers La Cluse, malgré ses tentatives pour ralentir ou au contraire accélérer, l'autre véhicule restait obstinément derrière elle, de plus en plus proche.

Déjà, en récupérant les jumelles à la sortie de l'école, elle avait eu l'impression désagréable d'être épiée, mais elle s'était raisonnée. Puis, avant de quitter Gap, lorsqu'elle s'était arrêtée à la boulangerie où elle avait ses habitudes, elle avait remarqué la vieille Jeep noire aux vitres teintées qu'elle avait aussi aperçue dans la rue de l'école.

Était-ce cette même voiture qui la talonnait ? Il ne neigeait pas mais la nuit était tombée et, dans la lueur des phares, le paysage uniformément blanc brillait de givre, avec quelque chose de fantomatique qui rendait la conduite dangereuse.

— Maman, tu nous secoues ! protesta Émilie.

Comme toujours, Julie répéta d'un ton plaintif ce que sa sœur venait de dire. Un instant, l'attention de Clémence se porta sur ses filles, si semblables physiquement, et aux caractères pourtant si différents. Émilie, très décidée et souvent brusque, plutôt sportive et extravertie, Julie, douce et rêveuse, émotive et secrète. Brunes, comme leur père, avec les yeux gris clair de leur mère, elles étaient ravissantes.

Le rétroviseur parut soudain s'illuminer. La voiture qui la suivait s'était encore rapprochée, pleins phares, et cette fois Clémence se sentit vraiment en danger. Le fou, derrière elle, ne pouvait être qu'Étienne, elle en avait la certitude, même si elle ne pouvait pas distinguer le visage du conducteur. Cramponnée au volant, elle négociait de plus en plus mal les nombreux virages, tout en essayant de ne pas céder à la panique. Elle choisit de ralentir, passa en seconde et serra le bas-côté sur sa droite pour se laisser doubler au lieu de fuir, mais son poursuivant ralentit, lui aussi, restant à moins d'un mètre de son pare-chocs.

— Maman, qu'est-ce que tu fais ? s'inquiéta Émilie. Il y a quelqu'un, juste derrière nous !

— J'ai vu, ma chérie, j'ai vu…

Pour éviter d'être éblouie, elle baissa son rétroviseur. Orienté vers les filles, il révéla leurs petits visages inquiets.

— Va plus vite, maman, tu le gênes !

Se traîner ne servait à rien, l'autre semblait décidé à la coller quoi qu'elle fasse. Elle augmenta sa vitesse et regagna le milieu de la route étroite. Si c'était bien cette tête brûlée d'Étienne qui jouait à lui faire peur, elle n'arriverait pas à le semer. Malgré les qualités du Toyota, elle manquait d'assurance au volant. À sa place, Lucas se serait tiré d'affaire, mais elle approchait du col du Festre, un passage difficile qu'elle redoutait. Coincée entre Serre Lacroix et le Chauvet, qui culminaient à deux mille mètres, la route semblait encaissée, même de jour, et par une nuit glaciale c'était pire. Clémence décida de s'arrêter carrément. Profitant d'une ligne droite, elle mit son clignotant, serra le tas de neige accumulé sur le bas-côté, puis elle baissa sa vitre et sortit son bras, faisant signe à l'autre voiture de la doubler. Mais celle-ci s'était immobilisée derrière elle, toujours aussi menaçante.

— Pourquoi tu t'arrêtes, maman ? interrogea Émilie d'une voix aiguë.

— Je voudrais que le monsieur nous dépasse, ma chérie.

Durant quelques instants, elle attendit, en vain. Elle avait remonté sa vitre et n'avait aucune intention de quitter sa voiture. D'un geste nerveux, elle appuya sur le bouton qui commandait le verrouillage des quatre portières et du coffre. Rester là ne servait à rien d'autre qu'à intensifier sa peur.

— Vas-y, maman, vas-y ! supplia Julie.

Pour une fois, elle avait parlé avant sa sœur. Très intuitive, elle devinait facilement les émotions des autres, et sans doute était-elle gagnée par l'anxiété de sa mère. Clémence songea à appeler Lucas pour lui demander quoi faire, mais il devait être encore au garage et ne pourrait pas l'aider. Elle jeta quand même un coup d'œil vers l'écran tactile du tableau de bord et sélectionna son numéro. La sonnerie retentit dans l'habitacle, puis il y eut le message enregistré de Lucas, qui n'était donc pas disponible. Clémence essuya ses mains moites sur son pantalon de velours, puis elle passa en première et démarra doucement. Aussitôt, la Jeep noire se mit en route derrière elle.

— Putain, gronda-t-elle, on se croirait dans *Duel* !

— C'est quoi, « duel » ? voulut savoir Émilie.

— Un film, ma puce… Je n'aime pas être suivie comme ça.

— Alors dépêche-toi, qu'on soit vite à la maison !

À présent, Clémence n'avait pas d'autre choix qu'essayer de semer son poursuivant. Il ne lui restait que trois kilomètres à parcourir, elle pouvait peut-être y arriver. Mais si la Jeep la suivait jusqu'au chalet ? Devrait-elle rester enfermée dans sa voiture avec les filles ? Elle aborda un premier virage assez vite et constata qu'elle prenait de l'avance. Encouragée, elle accéléra encore. Elle pensait connaître la route par cœur, même de nuit, mais avec le stress et la vitesse qu'elle s'imposait, sa perception des reliefs se troublait. Et, de nouveau, les phares de l'autre venaient de réapparaître dans ses rétroviseurs extérieurs. Se sentant près du but, elle accéléra encore, vit arriver trop tard le virage en épingle à cheveux qu'elle aurait dû anticiper, et elle percuta une congère, dans laquelle s'enfonça brutalement tout l'avant du Toyota. Affolée, elle enclencha la marche arrière, certaine que les quatre roues motrices équipées de pneus tout-terrain allaient la sortir de là, mais déjà la Jeep s'immobilisait derrière elle, l'empêchant de bouger.

— Restez tranquilles, les filles, ordonna-t-elle tout bas.

— Maman, le monsieur vient nous aider…, annonça Émilie d'une voix hésitante.

Clémence se retourna et découvrit avec horreur que le chauffard venait en effet de descendre de sa voiture. Même à contrejour, dans la lumière des phares, la silhouette massive d'Étienne était facile à identifier.

— Ne bougez pas ! redit-elle, plus fort.

Elle prit une profonde inspiration, essayant de surmonter sa peur. Étienne s'arrêta à côté d'elle et tapa à la vitre.

— Clémence !

— Tu le connais ? C'est qui ? voulut savoir Émilie.

— C'est qui ? répéta Julie en écho.

— Clémence, ça va, ma pauvre ?

Pour toute réponse, elle hocha la tête sans le regarder.

— Coucou, les enfants ! clama-t-il.

Il colla sa tête contre la vitre arrière pour scruter les fillettes, qui se rencognèrent à l'autre bout de la banquette.

— Je vais vous ramener chez vous ! Allez, venez, tout le monde descend !

Il tendit la main vers la portière, essaya d'ouvrir.

— Clémence, tes serrures sont bloquées. Appuie sur le bouton, d'accord ? Je peux vous déposer au chalet, et tu appelleras un dépanneur pour ta bagnole parce que, à mon avis, elle ne va pas sortir de là toute seule ! Tu as loupé ton virage…

Comme il criait pour se faire entendre, les jumelles mirent les mains sur leurs oreilles.

Secouant la poignée en vain, Étienne finit par donner un coup de poing sur le toit de la voiture.

— Ne fais pas l'enfant, Clémence, sors de là !

Le ton s'était durci, il commençait à se mettre en colère. Clémence sentit de la sueur qui coulait dans son dos et collait son pull à sa peau. Elle était terrifiée, incapable de réfléchir.

— Maman…, gémit Émilie.

Julie se mit à pleurer, serrée contre sa sœur. Clémence fit redémarrer le moteur qui avait calé et, dehors, Étienne éclata de rire.

— Tu n'iras nulle part, tête de linotte, tu ne peux pas bouger ! Allez, descends et prends tes gosses avec toi, je vous raccompagne bien gentiment.

— Tu crois qu'il est méchant ? chuchota Émilie.

— Je ne lui fais pas confiance, ma chérie. Et tant que nous restons dans la voiture, nous sommes en sécurité.

Cependant, elle n'en était pas persuadée. Elle se sentait démunie, à court d'idées. Pourquoi aucune voiture ne passait-elle sur cette route ? À un moment ou à un autre, quelqu'un finirait bien par arriver, et alors elle n'aurait qu'à klaxonner de façon continue, mettre ses feux de détresse… Elle pouvait aussi appeler la gendarmerie, mais que leur dire ? Qu'un automobiliste louche voulait lui porter secours ? Étienne ne la menaçait pas, il proposait son aide ! Devant les gendarmes, il jouerait le type serviable et la décrédibiliserait définitivement.

Un choc la fit sursauter. Étienne donnait des coups de pied dans ses pneus.

— Tu t'es collée dans une ornière, idiote ! Si je m'en vais, tu risques de rester là toute la nuit, et tu claqueras de froid avec tes mioches !

Il s'énervait pour de bon, il comptait bien la faire sortir. D'une main tremblante, elle saisit son téléphone. Tant pis si elle était ridicule, elle avait besoin d'aide.

— Maman ! Une voiture arrive !

Le véhicule qui sortait du tournant faillit percuter la Jeep et dérapa jusqu'au bas-côté opposé. Clémence commença aussitôt à klaxonner mais Émilie, surexcitée, cria dans son oreille :

— C'est Virgile, maman, c'est la voiture de Virgile !

Avec un soulagement inouï, Clémence vit en effet Virgile descendre de son Range Rover en enfilant sa doudoune. Étienne se retourna pour lui faire face et les deux hommes se dévisagèrent.

— Quel est le problème, ici ? s'enquit Virgile. Vous avez eu un accrochage ?

Éperdue, Clémence déverrouilla sa portière et sortit précipitamment de sa voiture. Étienne, souriant, s'était déjà lancé dans une explication.

— … et je ne demandais qu'à l'aider mais elle a eu peur de moi, Dieu seul sait pourquoi, alors…

— Tu m'as suivie depuis Gap ! l'interrompit-elle. Tu m'as collée, pleins phares, jusqu'à ce que je perde le contrôle de la voiture !

— Bien sûr que non. Je voulais te doubler, c'est vrai, parce que tu te traînais, au beau milieu de la route. Et pour perdre le contrôle, ça, tu t'es flanquée toute seule dans ce tas de neige, hein ?

— Donc, vous vous connaissez ? intervint Virgile qui semblait avoir compris la situation. Vous êtes Étienne, c'est ça ?

— Exact ! Et vous ?

— Un ami.

D'un air de défi, Étienne planta son regard dans celui de Virgile. Le soulagement de Clémence céda alors la place à une nouvelle bouffée d'angoisse. S'ils en venaient aux mains, quelle serait l'issue d'une bagarre ?

— On bouche toute la route, fit remarquer Virgile sans baisser les yeux. Inutile de provoquer un accident. Je vous laisse partir, je vais m'occuper de la voiture de Clémence et l'escorter jusque chez nous.

Étienne hésita, puis il jeta un dernier coup d'œil à Clémence en bougonnant :

— Si vous le dites… En tout cas, la prochaine fois que je la vois s'encastrer dans un mur de neige, je ne m'arrêterai pas pour lui porter secours !

Il éclata d'un rire désagréable avant de remonter dans sa Jeep. En démarrant, il faillit rouler délibérément sur les pieds de Virgile, qui s'écarta juste à temps. Clémence s'abattit alors dans ses bras, secouée de sanglots silencieux, au bord d'une crise d'hystérie.

— Viens, dit-il gentiment, tu vas attraper la crève.

Derrière la vitre arrière du Toyota, les jumelles gesticulaient en adressant des baisers à Virgile. Il fit monter Clémence côté passager, s'installa au volant et entreprit de reculer doucement. Les roues patinèrent un peu, mais après quelques essais infructueux, la voiture bougea enfin. Quand elle fut de nouveau sur la route, il adressa à Clémence un grand sourire rassurant.

— Ça ira pour conduire ? Tu peux me suivre jusqu'au chalet ? On en a pour deux minutes…

Il se tourna alors vers les fillettes qui s'agitaient en riant.

— Et si vous chantiez quelque chose pour faire plaisir à maman ?

Sans se concerter, elles entonnèrent à pleins poumons la dernière chanson apprise à l'école. Rassuré par ce joyeux chahut, il laissa sa place à Clémence et rejoignit son 4 × 4. Étienne lui avait fait très mauvais effet. Arrogant et retors, il avait sans aucun doute poursuivi Clémence, mais dans quel but ? Il n'allait tout de même pas l'enlever ! Voulait-il seulement l'effrayer ? Préparait-il une bien tardive vengeance ? Ce soir, Clémence aurait pu avoir un accident grave, avec ses filles à bord, en paniquant sur cette route verglacée. Et si, par extraordinaire, Virgile n'était pas rentré beaucoup plus tôt que d'habitude, que serait-il arrivé exactement ? Il allait bien falloir en parler aux gendarmes afin qu'ils gardent un œil sur Étienne. Mais serait-ce suffisant ? Ses deux rencontres avec Clémence avaient consisté à « passer dire bonjour » et « proposer son aide », rien de très menaçant. Il pourrait prétendre que son ex-femme faisait une fixation sur lui, sans aucune raison valable.

Une fois au chalet, Virgile prépara des chocolats chauds pour tout le monde. Il tint compagnie à Clémence, le temps de la sentir complètement apaisée, puis il gagna l'étage et se rendit dans le petit bureau de Philippine. Elle lui manquait. Cependant, son absence lui permettait de réfléchir à leur couple. La discussion sérieuse qu'il espérait avoir avec elle n'avait jamais eu lieu parce qu'elle fuyait les questions en remettant ses réponses à plus tard. Toujours plus tard. Mais jusqu'à quand ? Les années se succédaient sans apporter de changement à leur relation. Elle appréciait cette légèreté qu'il jugeait désormais futile. Rester comme un oiseau sur la branche ne lui convenait décidément plus.

En revanche, il avait trouvé un lieu de vie idéal, avec le chalet. Sa proposition de le vendre était sincère, mais ce serait un crève-cœur. Avec Lucas, ils avaient mis tant d'énergie – et de fous rires – dans les travaux de bricolage qui avaient occupé leurs week-ends durant toute une année qu'ils s'étaient complètement approprié les lieux. Ils y vivaient depuis en parfaite harmonie, au cœur de la montagne, savourant les plaisirs de chaque saison et conscients d'être privilégiés. Habiter ailleurs ne pourrait être que décevant, tout comme se séparer. Mais faire courir un danger à Clémence était par ailleurs inacceptable. Ah, si Étienne s'était mis en tête de leur pourrir l'existence, il y parvenait très bien !

Un coup léger frappé à la porte le tira de ses réflexions moroses.

— Je te dérange ? s'enquit Lucas en ouvrant.

— Non ! Entre…

En principe, aucun d'eux n'empiétait sur le territoire des autres, il fallait vraiment que Lucas veuille lui parler pour venir le chercher jusque dans le bureau de Philippine.

— Sacrée chance que tu sois rentré plus tôt ce soir, Virgile !

— Une opération a été annulée à la dernière minute en raison de l'état du patient qui s'est brusquement dégradé. Il n'y avait rien d'autre au planning et j'ai pu partir. Comme tu dis, une sacrée chance…

Lucas hocha la tête et se mit à arpenter la pièce. Son air soucieux en disait long sur son état d'esprit.

— Que se serait-il passé si tu n'étais pas intervenu ? finit-il par demander.

— Aucune idée. Mais rien de bon.

Ils se turent de nouveau, puis Virgile proposa :

— Si tu veux, nous passerons ensemble à la gendarmerie demain matin, avant d'aller bosser. Il faudra leur expliquer clairement la situation. Malheureusement…

— Oui, je sais, Étienne est malin, il ne se met pas dans son tort et il aura réponse à tout.

— Ce sera malgré tout une bonne chose s'ils le convoquent. Une manière de lui signifier qu'il ne peut pas faire n'importe quoi.

Lucas interrompit ses allées et venues en venant se planter devant Virgile.

— Mes parents arrivent demain, annonça-t-il. Ils accompagneront les filles à l'école et iront les chercher. Moi, je déposerai Clémence au salon le matin et je la récupérerai le soir. On va s'organiser comme ça.

— Parfait.
— Mais c'est une solution temporaire.
— Forcément. Tu ne veux pas t'asseoir ? Tu me donnes le tournis.

Lucas se laissa tomber dans un fauteuil, face à Virgile, et le scruta.

— Je ne sais pas quoi faire, avoua-t-il. Ni comment réagir. Tu crois que je pourrais trouver des gros bras pour aller foutre une trempe à ce mec ? Histoire qu'il ait la trouille et qu'il nous foute la paix !
— Très mauvaise idée. Pas réaliste, en plus.
— Peut-être, mais ce qui s'est produit ce soir me fait froid dans le dos. Clémence est toute ma vie !
— Je comprends, Lucas.
— Pas sûr que tu comprennes vraiment, vieux. Tu ne partages pas la même chose avec Philippine. Vous avez une liaison agréable et qui dure, mais ça n'a aucun rapport. Avec Clém, j'ai vécu, et par chance je continue à vivre une passion. Souviens-toi comme je la voulais, d'une manière si intense, si folle ! Je serais allé au bout du monde pour la suivre, dans le désert le plus ingrat ou sur la banquise, j'étais partant, béat. Après, le mariage nous a soudés, et la naissance des filles encore plus. Alors, je ferai n'importe quoi pour la protéger. Pour les protéger, toutes les trois. Penser que les jumelles ont été terrifiées, ça me retourne l'estomac. J'ai honte de ne pas avoir été là, et je suis jaloux que tu aies tenu ce rôle à ma place !
— D'accord, calme-toi.

Au bout de quelques instants d'un silence embarrassé, Lucas reprit :

— Excuse-moi. Je n'aurais pas dû parler de Philippine et toi.

— Ce n'est pas grave. Et sans doute pas faux.

— Mais je n'ai pas à porter de jugement.

— Pourquoi pas ? J'admets volontiers que, malgré mon désir, je n'ai rien bâti avec Philippine. Et je le regrette, crois-moi ! Le couple que vous formez, Clémence et toi, m'a toujours paru très enviable. Je sais que c'est une vision plutôt classique de l'amour, voire rétrograde d'après Philippine. Elle reste une jeune fille dans sa tête. L'idée de « se ranger » lui fait horreur.

— À ce point-là ?

— Au point que nous n'irons nulle part, j'en ai bien peur.

Virgile soupira, puis il quitta son siège et fit le tour du bureau, sur lequel il s'assit juste devant Lucas.

— As-tu réfléchi à ce que je t'ai proposé ?

— Vendre ? Oui…

Il semblait perdu, les yeux dans le vague, et Virgile dut lui taper sur l'épaule pour croiser à nouveau son regard.

— Alors ?

— Franchement, j'hésite. Je vais tout de même contacter un ou deux agents immobiliers pour me renseigner. Il faut d'abord savoir ce que vaut le chalet, faire des calculs, voir quel genre de logement serait possible en ville.

À l'évidence, il était mal à l'aise, même s'il avait réussi à formuler la possibilité d'un départ. Il allait y penser concrètement.

— C'est une décision lourde de conséquences, murmura-t-il. Tu ne souhaiteras pas le garder pour toi, je suppose ?

— Impossible, il est beaucoup trop grand.

— Pour l'instant ! En revanche, quand tu auras des enfants… Je sais que tu en veux.

— Mais je ne vais pas les faire tout seul, répliqua Virgile un peu plus sèchement qu'il ne l'aurait voulu.

Lucas laissa passer quelques instants avant de demander :

— Et où irais-tu, si on vendait ?

— Peut-être plus près de l'hôpital.

— Pas trop loin de nous ?

— Évidemment !

— Mais Philippine ? Elle qui apprécie à la fois l'altitude et la solitude, comment réagira-t-elle ?

— Nous en discuterons tous ensemble, Lucas. Chacun donnera son avis et on décidera ensuite. Pour ma part, je me rallierai à ton choix, quel qu'il soit.

La perspective de quitter le chalet avait de quoi les perturber, ils étaient sur le point de réaliser tout ce qu'ils allaient perdre.

— Philippine ne rentre qu'à la fin de la semaine, ajouta Virgile. Elle aura sûrement une opinion, mais n'oublie pas qu'elle n'est pas impliquée financièrement dans cette affaire de vente. Maintenant, descendons, j'ai envie d'un verre.

— Pour te remettre de tes émotions ? ironisa Lucas.

— Eh bien… Un face-à-face avec ce type rend un peu nerveux ! Franchement, je ne fais pas le poids. S'il avait voulu m'assommer, il y serait sans doute arrivé.

— Ne parle pas de malheur !

Virgile jeta un dernier coup d'œil au bureau, sur lequel étaient ouverts plusieurs livres et documents annotés. Il n'était monté ici que pour réfléchir et n'avait rien dérangé. À son retour, Philippine retrouverait tout comme elle l'avait laissé. En éteignant les lumières, il se demanda ce qu'elle faisait à Paris en ce moment même, et si elle pensait à lui.

— Tu lis ce qu'elle écrit ? demanda Lucas, qui avait suivi son regard.

— Quand elle me le propose. C'est de toute façon trop pointu pour moi, je n'ai jamais été grand amateur de philo. Tu te souviens de ma note au bac ?

Ils éclatèrent de rire ensemble, toujours aussi complices malgré leurs soucis.

Il n'y eut pas d'incident durant les deux jours suivants. Les parents de Lucas, Véronique et Christophe, s'étaient installés pour une durée indéterminée, et ils s'occupaient des jumelles avec un plaisir manifeste. Christophe, peintre en bâtiment à la retraite, avait conservé une impressionnante carrure et ne semblait nullement effrayé par la perspective de devoir défendre ses petites-filles. Virgile était ravi de les revoir, comme à chacune de leurs visites, et, grâce à eux, une atmosphère plutôt joyeuse régnait malgré tout au chalet.

Philippine était rentrée ravie de son séjour parisien, et elle s'était aussitôt replongée dans sa thèse. Le temps restait glacial, empêchant la neige de fondre, mais, à Gap, les rues et les trottoirs avaient été dégagés.

Le samedi, Virgile descendit en ville rejoindre Lucas pour le rendez-vous qu'ils avaient fixé avec une agence immobilière. Ils tenaient à effectuer ensemble cette première démarche afin d'avoir une idée de la valeur du chalet. Lucas, coincé dans son garage par un client, lui avait suggéré d'y aller seul et sans attendre.

Il fut d'abord reçu par un négociateur, puis une jeune femme vint les interrompre et le conduisit jusqu'à son bureau.

— C'est moi que vous avez eue au téléphone, précisa-t-elle. D'après ce que j'ai compris, il s'agit d'un bien un peu exceptionnel ? Asseyez-vous donc, docteur, je vous en prie.

Elle lui avait donné son titre avec un sourire charmant. Brune, petite, elle avait de grands yeux sombres bordés de longs cils, des pommettes hautes, un joli nez droit et les dents du bonheur. Virgile sortit une clé USB de sa poche et la lui tendit.

— J'ai apporté quelques photos. Pour l'instant, nous ne souhaitons pas faire visiter le chalet. Peut-être un peu plus tard, mais vu l'état des routes en montagne…

— Absolument. Depuis trois semaines, j'ai l'impression qu'agent immobilier est un métier à risques !

Son rire était spontané, très communicatif. Elle tourna l'écran de son ordinateur de façon qu'ils puissent le voir tous les deux, et elle démarra le diaporama.

— Ah oui ! s'exclama-t-elle d'un ton réjoui. Oui, c'est un beau chalet…

Tandis que les photos défilaient, Virgile en profita pour l'observer. Quelque chose en elle l'amusait, le déroutait, lui plaisait. Si, à l'hôpital, il s'interdisait de regarder les femmes avec trop d'attention, ici, il n'était pas dans son milieu professionnel et pouvait bien risquer quelques coups d'œil.

— Au rez-de-chaussée, cette pièce unique me paraît immense.

— Elle l'est. Nous en avons fait un espace de vie convivial et pratique, mais il y a suffisamment d'ouvertures pour pouvoir le cloisonner au besoin.

Il répondait machinalement, occupé à la regarder, mais quand elle tourna la tête vers lui, il se sentit stupide. Baissant les yeux, il lut son nom sur un chevalet posé face aux visiteurs. Chloé Couturier.

— J'aimerais le visiter, évidemment, mais d'après ces photos, et avec les renseignements que vous m'aviez donnés, il n'y a pas beaucoup de produits de ce genre sur le marché. Et quand je dis « pas beaucoup », en fait, c'est pas du tout.

Elle pianota quelques instants sur son clavier et il remarqua qu'elle ne portait pas d'alliance.

— Alors, bien entendu, il faudra trouver l'acheteur ! Mais quelqu'un pourrait s'y intéresser en vue de faire un gîte. Voilà une piste à creuser. D'autant plus que le terrain est assez grand pour envisager plusieurs projets. Reste à savoir si vous êtes pressé, docteur.

— Notre décision de vendre, avec mes copropriétaires, n'est pas encore arrêtée. Nous la prendrons dans les jours à venir. Pour ça, il nous faut d'abord une idée de prix.

— Je comprends, mais j'ai besoin de le voir pour me prononcer. Si je vous donne une fourchette maintenant, elle sera trop large.

— Très bien. Dans ce cas, voulez-vous passer cet après-midi ?

Elle le dévisagea d'un air intrigué avant d'afficher un sourire.

— Je vois. Pas vraiment pressés… mais presque !

Sans insister davantage, elle feuilleta son planning.

— Il faut que ce soit de jour. Malheureusement, j'ai des rendez-vous jusqu'à 17 heures, et ensuite il fait nuit. Est-ce que la semaine prochaine, mardi ou mercredi, vous conviendrait ?

— Non. Nous travaillons tous, nous ne sommes pas là.

Contrariée, elle consulta sa montre, fronça les sourcils.

— Et tout de suite ? suggéra Virgile.

Il s'étonnait de sa propre insistance mais, de nouveau, elle eut un petit rire joyeux.

— Ce sera une affaire rondement menée ! Eh bien, pourquoi pas ? Je vais vous suivre jusque chez vous, à condition que vous n'alliez pas trop vite.

En se levant, Virgile éprouva un sentiment mitigé entre le plaisir de faire visiter le chalet à la jeune femme et la possibilité, bien réelle cette fois, de le vendre.

Au premier regard sur Chloé Couturier, Philippine avait deviné le danger. Peut-être à cause d'une sorte de gaieté incompréhensible que Virgile manifestait en accompagnant la jeune femme de pièce en pièce. Il aurait dû être nerveux et tendu à l'idée de quitter cet endroit qu'il adorait. Qu'ils adoraient tous. Au lieu de quoi, il avait adopté un ton enjoué et multiplié les sourires.

Après avoir montré son bureau, Philippine s'y était enfermée. Mais elle était incapable de travailler, prêtant l'oreille aux bruits du chalet. La visite du premier étage s'achevait et elle les entendit redescendre en bavardant. Elle perçut même un éclat de rire partagé. Elle alla alors jusqu'à la fenêtre, qu'elle entrouvrit discrètement. Quand Virgile raccompagna Chloé à sa voiture, elle se recula un peu pour être dissimulée par le volet intérieur.

— J'en parle à mon frère, disait Chloé en bas. Je lui raconte tout en détail et je vous appellerai pour vous indiquer un ordre de prix.

— Vous avez besoin de le consulter ?

— Bien sûr ! C'est lui, le propriétaire de l'agence, je ne fais que lui donner un coup de main en l'absence de sa négociatrice. Mais j'ai l'habitude, je le dépanne souvent en ce moment.

— Donc, ce n'est pas votre métier ?

— Non ! Je suis commissaire aux armées. Enfin, j'étais. Au bout de mon engagement, j'ai démissionné.

— Pourquoi ?

— Une vie de militaire, avec les mutations inévitables, ce n'était finalement pas pour moi. Cela dit, je ne regrette pas mes années sur le terrain, j'ai effectué des missions vraiment passionnantes. Aujourd'hui, je souhaite me poser. Mais pour ça, je dois retrouver un travail.

— Dans quel domaine ?

— Juridique, expertise, logistique… j'ai le choix !

En haut, Philippine s'écarta de la fenêtre, sans la fermer pour ne pas attirer l'attention. L'intérêt manifeste de Virgile envers cette jeune femme la contrariait beaucoup. Captivé par son métier de chirurgien, et apparemment heureux en couple avec elle, Virgile n'était ni coureur ni séducteur. Il se montrait toujours courtois et amical avec les femmes, mais sans la moindre ambiguïté. Or, avec cette Chloé, son attitude était tout autre. Il la regardait, lui parlait et lui souriait, comme s'il était sous le charme.

Elle entendit la voiture démarrer et patienta encore quelques secondes avant d'aller refermer la fenêtre. Sur le perron du chalet, Virgile restait immobile, apparemment peu pressé de rentrer. Se demandait-il ce qui était en train de lui arriver ? Philippine ressentit un pincement de jalousie très désagréable. Cette fille n'était même pas belle ! Mignonne, à la rigueur, mais sans rien de remarquable.

D'un geste rageur, elle enleva ses lunettes, qu'elle jeta sur le bureau. Puis elle quitta la pièce, dévala l'escalier et rejoignit Virgile, alors qu'il se décidait enfin à rentrer.

— La visite est finie ? lança-t-elle. En tout cas, tu as fait ce qu'il fallait pour la rendre agréable. Je t'ai rarement vu si empressé, mon chéri. Tu avais l'air subjugué !

Virgile fit un geste vague qui pouvait passer pour une dénégation, mais Philippine le vit rougir et elle en fut stupéfaite.

— Eh bien, remets-toi… Je ne voulais pas te mettre mal à l'aise.

Une bouffée de colère la fit ricaner mais elle se maîtrisa. Non seulement elle avait vu juste, mais c'était même pire que ce qu'elle avait craint. Au prix d'un gros effort, elle ajouta, d'une voix plus conciliante :

— Je plaisantais.

Cependant, ils n'étaient dupes ni l'un ni l'autre. Virgile avait bel et bien été séduit, et Philippine était trop contrariée pour songer à plaisanter.

— Les parents de Lucas ont emmené les petites au marché, n'est-ce pas ? Ils ne devraient plus tarder, finit-il par déclarer. Veux-tu boire quelque chose en les attendant ?

— Un verre de roussette serait bienvenu.

Ils gagnèrent le côté cuisine et, tandis que Virgile les servait, Philippine estima qu'elle devait radicalement changer de sujet.

— J'ai vu ta sœur, à Paris. Nous avons passé un moment agréable dans un pub très sympa, mais elle avait une idée en tête. Figure-toi qu'elle compte sur moi pour te convaincre de venir fêter l'anniversaire de ton père. Une grande réception, d'après ce qu'elle m'a expliqué, et ta mère tient beaucoup à ce que tu sois là.

Tombant des nues, Virgile la dévisagea. Pourquoi ne lui en parlait-elle que maintenant alors qu'elle était rentrée depuis deux jours ? En fait, elle avait voulu attendre un moment propice pour obtenir son accord car elle estimait que cette invitation pressante était une bonne chose. Réconcilié avec son père, Virgile irait plus volontiers et plus souvent à Paris, ainsi qu'elle le souhaitait.

— D'après Laetitia, ton père souffre de votre brouille. Ton oncle aussi.

— Lui ? Sûrement pas ! Lucien fait partie de ces gens qui n'ont jamais tort. C'est la caricature du grand ponte, le mandarin à l'ancienne, sans la moindre remise en question. Parce qu'il est l'aîné, mon père a toujours été éperdu d'admiration devant lui. Et quand il a voulu m'imposer sa vision d'une carrière de chirurgien, j'ai commis un véritable crime de lèse-majesté en rejetant ses conseils. Bien entendu, mon père s'est rangé à son avis. Pour lui, je suis devenu un rebelle, voire un crétin. À eux deux, ils ont convaincu les autres membres de la famille, qui m'ont mis à l'écart. Aujourd'hui, voilà que l'heure du grand *mea culpa* aurait sonné ? On souhaite réintégrer la brebis galeuse ?

Philippine eut un petit sourire amusé, avant de contre-attaquer.

— Puisque tu parles de remise en question… Pourquoi campes-tu sur ta position ? L'eau a coulé sous les ponts depuis que tu as quitté Lariboisière. Ils ont eu le temps d'évoluer, et sans doute de regretter. Ton père vieillit, penses-y.

Virgile hésita, parut sur le point de répondre mais se ravisa et se tut.

— Un petit voyage à Paris nous ferait du bien, ajouta doucement Philippine. Entre ce temps pourri qui dure depuis des semaines, l'ex-mari de Clémence qui finira par provoquer un drame et les parents de Lucas qui semblent installés chez nous pour des mois…

— Je les aime beaucoup, répliqua Virgile d'un ton sec. Quant à ce cinglé d'Étienne, il terminera en prison. Pour la neige qui persiste, je trouve ça normal début février. Pas toi ?

Elle eut l'impression qu'il la défiait. En tout cas, il ne lui parlait pas tendrement. De nouveau, elle songea à la manière dont il s'était adressé à Chloé Couturier.

— Tu n'es pas de très bonne humeur, mon chéri ! C'est la perspective de cet anniversaire ?

— Entre autres. J'aurais préféré que Laetitia m'appelle, plutôt que passer par toi. Ou même ma mère. Je sais qu'elle a horreur des conflits, des refus, mais enfin, je ne suis pas fâché avec elle et je l'aurais au moins écoutée.

— Soixante-dix ans, c'est vrai que ça se fête.

— Mon père risque de le vivre comme un enterrement. Est-ce qu'il va quitter la banque ?

— Laetitia a vaguement parlé de retraite.

— Elle ne peut pas encore le remplacer, elle est trop sous son influence et elle manque de maturité. Pourtant, il la forme depuis des années, hélas, sans jamais lui lâcher la bride. Elle n'a manifesté un peu d'indépendance que lorsqu'elle a été faire des stages ailleurs. Elle aurait dû entrer dans une autre banque, ou s'installer à l'étranger.

— Faire comme toi, en somme, partir et couper les ponts ?

— Pourquoi pas ?

De nouveau, il utilisait un ton tranchant qui ne lui était pas habituel.

— Je vais allumer un feu, annonça-t-il. Les filles adorent ça, elles seront contentes en rentrant.

Comme tous les samedis, Lucas ne reviendrait pas avant le soir, et Clémence profitait de la présence de ses beaux-parents pour rester plus tard dans son salon de coiffure, où Sonia était parfois débordée.

— Je suppose que Véronique voudra se charger du déjeuner avec ce qu'ils auront rapporté du marché, déclara Philippine. Alors, en attendant, je retourne travailler.

Elle savait qu'à l'instant où les jumelles franchiraient le seuil, Virgile retrouverait toute sa bonne humeur pour rire et chahuter avec elles. Or, elle n'avait pas envie de le voir s'extasier devant les petites, son numéro de charme avec Chloé Couturier lui avait suffi pour la matinée.

Elle regagna son bureau, songeuse. Ses rapports avec Virgile étaient en train de se modifier et elle ne comprenait pas pourquoi. Il aurait dû s'amuser avec elle de l'intervention maladroite de Laetitia, avouer sa tristesse de la mise en vente du chalet, l'interroger sur son séjour à Paris, peut-être même lui reparler de son envie d'enfants, or il était resté distant et susceptible. Quant à l'avoir vu rougir, elle n'en était toujours pas revenue. S'il y avait bien quelqu'un qu'on ne mettait pas facilement mal à l'aise, c'était lui. Que lui arrivait-il donc ?

En y réfléchissant, elle devait bien admettre qu'elle faisait preuve d'un certain égoïsme. Son refus obstiné de fonder une famille finissait par émousser la patience de Virgile. Ils ne partageaient pas les mêmes rêves, leur couple ne reposait pas sur une vision commune d'avenir, et peut-être l'amour n'était-il plus suffisant. Car, au moins, ils s'aimaient, elle n'en avait jamais douté jusqu'ici. Jusqu'à ce matin.

— Oublie cette fille ! grommela-t-elle pour elle-même. Il ne la reverra pas, il traitera avec le frère puisqu'elle n'est même pas agent immobilier.

Sauf que, Virgile étant un homme déterminé, s'il éprouvait l'envie d'une nouvelle rencontre avec Chloé, il s'arrangerait pour la provoquer. L'imaginer dans le rôle de celui qui drague était pourtant insolite. Il n'avait pas *dragué* Philippine au début de leur histoire, il s'était plutôt laissé faire. Et quand il avait pris la décision de quitter Paris, si elle ne l'avait pas suivi, il serait parti quand même. Sans elle.

Comme toujours lorsqu'elle avait besoin de se rassurer, elle fila à la salle de bains et s'examina longtemps dans la glace, de face, de profil, de près et de plus loin. Elle était vraiment belle, sans défaut, elle rayonnait dans tout l'éclat de ses trente ans. Cet après-midi, elle n'aurait qu'à proposer à Virgile une balade en amoureux. Ils pourraient quitter le sous-sol leurs skis de fond aux pieds et aller où bon leur semblerait. Faire une bataille de boules de neige, une course hors piste à travers les sapins, attraper un fou rire au point de se laisser tomber dans la poudreuse les bras en croix. Autant en profiter tant que le chalet n'était pas vendu. Pour sa part, elle le trouvait confortable et appréciait beaucoup son isolement, mais elle suivrait volontiers Virgile ailleurs. Elle savait parfaitement s'adapter, à condition d'emporter ses dossiers et ses livres. De plus, abandonner la cohabitation ne serait pas forcément une mauvaise chose. Vivre avec deux fillettes adorables représentait une tentation et une frustration permanentes pour Virgile. Où qu'ils choisissent de s'installer, ils pourraient continuer à voir Lucas et Clémence, mais sans partager leur quotidien.

Après un dernier regard dans le miroir, elle quitta la salle de bains, rassérénée.

En bas, Virgile avait fait une flambée et, comme prévu, à peine rentrées du marché, les jumelles s'étaient installées devant la cheminée, fascinées par les hautes flammes.

— Crois-moi, les petites sont en sécurité avec moi ! articula Christophe à mi-voix.

Il discutait avec Virgile d'une éventuelle tentative d'Étienne pour terroriser à nouveau Clémence.

— Tu me connais, je ne plaisante pas. Si ce type se trouve sur ma route, il aura une mauvaise surprise.

Bien qu'à la retraite, il conservait un esprit combatif et un franc-parler que Virgile avait toujours appréciés.

— J'adore ma belle-fille, poursuivit-il. Franchement, Lucas ne pouvait pas mieux tomber, nous nous en félicitons tous les jours, Véronique et moi. Elle est douce, souriante, courageuse, en plus c'est une excellente mère. Qu'on veuille lui faire du mal, ça me dépasse ! Surtout dix ans plus tard… Il n'a pas tourné la page, ducon ?

Il jeta un rapide coup d'œil à ses petites-filles, qui babillaient devant le feu sans prêter attention aux adultes.

— Clémence n'a pas eu de chance quand elle était jeune, avec une enfance très perturbée et un premier mariage désastreux. Elle a le droit d'avoir la paix, aujourd'hui. Quant à Lucas, forcément, il est anxieux. Tu l'aurais entendu au téléphone ! Si Véronique ne m'avait pas retenu, je sautais dans la voiture pour foncer ici le jour même. Mais on a pris le temps de s'organiser, et maintenant, on peut rester tant que vous voudrez. Enfin, si ça ne te gêne pas. Ni ton amie Philippine !

— Bien sûr que non. Vous serez toujours les bienvenus, où qu'on soit.

— Ah oui… Lucas m'a parlé de ça. Vous pensez vendre ? Vraiment ?

— Nous avons pris la décision ensemble.

— Quel foutu gâchis ! Vous y avez mis tellement d'énergie et d'argent, tous les deux, que ça me consterne.

— Tu nous as aidés, aussi. Je me souviens de week-ends où on peignait jour et nuit.

— Au début, vous faisiez ça comme des cochons, Lucas et toi.

Ils rirent ensemble, et Véronique, qui les écoutait en épluchant des légumes, se joignit à eux.

— On a passé de bons moments ensemble, ici, rappela-t-elle gaiement.

Mais son mari redevint sérieux et tapa familièrement sur l'épaule de Virgile.

— Écoute, toubib, vous ne devriez pas vous enfuir. Il va bien s'amuser, le bonhomme qui cherche à vous pourrir la vie ! Et qui te dit qu'il ne retrouvera pas Clémence, quel que soit l'endroit ?

— Elle n'aura plus à faire de route, seule, la nuit, sur le verglas. C'est là qu'elle est vulnérable. En ville, ce type n'osera probablement pas s'en prendre à elle.

— Je ne peux pas te donner tort, intervint Véronique. À t'entendre, il est malade.

— Bon sang, ragea Christophe, si tu n'avais pas été là quand il l'a coincée… Et, dis-moi, tu n'as pas eu envie de lui mettre ton poing dans la gueule ?

— Si. Mais la situation aurait pu déraper.

Christophe le scruta une seconde, puis il eut un large sourire.

— Tu as toujours été quelqu'un de bien. Et j'ai toujours été très fier que tu sois le meilleur ami de mon fils. Mais je n'en démords pas, l'idée que vous vous sépariez me chagrine.

Virgile eut une moue résignée, puis il quitta le comptoir, sur lequel il était resté appuyé durant toute leur discussion. Bavarder avec Christophe ne lui avait pas fait oublier la visite de Chloé. Il restait stupéfait de l'effet que cette jeune femme avait eu sur lui. En la conduisant à travers le chalet, il s'était senti complètement déstabilisé. Joyeux, conquis, exalté. Et lorsqu'elle était partie, il avait éprouvé une impression de vide. C'était dément ! Un coup de foudre ? Non, il n'y croyait pas. Et pourtant, quelque chose d'indicible s'était produit.

— Tu nous emmènes skier, après déjeuner ?

Émilie l'avait rejoint près d'une fenêtre et s'accrochait à son pull.

— Oh oui, tu nous emmènes, s'il te plaît ? répéta Julie.

Incapable de leur résister, il négocia une promenade en raquettes à travers la forêt de sapins qui grimpait en pente douce derrière le chalet. Le souvenir de l'équipée qui avait failli mal tourner, au mois de janvier, lui imposait de ne pas skier seul avec les deux fillettes.

— Pour le ski, on attendra papa demain. Aujourd'hui, c'est raquettes ou luges.

Philippine, qui descendait l'escalier, s'arrêta sur la dernière marche. Elle affichait un air déçu et boudeur qui agaça Virgile. Quand leurs regards se croisèrent, elle détourna le sien.

— Tu as fait ton programme de l'après-midi ? ronchonna-t-elle.

— Oui ! crièrent les jumelles ensemble.

— Si tu veux te joindre à nous…, proposa Virgile sans conviction.

Elle fit semblant d'observer le ciel, à travers les carreaux, avant de secouer la tête.

— Non, merci. Je pense qu'il va neiger… comme tous les jours !

Il retint de justesse une réplique cinglante. Philippine n'était pas responsable de l'état étrange dans lequel il se trouvait, et elle risquait d'en être la première victime. Mais à cet instant, plus que jamais auparavant, il voyait tout ce qui les séparait. Autant il aimait cette ambiance chaleureuse et bruyante, avec les jumelles et les parents de Lucas, autant Philippine recherchait le calme. Il avait l'habitude de toute une équipe, à l'hôpital, alors qu'elle travaillait seule dans le silence, et il appréciait les grandes tablées tandis qu'elle préférait l'intimité d'un petit comité.

— Puis-je vous aider ? demanda-t-elle à Véronique.

Une simple formule de politesse, car elle savait que Véronique refuserait. Excellente cuisinière, celle-ci adorait préparer des repas roboratifs pour toute la famille. Virgile se souvenait très bien du plaisir qu'il éprouvait, étudiant, à venir dîner chez Lucas, non seulement parce qu'on y mangeait bien mais aussi parce qu'on y riait beaucoup. Le contraire de l'atmosphère compassée qui régnait chez ses propres parents.

Comme prévu, Véronique affirma gaiement qu'elle n'avait besoin de rien. Philippine hésitant toujours sur la dernière marche, Virgile eut un élan envers elle et la rejoignit, lui mettant un bras autour des épaules. La dernière chose qu'il souhaitait était la rendre malheureuse mais, indéniablement, il s'éloignait d'elle.

— Nous irons à Paris fêter l'anniversaire de mon père, déclara-t-il.

— Vous n'êtes plus en froid ? s'exclama Christophe. Je suis bien content pour toi !

Sa gentillesse, si spontanée, fit sourire Virgile.

— Ne ris pas, toubib, il n'y a rien de mieux que la famille. Je sais que la tienne n'a pas toujours été drôle, mais vous avez passé le cap, non ? Tu es devenu un grand chirurgien et…

— Pas à leurs yeux.

— Penses-tu ! Quoi qu'il en soit, un anniversaire est une bonne occasion pour se réconcilier.

— Puisqu'on te le dit, ironisa Philippine.

Elle paraissait un peu plus détendue, sans doute satisfaite d'avoir obtenu gain de cause.

— D'ailleurs, ce n'est qu'un dîner, nous pourrons faire plein d'autres choses pendant le week-end. Je vais m'occuper de nous trouver un hôtel agréable. Ce sera mieux que d'aller dans mon studio. L'idée des petits déjeuners au lit me ravit ! On devrait partir le vendredi matin et aller au théâtre le soir.

Enthousiaste, elle organisait déjà leur planning. Virgile essaya de sourire et, au même instant, il surprit le regard plein de curiosité que Véronique posait sur lui. Elle le connaissait bien, elle devait deviner son malaise.

— On va bientôt pouvoir passer à table, annonça-t-elle. Pour vous faire patienter, j'ai fait des allumettes au fromage.

Les jumelles se mirent aussitôt à pousser des cris de joie en se précipitant vers leur grand-mère qui sortait une plaque du four et qui les empêcha d'approcher.

— Vous allez vous brûler ! De toute façon, il faut attendre un peu, c'est trop chaud.

— La jeune femme de ce matin, l'agent immobilier, elle a eu l'air vraiment épatée par le chalet, déclara Christophe. Je ne sais pas si vous vous rendez bien compte, Lucas, toi et Clémence, mais vous avez une baraque exceptionnelle !

Contrarié par la perspective d'une vente, il revenait à la charge, et ce ne serait sûrement pas la dernière fois. Mais Virgile ne demandait pas mieux que de reparler de la visite de Chloé et de repenser à elle. Il voulait la revoir, il le savait. Ne serait-ce que pour confirmer ou infirmer l'impression d'émerveillement qu'il avait éprouvée devant elle. Mais le doute n'était pas réellement permis.

4

Étienne était allé jusqu'à Sisteron pour louer une autre voiture, la Jeep noire étant trop facile à repérer désormais. Il avait jeté son dévolu sur un 4 × 4 Suzuki gris métallisé, bien plus discret. À deux reprises, déjà, il s'était garé non loin du salon de coiffure pour espionner Clémence. Grâce à ses jumelles, il pouvait l'observer de près. Ce matin-là, elle portait un pantalon de velours qui moulait bien ses petites fesses rondes, des bottes fourrées, ainsi qu'un pull rose qui lui donnait l'allure d'une gamine. En revanche, il nota qu'elle se maquillait davantage que lorsqu'elle était sa femme. Le garagiste tolérait ça ?

Pour l'instant, elle balayait autour d'un fauteuil, après une coupe. Il adorait la voir manier les ciseaux avec des gestes précis. Les mèches tombaient au sol comme des plumes, la cliente changeait peu à peu de visage, c'était magique, presque érotique. Là, elle prenait le séchoir, une brosse ronde, et elle s'attaquait au brushing. Il l'avait assez souvent surveillée, dans le passé, pour savoir qu'elle continuait à bavarder, malgré le bruit de soufflerie. D'ailleurs, ses lèvres bougeaient, puis s'étiraient régulièrement dans un sourire. Elle devait raconter des futilités, des trucs de nanas. Plus agaçant, un homme attendait son tour, sagement assis dans son peignoir ridicule. Lui aussi regardait Clémence. Tous les hommes l'avaient toujours regardée avec cet air concupiscent qui exaspérait Étienne.

Il baissa ses jumelles et s'obligea à respirer calmement. Sur les trottoirs, les passants étaient rares, ils marchaient tête baissée sous leur capuche bordée de fourrure. Une mode idiote, on n'était pas sur la banquise, même si un vent glacial balayait les rues de Gap.

Là où il s'était arrêté, Clémence n'avait aucune raison de le remarquer, surtout dans cette nouvelle voiture, mais il faisait très attention depuis que les gendarmes l'avaient convoqué. Au moins, il leur avait fourni des réponses bien préparées, conservant un ton résigné ou amusé pour parler de son ex-femme et de ses terreurs injustifiées. Il prétendait chercher du travail, et avoir d'ailleurs obtenu un entretien avec une petite entreprise d'électricité, ce qui prouvait sa bonne foi. Il espérait s'être montré convaincant. Mais en réalité, il n'avait pas l'intention de se faire embaucher, il préférait continuer à dégoter des petits travaux payés de la main à la main, ce qui lui permettait à la fois de conserver ses économies et d'avoir du temps libre pour épier Clémence à sa guise. Il ne se lassait décidément pas de la contempler, conscient qu'il l'avait toujours dans la peau et n'était jamais arrivé à l'en faire sortir. Le soir où il l'avait suivie – poursuivie, en fait –, il s'était cru si près du but ! Durant quelques minutes, il les avait tenues à sa merci, elle et les deux petites mijaurées, jusqu'à l'arrivée de ce type, le chirurgien,

Decarpentry. Très peu de gens empruntaient cette route en fin de journée, et il aurait dû être tranquille. D'autant plus qu'elle s'était flanquée toute seule dans ce tas de neige, sans qu'il ait besoin de chahuter davantage sa voiture ! Un véritable coup de chance, dont il n'avait même pas pu profiter et qui ne se représenterait peut-être pas de sitôt. Pourtant, il voulait désespérément ce face-à-face avec elle, un moment d'intimité, de *vérité*.

Il était trop malin pour ignorer qu'il prenait des risques, que son obsession pouvait se retourner contre lui. Par conséquent, il lui fallait un nouveau plan. Il allait être difficile à élaborer dans la mesure où, depuis quelques jours, d'autres gens étaient venus interférer. Un couple d'un certain âge, qui n'avait rien à voir avec Jean et Antoinette, la famille d'accueil de Clémence. Sans doute les parents du garagiste, à les voir bêtifier devant les deux gamines. Eh bien, puisqu'ils s'occupaient d'elles, bon débarras ! Restaient de nombreux obstacles. Le garagiste omniprésent, qui désormais véhiculait Clémence, la copine éthérée qui s'absentait peu, et le foutu chirurgien. Celui-là, quelle tuile qu'il soit arrivé tel un preux chevalier prêt à en découdre ! S'il l'avait voulu, Étienne n'en aurait fait qu'une bouchée. Il en avait eu la tentation, ne serait-ce que pour effacer l'air arrogant du bonhomme. La façon dont il était descendu de son gros Range Rover, comme s'il allait faire la loi… En les plantant là, Étienne avait aperçu, dans son rétroviseur, Clémence qui se réfugiait dans ses bras. Cette vision l'avait perturbé. Étaient-ils amants ? Ça rendait le garagiste cocu – un comble ! Quoi qu'il en soit, Decarpentry n'aurait jamais dû rentrer à cette heure-là. Depuis le temps qu'Étienne notait toutes leurs allées et venues… Il avait trouvé un bon poste d'observation, un peu au-dessus du chalet et bien caché derrière les sapins. Il y cernait leurs habitudes, établissait leurs horaires. Un vrai travail de détective, qui l'occupait durant de longues heures. Pour ces planques, il emportait avec lui une Thermos de café, des paquets de biscuits, ses jumelles et un dictaphone. De retour chez lui, il notait les moindres détails. Et, pas de doute, le chirurgien aurait dû se trouver dans son hôpital, en aucun cas sur la route du retour, où il avait tout fait foirer !

Dans son salon, Clémence s'occupait du monsieur. Elle minaudait en lui passant familièrement la main dans les cheveux. Pourquoi n'était-ce pas l'autre idiote, Sonia, qui se chargeait de la clientèle masculine ? À son époque, Étienne l'avait exigé et Clémence s'était empressée d'obéir. Mais manifestement, le garagiste, cocu probable, ne savait pas la tenir, il la laissait faire n'importe quoi.

Exaspéré, il tendit la main vers la boîte à gants où il récupéra trois barres chocolatées qu'il dévora en quelques grosses bouchées. Il aurait tellement voulu revenir en arrière, à l'époque où Clémence était son épouse docile ! Pourquoi avait-il accepté le divorce ? Pourquoi ne l'avait-il pas remise dans le droit chemin quand il en était encore temps ? Les événements s'étaient enchaînés et, face à cette avocate enragée, il avait dû céder du terrain, puis on l'avait empêché d'approcher de sa femme, ainsi la réconciliation n'avait pas eu lieu. Il en conservait un insupportable sentiment de frustration. Clémence lui devait l'explication qu'elle lui avait refusée et, d'une manière ou d'une autre, il allait l'obtenir. Cette fois, il ne laisserait personne se mettre en travers de sa route. Après tout, il n'avait pas grand-chose à perdre, la vie sans Clémence était trop dure à supporter.

Assis à la droite de sa mère – ce qui signifiait qu'il était le plus important des invités, au mépris des conventions –, Virgile s'ennuyait. Son père, qui l'avait accueilli affectueusement mais de manière un peu compassée, lui adressait de fréquents coups d'œil, qui pouvaient passer pour de la complicité… ou un simple rappel à l'ordre afin d'empêcher toute allusion à leur querelle passée. On passait l'éponge, d'accord, mais sans épiloguer, dans un silence de bon ton.

Placée loin de lui, Philippine participait gaiement à la conversation. Elle était splendide dans une robe bleu nuit brodée de fils d'argent qui mettait sa silhouette en valeur, dénudant une seule épaule et soulignant sa taille fine. Elle aussi cherchait à attirer son attention, malgré la distance qui les séparait, mais il se dérobait. À plusieurs reprises, il s'était surpris à penser à Chloé Couturier. Alors qu'il aurait dû se consacrer à cette soirée de réconciliation, son esprit vagabondait bien loin de là.

D'abord, en arrivant, il n'avait pas été spécialement heureux de retrouver le cadre dans lequel il avait grandi. Pourtant, la décoration n'avait pas changé, il reconnaissait les élégants meubles Louis XVI, les dorures sur les moulures des plafonds, les trumeaux au-dessus des cheminées de marbre et le point de Hongrie des parquets impeccablement cirés. Un grand appartement haussmannien très classique, très bourgeois. Rien à voir avec le chaos qui régnait chez les parents de Lucas, où il avait tant aimé se réfugier. Il fuyait alors le regard toujours sévère de son père, les conversations où il était uniquement question de banque et de réussite sociale, la politesse affectée de sa mère, qui ne songeait qu'à réussir ses dîners, et la docilité de sa sœur, prête à entrer dans le moule familial. Chez les Vaillant, à Levallois, on mangeait dans la cuisine en se coupant mutuellement la parole, on riait à gorge déployée, on buvait de la bière en commentant les matchs à la télé, entassés sur un vieux canapé, on étalait des rillettes sur d'épaisses tranches de pain maison. Et les résultats des examens n'étaient pas l'unique préoccupation, on pensait aussi à être heureux.

Sentant qu'on l'observait, il leva la tête et croisa le regard de son oncle, qui en profita pour l'apostropher.

— Alors, mon neveu, que deviens-tu, dans tes lointaines Alpes ? J'ai entendu des bruits très flatteurs sur ton compte.

— Perceptibles jusqu'à Paris ? ironisa Virgile.

— Les rumeurs vont vite, tu sais bien. Critiques ou élogieuses ! Et il me semble que tu fais des merveilles dans ton bloc. Tu as même opéré d'une hanche un jeune homme que je connais, et quand j'ai vu le dossier avec les radios, j'ai été épaté, je dois le reconnaître. Alors, bien sûr, je me demande…

— Je sais ce que tu vas me demander.

Son oncle leva les yeux au ciel et eut un sourire forcé.

— Eh bien, oui, la question est : quand reviendras-tu dans un grand hôpital ? Ton besoin d'indépendance doit être comblé, non ?

— Non. Je mène une vie très agréable à Gap, à la fois professionnelle et personnelle, je n'imagine pas en changer.

— Mais là-bas, tu vas stagner, car tu devras te contenter d'opérer les fractures tibia-péroné des skieurs à longueur d'hiver.

— Tout le monde ne skie pas dans la région. Je t'accorde que ma spécialité concerne beaucoup les sportifs, mais je vois de tout.

— Écoute, sois un peu sérieux, Virgile. Tu t'es retrouvé très vite chef de service parce que tes confrères ne sont pas des as du bistouri et…

— Qu'en sais-tu ?

— Sinon, ils ne seraient pas là. Mais toi, tu t'es taillé une réputation, malgré l'éloignement, et maintenant, tu peux aller où tu veux, profites-en donc ! Tu n'as pas envie de former des équipes, de profiter de tous les progrès techniques, de tenter des interventions hors du commun ?

Le ton montait et les conversations faiblissaient autour d'eux. Virgile nota que son père affichait une expression agacée, sans toutefois intervenir.

— Lucien, on peut parler d'autre chose ? tenta Edwige, la mère de Virgile, dans un élan de courage. C'est l'anniversaire de Pierre et je tiens à ce qu'on s'amuse, ce soir.

Elle avait dû souffrir en son temps de la brouille entre son fils, son mari et son beau-frère. Bien sûr, elle-même aurait préféré que Virgile fasse une belle carrière à Paris, et sans doute adoré qu'on l'appelle un jour « professeur ». Puis elle avait fini par comprendre qu'il organiserait sa vie comme il l'entendait, avec ou sans l'absolution de sa famille, et qu'une réconciliation ne pourrait avoir lieu qu'en évitant les sujets de discorde. Son intervention, alors qu'elle ne prenait jamais parti, et surtout pas contre son mari, prouvait sa volonté de ménager Virgile. Il était venu, il avait embrassé son père et serré la main de son oncle, mais il pouvait tout aussi bien quitter la table et claquer la porte.

— Oh, ce que j'en disais, c'est pour lui, pour son avenir ! pesta Lucien avec un petit geste méprisant. Mais tu as raison, ma chère Edwige, ne gâchons pas une soirée d'anniversaire, je porte un toast à mon frère.

Il leva son verre et tout le monde l'imita. Virgile en profita pour tourner la tête vers Philippine. Sourcils froncés, elle dardait sur lui un regard de reproche. Pourquoi donc ? Épousait-elle le point de vue de la famille ? Il se demanda si, en réalité, elle n'avait pas très envie d'un retour définitif à Paris, avec lui. L'expérience montagnarde commençait peut-être à la lasser. Si c'était le cas, il ne donnait pas cher de leur couple. De toute façon, son intérêt pour Chloé Couturier était déjà un très mauvais signe. De nouveau, il laissa dériver ses pensées vers la jeune femme. Ses longs cils, ses dents un peu écartées, son rire si communicatif, sa voix : tout le séduisait ! Ces derniers jours, il s'était forcé à ne pas la contacter alors qu'il en mourait d'envie. Il répugnait à être malhonnête envers Philippine, mais il se sentait irrésistiblement attiré et il devinait qu'il finirait par craquer. Bien sûr, Chloé pourrait refuser son invitation, avoir un homme dans sa vie ou même être mariée, bien qu'elle ne porte pas d'alliance. Elle pouvait aussi n'éprouver aucun intérêt pour lui. Elle venait d'un autre horizon, avait été militaire et ne serait sans doute pas épatée juste parce qu'il était chirurgien.

Le repas se terminait et toute la tablée se leva pour gagner le salon. Edwige s'attarda un instant, prenant affectueusement le bras de Virgile.

— Je suis vraiment heureuse que tu sois là, mon grand ! Ton père n'est pas démonstratif, tu le connais, mais il a été très ému en apprenant que tu acceptais notre invitation. J'espère que tu reviendras souvent ! Avec Philippine, qui est délicieuse. J'ai appris par Laetitia qu'elle a tout fait pour te convaincre et je lui en suis reconnaissante. Quand vas-tu te décider à l'épouser ? Vous formez un couple sensationnel.

Il se contenta de hocher la tête, s'efforçant de sourire.

— Les histoires du passé sont oubliées, n'est-ce pas ? insista-t-elle. On ne changera pas Lucien, à son âge. Il faut prendre ton oncle tel qu'il est.

— Ou le laisser.

— Peut-être, oui… Tu n'es pas obligé de le voir.

— Sauf ce soir.

— C'est une soirée d'anniversaire ! Et ton père aime beaucoup son frère, il aurait été inconcevable de ne pas l'inviter. Mais tu ne m'as pas répondu, pour Philippine. Avez-vous des projets ?

— Pas vraiment.

— Ah… Pourtant, à ton âge, tu devrais songer à fonder ta famille.

— J'y pense, en effet, mais pas elle.

Interloquée, sa mère s'écarta un peu pour le scruter. Sans doute croyait-elle que toutes les jeunes femmes célibataires rêvaient de mariage et d'enfants. Cette révélation allait faire baisser Philippine dans son estime.

— Rejoignons les autres, murmura-t-elle.

— Et Laetitia ? demanda-t-il en l'escortant vers le salon.

Sa question ramena une expression joyeuse sur le visage de sa mère.

— Elle devrait bientôt nous annoncer ses fiançailles ! Un garçon très bien.

— Qui travaille dans la banque.

— Comment le sais-tu ? Elle t'a fait des confidences ?

— Pas du tout. Mais j'imagine.

— C'est un Suisse, et pour l'instant il habite encore Genève. Il n'a pas pu se libérer pour être là ce soir, mais la prochaine fois, Laetitia te le présentera.

Virgile n'était pas certain d'avoir envie d'une « prochaine fois ». Il essaierait tout de même de faire plaisir à sa sœur. Si elle se décidait enfin à échapper à l'emprise de leur père, il ne pouvait que se réjouir pour elle.

— Ah, vous voilà ! s'exclama Philippine en les voyant entrer.

Elle tenait une coupe de champagne et discutait avec l'un des cousins de Virgile.

— Nous parlions des bonnes adresses parisiennes et des spectacles à ne pas manquer. Pourrions-nous différer notre retour, mon chéri ? Je voudrais t'emmener à l'Opéra voir…

— Impossible, trancha Virgile.

— Rien qu'une journée !

— Je ne peux pas. J'opère lundi matin à la première heure et je tiens à rentrer assez tôt demain.

Le voyage était long jusqu'à Gap, avec un changement de train à Aix-en-Provence ou à Grenoble. Philippine en profitait pour lire, selon son habitude, mais Virgile avait l'impression de perdre son temps.

— Si tu as envie de rester, ajouta-t-il en souriant, profites-en.

— Non, tu ne te débarrasseras pas de moi comme ça ! répliqua-t-elle d'un ton amusé.

Elle paraissait plaisanter, pourtant il devina qu'à son tour elle pensait à Chloé Couturier. Mal à l'aise, il voulut rejoindre Laetitia pour qu'elle lui parle un peu de son mystérieux fiancé suisse, mais son père l'intercepta.

— Es-tu libre demain pour un déjeuner entre hommes ?

— Non, désolé, à cette heure-là, je serai dans le TGV.

— Tu repars déjà ?

— Je ne suis venu que pour ton anniversaire.

— Je sais, je sais… Et c'est très gentil de ta part, j'y suis sensible, crois-moi. Mais Lucien aurait aimé qu'on puisse se voir tous les trois. Il a vraiment des choses à te dire. De façon apaisée, bien entendu.

— Apaisée ou pas, je n'en vois pas l'intérêt. Je connais la position de Lucien, il connaît la mienne, et elles ne sont pas plus compatibles aujourd'hui qu'il y a dix ans.

— Dommage. L'expérience des autres n'est pas forcément inutile. C'est bien joli de faire cavalier seul, mais tu le regretteras peut-être. Moi, vois-tu, je travaille depuis toujours dans la finance, je n'ai pas d'opinion à formuler sur ta carrière professionnelle. En revanche,

Lucien est une sommité du monde médical, je me fie à son jugement et je ne comprends pas que tu ne prennes pas la peine, au moins, de l'écouter. À trente-sept ans, tu n'es tout de même plus un rebelle ?

— Je n'ai plus besoin de me révolter. J'ai choisi ma voie et j'en suis pleinement satisfait.

— Si être le roi de ton village te comble…, ironisa son père.

Virgile se raidit mais il maîtrisa la colère qu'il sentait l'envahir.

— Nous ne pouvons pas avoir les mêmes conversations tous les dix ans, dit-il d'un ton mesuré. C'est stérile et ça finit par nous fâcher. Lors de nos prochaines rencontres, je suggère que nous parlions plutôt de la vie en général, de maman, du fiancé de Laetitia, de la manière dont tu vas occuper ta retraite. Pourquoi ne viendrais-tu pas faire un peu de randonnée en montagne avec moi, au printemps ?

Son père le dévisagea, contrarié, et haussa les épaules.

— On verra, marmonna-t-il en se détournant.

Il ne supportait pas de perdre. La présence de Virgile lui faisait plaisir, indéniablement, mais il avait imaginé que ces retrouvailles lui donneraient l'occasion de le convaincre enfin que sa place était à Paris, dans un grand hôpital. Il ne comprenait pas que son fils, pourtant brillant aux dires de Lucien, veuille rester enterré dans ce qu'il appelait un « trou ». Virgile le suivit des yeux tandis qu'il s'éloignait vers ses invités. Il accusait son âge, usé par une vie d'ambition féroce. À chaque génération, les Decarpentry mettaient un point d'honneur à faire aussi bien que leurs ancêtres, et mieux si possible. Selon les époques, la famille s'était illustrée dans la finance, le droit et la médecine. Le schéma était toujours le même, il fallait avoir des diplômes et des relations solides, savoir créer des alliances et organiser des dîners, monter dans le bon train en marche pour filer vers la réussite sociale, qui ne pouvait être consacrée que dans la capitale. Être *seulement* un chirurgien de province, même très doué, ne vous ouvrait pas les mêmes portes et ne vous donnait pas droit à la même considération. Pour le père de Virgile, comme pour son oncle, non seulement il avait fait le mauvais choix mais, pire, il ne voulait pas en démordre.

Virgile alla se servir une coupe de champagne et s'approcha d'une des hautes fenêtres qui donnaient sur l'avenue de Breteuil. Il l'ouvrit discrètement et se glissa sur le balcon filant qui bordait les pièces de réception. Combien de fois, dans sa jeunesse, s'était-il réfugié là, regardant les immeubles d'en face sans les voir ? Il résistait alors à son père qui suggérait, conseillait puis exigeait qu'il s'intéresse à la banque. Mais Virgile soignait ses notes en maths et en physique-chimie, bien décidé secrètement à s'inscrire en première année de médecine. Échapper au carcan d'un avenir tout tracé qu'il n'aurait pas choisi était sa priorité. Sa mère, persuadée qu'il se cachait sur le balcon pour fumer, avait fini par en provoquer l'envie à force de remontrances, toutefois il avait vite arrêté, conscient que l'addiction le gagnait.

Amusé, il décida que, exceptionnellement, à son retour à l'hôpital, il grillerait une cigarette en compagnie de Sébastien.

— Tu fais bande à part ? lui lança Philippine en venant s'accouder à la rambarde près de lui.

— J'avais besoin d'air, mais il n'est pas très respirable à Paris.

Elle lui mit un bras autour de la taille, l'attira à elle.

— Et si tu respirais plutôt mon nouveau parfum ?

— Pourquoi en as-tu changé ?

— Pour te séduire.

Il lui sourit, se pencha pour l'embrasser dans le cou. Vus du salon, ils devaient sembler très amoureux, alors que ce n'était plus tout à fait vrai. Cette constatation aurait dû s'imposer depuis un moment déjà, mais Virgile avait tergiversé, espéré quelque chose qui n'était pas venu. Soudain nostalgique, il serra Philippine contre lui. Se plaire ne suffisait pas, il fallait un projet commun, sans quoi l'usure du quotidien finissait par tout ronger.

— On rentre à l'hôtel ? chuchota-t-elle, la bouche dans son cou.

Il visualisa la nuit qui les attendait. Faire l'amour parce que le désir était toujours là, dire des mots désormais vides de sens, penser à un autre visage en s'endormant. Ou alors parler et provoquer une crise. Il ne voulait pas faire de mal à Philippine, cependant il détestait les compromis, la lâcheté, et il se trouvait dans une impasse.

Lucas sortit sans bruit de la chambre des jumelles. Comme tous les soirs, il leur avait lu deux histoires, chacune choisissant la sienne. Il arrivait que Julie veuille la même qu'Émilie, et dans ce cas, il fallait la répéter intégralement.

Il rejoignit Clémence, se glissa sous la couette.

— Elles dorment ?

— Oui. Elles étaient épuisées, après la séance de bonshommes de neige avec papa. Celui qu'ils ont construit derrière le chalet fait plus de deux mètres, il est splendide !

— Ton père lui a mis son écharpe, du coup, je lui ai prêté une des tiennes, il était transi. Et les moufles des filles sont trempées, même à l'intérieur, je crois qu'il faudrait en acheter d'autres, parce qu'elles ne sont plus imperméables.

Elle s'étira puis vint se blottir contre lui.

— Tes parents sont vraiment formidables. À la fois comme grands-parents et comme gardes du corps. Ils prennent ce rôle très au sérieux. Mais quand ils vont partir…

— Ils ne sont pas pressés. Ensuite, tu n'auras qu'à faire venir Jean et Antoinette, ils seront ravis. Chacun son tour !

Il en parlait avec enthousiasme, pourtant elle ne fut pas dupe.

— Combien de temps ça va durer, Lucas ? Nous sommes contraints à la vente, obligés de vivre en groupe, sans cesse sur nos gardes, c'est odieux. Et tout ça à cause de moi.

— Non ! À cause d'un pauvre type qui croit avoir des droits sur toi. Personne n'en a, Clém, ni moi ni personne, jamais. Tu n'appartiens qu'à toi.

— Sauf qu'en me mariant avec lui, j'avais juré de l'aimer pour la vie, et qu'il doit se raccrocher à ce serment.

— Il est mentalement dérangé, chérie, anormal. Qu'est-ce qu'il espère, en te harcelant ? Récupérer son bien ? Votre histoire est terminée depuis longtemps !

— Quoi qu'il en soit, il est dangereux. Et par ma faute, vous êtes tous en danger.

Lucas se redressa brusquement, prit Clémence par les épaules et la secoua.

— Tu n'es responsable de rien. Tu m'entends ? Ne te mets pas ce genre d'idées en tête : tu es victime, pas coupable. Et crois-moi, on saura se défendre, préserver notre famille et tout ce qu'on a construit ensemble.

Il martelait ses mots pour mieux la convaincre, malheureux pour elle.

— Oh, Lucas…, souffla-t-elle. Tu es tellement… Si tu savais comme je t'aime !

Elle se laissa aller contre lui et ils restèrent un moment enlacés, silencieux, chacun écoutant battre le cœur de l'autre. Les années n'y avaient rien changé, ils étaient amoureux comme au premier jour de leur rencontre. Et elle se souvenait encore de la manière dont il l'avait regardée ce matin-là, en entrant dans le salon de coiffure flanqué de son ami Virgile. Durant tout le temps qu'il avait fallu pour leur couper les cheveux à tous les deux, Lucas ne l'avait pas quittée des yeux, apparemment subjugué. Il en avait même oublié son code de carte bancaire, au moment de payer. Il était revenu seul le lendemain, pour l'inviter à prendre un verre. Elle n'avait accepté qu'un café, au zinc du bistrot voisin, mais ils s'étaient donné leurs numéros de portable et c'est ainsi que l'aventure avait commencé.

— J'ai essayé d'expliquer aux filles que nous allions peut-être devoir quitter le chalet, annonça-t-elle.

— Et alors ?

— Alors, elles ont pleuré. Moi aussi.

— Chérie, nous en avons déjà parlé.

— Pas assez. Je vois bien que Virgile est consterné, même s'il ne le dit pas. Bien sûr, il nous laisse libres de décider, mais je suis persuadée que ce sera un crève-cœur pour lui. Comme pour nous, d'ailleurs.

— Pourquoi ? Tu as peur de t'ennuyer, seule avec moi et les jumelles ? Je sais que Virgile a toujours des histoires d'hôpital amusantes à raconter, qu'il est adorable avec nos filles, que tu apprécies beaucoup sa compagnie, mais…

— Lucas ! l'interrompit-elle en se reculant brusquement. Voilà la seule chose au monde que je ne pourrais pas supporter venant de toi.

Il resta une seconde interdit, avant de comprendre sa réaction.

— Oh, je suis désolé…, bredouilla-t-il. Ce n'étaient pas des paroles de jalousie, ne crois pas ça… Quel idiot je fais ! Non, je ne suis pas jaloux de Virgile, sauf quand il te sauve des griffes d'Étienne alors que j'aurais voulu le faire moi-même. Être là pour toi, être ton héros. Le hasard a voulu que ce soit lui, c'est rageant pour moi mais peu importe, il t'a tirée de là, c'est tout ce qui compte.

Rassurée, elle se décida à sourire tandis qu'il poursuivait :

— De toute façon, Virgile fait partie de ces gens qui sont toujours là au bon moment. Au lycée, c'était déjà comme ça. Et pourtant, je ne me suis jamais senti envieux. Je me réjouissais de ses succès auprès des filles, de sa réussite aux examens. Il est généreux, honnête, courageux, et je me fie à lui les yeux fermés. La preuve, son attitude impartiale en ce qui concerne la vente de notre chalet. Je n'ai pas besoin de l'exiger, il s'en séparera si je le souhaite, sans m'en tenir rigueur, bien qu'il y soit très attaché. Que demander de plus ? À vrai dire, il n'est pas seulement mon meilleur ami, il est comme un frère pour moi qui suis fils unique. Mais…

— Il y a un « mais » ?

— Mais il m'est déjà arrivé de me demander pourquoi tu étais tombée amoureuse de moi et pas de lui.

— D'où sors-tu ce complexe d'infériorité ? ironisa-t-elle. Est-ce que je me compare à Philippine ? Est-ce que je me trouve nulle parce que je n'ai pas tous ses diplômes ? Pas du tout ! Elle fait dix centimètres de plus que moi, elle s'habille mieux, et alors ? Je suis de loin la plus belle, quand tu me regardes !

Lucas éclata de rire, soudain joyeux, et reprit Clémence dans ses bras. Elle comprenait sa frustration, mais c'était la première fois qu'il parlait de Virgile de cette façon, comme s'il se mesurait à lui, comme si toutes les qualités qu'il reconnaissait à son ami avaient fini par l'inquiéter. Ou le rendaient jaloux. Suspicieux ? Une hypothèse qu'elle écartait avec horreur. Devrait-elle, dorénavant, surveiller les réactions de Lucas et éviter de trop sourire à Virgile ? Ah, non, elle ne retomberait jamais dans ce piège, elle se l'était juré ! Pourquoi les choses étaient-elles en train de changer, pourquoi Étienne était-il revenu, surgissant du passé pour tous les rendre fous ? Elle sentit que sa gorge se serrait, que les larmes arrivaient. Alors elle ferma les yeux, appuyant son front contre le torse de Lucas pour qu'il ne s'aperçoive de rien.

Sébastien aspira voluptueusement une bouffée de sa cigarette sans lâcher Virgile des yeux.

— Allez, mon vieux, raconte… Tu ne vas *jamais* déjeuner hors de l'hôpital, c'est un événement ! Alors, quoi ? Un rendez-vous galant ?

Virgile réprima un sourire, amusé par la perspicacité de son anesthésiste.

— Et où as-tu choisi d'aller pour ces agapes ?

— Là où je serai tranquille.

— Le mystère s'épaissit ! Mais à moi, tu peux bien le dire…

— Pour que tout le service soit au courant ?

— Donc, c'est bien un secret, et il s'agit d'une femme.

— Pourquoi veux-tu le savoir ?

— Parce que tu as besoin de conseils. Je suis un dragueur-né alors que tu es fidèle depuis longtemps et que tu ne dois même plus savoir comment on s'y prend.

— Garde ton expérience pour toi, je me débrouillerai.

— Ah, tu viens d'avouer ! Elle est jolie ?

— Arrête, Sébastien, ça suffit.

Virgile ne plaisantait plus, il n'avait aucune envie de parler du déjeuner qui l'attendait. Il consulta sa montre puis donna une tape amicale sur le bras de Sébastien.

— J'y vais et, non, je ne te raconterai rien. Je serai de retour dans mon bureau vers 14 h 30, j'ai des dossiers à remplir. S'il y a une urgence, bipe-moi.

Il s'éloigna vers le parking, indifférent au regard de Sébastien qu'il devinait dans son dos. En effet, il quittait rarement l'hôpital dans la journée, mobilisé au bloc ou occupé à des tâches administratives. Sa pause de midi avait lieu à la cantine, et s'il lui restait un peu de temps, il allait discuter avec ses patients dans leur chambre. Mais aujourd'hui, c'était exceptionnellement différent.

Il avait fini par craquer et avait envoyé un message à Chloé. Pour ne pas la mettre dans l'embarras, si elle ne souhaitait pas accepter son invitation, il avait préféré un SMS à un appel, la laissant ainsi libre de refuser sans avoir à bredouiller de fausses excuses. Deux heures plus tard, il avait reçu la réponse : elle était d'accord. Dans la foulée, il avait proposé une date ainsi qu'un restaurant, Le Bouchon, qui se trouvait sur une petite place du centre-ville, avec un parking à proximité.

Quand il arriva, alors qu'il pensait être en avance, elle était déjà installée à l'une des tables de style bistrot, près du grand comptoir de bois.

— Je vous ai fait attendre, déplora-t-il.

— Au contraire, vous êtes très ponctuel ! Pour un chirurgien, c'est sûrement un exploit…

Elle lui souriait aimablement mais de manière assez distante, et dès qu'il fut assis elle entreprit de mettre les choses au point.

— Je suppose que vous voulez me parler de la vente du chalet ? Mon frère a peut-être un client potentiel, il attend son offre, mais nous avons bien précisé que vous n'étiez pas encore tout à fait décidés, vos copropriétaires et vous-même. Toutefois, anticipant un accord de votre part, j'ai commencé à prospecter afin d'avoir quelque chose à vous proposer, le cas échéant… Car j'imagine que vous souhaiterez acheter un bien pour vous reloger ?

Décontenancé par ce discours très professionnel, Virgile resta silencieux quelques instants.

— Certainement, finit-il par acquiescer.

— Moins grand, moins éloigné, moins en altitude ?

— Je n'y ai pas réfléchi.

Elle parut étonnée de sa réponse, qui remettait sans doute en question les raisons de ce déjeuner. Mal à l'aise, vaguement culpabilisé, Virgile décida de ne pas laisser s'installer un malentendu.

— Pour tout vous dire, ce que j'aimerais savoir, et qui n'a rien à voir avec l'immobilier, est…

Il s'interrompit, cherchant ses mots. Le marivaudage n'était décidément pas son fort, Sébastien avait raison. Supposant qu'il valait mieux être franc que louvoyer, il se jeta à l'eau :

— Avez-vous quelqu'un dans votre vie ?

Elle le dévisagea quelques instants en silence, puis se redressa et s'appuya au dossier de sa chaise.

— Curieuse demande. Je vous la retourne.

— Oui, répondit-il honnêtement. Je vis en couple depuis plusieurs années, mais c'est une histoire en bout de course.

— N'allez pas plus loin !

Avant qu'elle puisse ajouter quelque chose, un serveur vint prendre la commande. Ils se tournèrent ensemble vers l'ardoise et elle choisit un tartare coupé au couteau tandis qu'il optait pour un rôti de bar sauvage. Une fois le serveur parti, elle reprit la parole.

— Ne me racontez surtout pas vos déboires sentimentaux. Je connais déjà la chanson, on me l'a parfois fredonnée. Les hommes qui draguent alors qu'ils ne sont pas libres pratiquent tous les mêmes mensonges de façon pathétique. Ils sont « sur le point » de rompre, ils vont « bientôt » divorcer, bref, ils prétendent ne plus aimer leur compagne, pour avoir l'air d'un cœur à prendre ou à consoler. Mais après coup – et le mot est bien choisi –, ils ne quittent pas leur compagne, leur confort et leurs habitudes. Alors, si vous voulez bien, docteur, on va parler d'autre chose pour arriver à finir ce déjeuner sans nous fâcher.

Interloqué, Virgile resta muet durant deux longues minutes. Quand il se décida à parler, ce fut d'une voix tendue.

— Eh bien… Vous n'avez pas une très haute opinion des hommes. Je suppose que c'est dû à des expériences malheureuses.

— En effet. Je ne suis donc plus une midinette qui se laisse embobiner facilement.

— J'ai bien compris. Ce n'était pas mon intention. Vous n'avez d'ailleurs pas l'air d'une midinette à qui on peut débiter des fadaises. Au contraire, vous avez mis les choses au point très clairement. Le côté militaire, sans doute… Puis-je vous poser une dernière question ?

— Allez-y.

— Si j'étais libre comme l'air, m'auriez-vous laissé poursuivre ?

— Avec des « si », on mettrait Paris en bouteille.

La réponse était ambiguë mais il s'en contenta. Durant quelques minutes, ils mangèrent en silence. Tout en savourant son bar, Virgile ne pouvait s'empêcher de jeter de fréquents coups d'œil à la jeune femme.

Elle avait attaché ses cheveux bruns en queue de cheval et portait un pull irlandais à torsades. Apparemment, elle n'avait pas fait d'effort particulier pour ce déjeuner, son seul maquillage était un peu de mascara, qui allongeait encore ses cils autour de ses grands yeux sombres. Hormis une montre extraplate, elle n'avait aucun bijou. En observant ses mains fines et nerveuses, il remarqua un petit dossier posé sur le coin de la table, auquel il n'avait pas prêté attention jusque-là. Avait-elle vraiment sélectionné des maisons ou des appartements pour lui ? Elle dut surprendre son regard, car elle déclara :

— Vous n'êtes pas prêt à vendre, n'est-ce pas ?

— Je crois que j'y suis obligé. Mon copropriétaire veut partir et il a toujours été entendu que ce ne serait pas un problème.

— Très bien. Alors, pour vous faire une idée, voulez-vous consulter les offres du marché ?

Elle avait ouvert le dossier mais il secoua la tête.

— Pas maintenant. J'ai peu de temps avant de retourner à l'hôpital. Prendrez-vous un dessert ?

— Juste un café, merci. Si je comprends bien, ce déjeuner était uniquement…

— Pour le plaisir. Désolé qu'il n'ait pas été partagé.

Elle éclata de rire, découvrant ses petites dents écartées qui lui donnaient l'air très juvénile.

— Je n'ai pas dit ça ! Cet endroit est sympathique, et vous aussi.

— Comme client ?

— Comme client, oui.

En sortant du restaurant, ils gagnèrent ensemble le parking, et Virgile raccompagna Chloé jusqu'à sa voiture. Il était déçu d'avoir échoué dans sa tentative de séduction mais, en effet, il n'était pas libre. Il devait commencer par mettre de l'ordre dans sa vie. Et donc trouver le courage d'achever sa longue histoire avec Philippine, puisqu'il s'intéressait à une autre femme. De plus, qu'aurait-il fait si Chloé l'avait encouragé ? Il n'imaginait pas mentir, se cacher, tromper, avoir une petite aventure secrète. Ce n'était pas ce qu'il recherchait.

Recherchait ? Il n'avait pas eu conscience d'être en quête de quelque chose, il s'était cru serein. Pourtant, les refus successifs de Philippine devant l'engagement ou la perspective de faire des enfants avaient fini par miner sournoisement leur relation. Ne se voyant plus d'avenir avec elle, il s'en était détaché peu à peu.

Cependant, rompre avec la femme qu'il avait profondément aimée et qui partageait sa vie depuis plusieurs années représentait un tel bouleversement qu'il en avait le vertige. Cette rupture s'ajoutant à la vente du chalet, il allait perdre tous ses repères. Mais ne s'était-il pas installé dans des habitudes paisibles afin de pouvoir se consacrer entièrement à son travail de chirurgien, au détriment du reste ? La rencontre avec Chloé le sortait soudain de sa torpeur. Il découvrait avec une certaine excitation que son cœur pouvait battre plus vite lors d'un simple rendez-vous, que des désirs multiples l'assaillaient par surprise, qu'il en oubliait sa sagesse et sa réserve. Depuis sa première année de médecine, il avait poursuivi puis atteint son but, traçant sa route de façon méthodique. Trop méthodique… « Amuse-toi un peu ! » lui avait souvent suggéré le père de Lucas.

Ce qui signifiait sans aucun doute qu'il manquait de fantaisie, ou de temps pour lui laisser libre cours.

En reprenant le chemin de l'hôpital, il se surprit à siffloter, ce qui ne lui arrivait jamais. Il considéra que c'était un bon début.

Philippine ayant eu besoin de descendre en ville cet après-midi-là, elle en avait profité pour faire de grosses courses, et elle avait proposé de ramener Clémence au chalet. Ainsi, Lucas aurait la possibilité de quitter plus tard la concession, ce qui lui permettrait de boucler quelques rendez-vous.

Sur le chemin du retour, tandis que la nuit commençait à tomber sur les montagnes environnantes, les deux jeunes femmes s'étaient lancées dans une grande discussion.

— La route est pénible, d'accord, mais l'idée de quitter le chalet me rend malade, répéta Clémence.

C'était son idée fixe, elle se sentait responsable et se désespérait.

— Tout ça à cause d'un homme que je déteste, quelle injustice !

— On en a beaucoup parlé, Clémence, et personne ne t'en voudra.

— Sauf que nous en souffrirons tous. Lucas et Virgile aiment partir leurs skis aux pieds, ils ont l'habitude de faire des tas de trucs ensemble et ils seront privés de tout ça. Même les filles seront tristes, vous allez leur manquer.

— Ce sera un autre mode de vie, qui peut avoir ses avantages…

Clémence jeta un coup d'œil à Philippine, qui se concentrait sur sa conduite. Pour la première fois elle se demanda si la jeune femme appréciait vraiment la cohabitation. Peut-être se réjouissait-elle à l'idée de se retrouver en tête à tête avec Virgile. Et celui-ci n'aurait plus sous les yeux, en permanence, les jumelles qui lui donnaient tant envie d'enfants.

— Tu auras Virgile pour toi toute seule, risqua-t-elle d'un ton léger.

— Oui… Mais ces temps-ci, il est un peu… Lors de notre week-end à Paris, il s'est montré distant, de mauvaise humeur, à peine aimable avec sa famille. Il y était allé pour se réconcilier, or il n'a fait aucun effort. Son oncle est parfois exaspérant, et son père pas vraiment chaleureux, pourtant ce sont des gens très bien. Ils sont intelligents, brillants, et s'ils ont fait preuve d'ambition, tant mieux pour eux ! Ce n'est pas une tare, que je sache. Virgile est trop intransigeant.

— Il ne partage pas leur façon de voir. Lucas m'a raconté que Virgile, à seize ans, était déjà en révolte contre eux. Il avait envie de gaieté, de chaleur, et il les jugeait tristes et froids. Alors, il était tout le temps fourré chez les parents de Lucas, où il pouvait rire et se lâcher. Les deux familles ne sont pas du tout du même milieu, comme tu as pu le constater.

Clémence n'avait pas mis d'aigreur dans sa dernière phrase, cependant Philippine parut se crisper. Elle supportait Véronique et Christophe sans les apprécier, et elle riait rarement à leurs blagues. L'affection que Virgile leur témoignait semblait même l'agacer.

— Oh, regarde, un renard ! s'écria Philippine.

L'animal s'enfuyait à travers les sapins, et Clémence n'aperçut que l'éclair de son pelage roux sur la neige. Le crépuscule arrivait. Philippine alluma ses phares puis monta le chauffage.

— Cet hiver est vraiment glacial, soupira-t-elle, j'ai hâte d'être au printemps.

Elle portait une ravissante toque en fourrure qui lui allait très bien. Souvent, Clémence enviait son élégance de Parisienne, que des années de vie en montagne n'avaient pas émoussée. Elle n'essayait pourtant pas de l'imiter, préférant cultiver sa propre personnalité.

— J'ai eu l'impression que Virgile accordait beaucoup d'intérêt à cette femme de l'agence immobilière, dit soudain Philippine. Tu as remarqué ?

— Je n'étais pas là quand elle est venue. À quoi ressemble-t-elle ?

— Je la trouve quelconque.

Intriguée, Clémence regarda de nouveau Philippine, mais celle-ci ne tourna pas la tête vers elle, les yeux rivés sur la route. Elle n'ajouta rien, comme si ça n'en valait pas la peine, mais elle devait être troublée pour avoir eu besoin d'aborder le sujet.

Lorsqu'elles arrivèrent au chalet, plutôt que descendre au garage, Philippine arrêta le 4 × 4 près de la porte pour décharger d'abord les courses. Il n'y avait pas eu de nouvelle chute de neige depuis trois jours, mais il gelait et le paysage semblait cristallisé, des arbres aux toits des chalets, dans toute la vallée. Clémence transporta les packs d'eau dans la cuisine, où elle alluma la lumière. Les jumelles n'étaient pas encore rentrées, Christophe et Véronique ayant proposé de les emmener au cinéma puis à la patinoire afin d'occuper ce mercredi après-midi.

En revenant près de la voiture pour prendre les derniers sacs du supermarché, elle suggéra à Philippine de faire une flambée dès qu'elles auraient rangé les provisions.

— Et on se servira un petit verre entre filles, avant l'arrivée des autres !

Alors qu'elle claquait le coffre du 4 × 4, une ombre surgit soudain près d'elle, tandis qu'une voix retentissait à son oreille :

— J'ai besoin de te parler, ma Clémence !

Horrifiée, elle fit volte-face et découvrit Étienne, emmitouflé dans une grosse parka, qui souriait de toutes ses dents.

— Juste un petit moment, rien que toi et moi. D'accord ? On va faire le point…

Il l'avait saisie par le poignet, mais elle se débattit farouchement. Philippine réagit aussitôt, contourna la voiture, qu'elle venait de verrouiller, et tenta de s'interposer pour libérer Clémence.

— Vous êtes fou ! hurla-t-elle. Laissez-la tranquille !

Les lanternes extérieures, qui s'étaient allumées automatiquement à leur arrivée, étaient réglées par une minuterie et elles s'éteignirent. Ne subsistèrent que deux rectangles de lumière sur la neige, en provenance des fenêtres du chalet.

— Barre-toi, connasse, gronda Étienne.

Il ne souriait plus. Sans lâcher Clémence, il repoussa brutalement Philippine. Elle trébucha, retrouva son équilibre de justesse et plongea ses mains dans ses poches en criant :

— J'appelle les flics !

Menacer Étienne était une erreur, Clémence le savait, mais pas Philippine. En trois pas, il fut sur elle, l'attrapa par le cou et la propulsa contre la voiture, où elle se cogna durement.

— Ça ne te regarde pas, c'est entre ma femme et moi. Compris ?

Sa voix vibrait de fureur. Clémence jeta un regard vers les marches en se demandant si elle aurait le temps de les escalader et de s'enfermer pour téléphoner à la gendarmerie. Mais laisser Philippine seule avec Étienne était inconcevable. Avant qu'elle ait pu se décider, il fut de nouveau près d'elle, la reprit par le poignet et lui tordit le bras dans le dos.

— Viens avec moi ou ça va se gâter… Ma voiture est plus haut, là-bas. On s'assied dedans et on parle, c'est tout.

L'épaule à la torture, elle essaya de garder son calme malgré tout.

— Je ne te suivrai nulle part, réussit-elle à dire.

À sa grande surprise, il la lâcha. En se retournant, elle découvrit que Philippine était en train de monter dans sa voiture, mais celle-ci n'eut pas le temps de fermer la portière, qu'Étienne rouvrit à la volée.

— Elle va m'emmerder jusqu'à quand, celle-là ? rugit-il.

Il empoigna Philippine, la sortit du 4 × 4 et lui balança une gifle monumentale qui l'expédia contre les marches. Elle bascula en arrière, se reçut mal et poussa un long cri de douleur. Affalée au pied des marches, elle se mit aussitôt à pleurer. Clémence se précipita vers elle, mais Étienne l'intercepta une fois encore.

— Maintenant que ta copine est hors jeu, tu me suis bien gentiment !

Elle le connaissait suffisamment pour avoir perçu une légère hésitation dans sa voix, dont elle profita aussitôt.

— Tu es allé trop loin, Étienne…

Philippine sanglotait en se tenant le bras, incapable de se relever. Sa toque de fourrure était tombée sur la neige, à côté d'elle, et sa doudoune n'était pas fermée.

— Va-t'en, va-t'en, souffla Clémence d'un ton pressant. Tu vois bien qu'il faut que je la conduise à l'hôpital, elle est en état de choc. Elle ne peut pas rester comme ça, avec ce froid…

— Elle attendra, protesta Étienne. Moi, je t'ai attendue si longtemps ! Bon Dieu, pourquoi ne veux-tu pas me donner un quart d'heure de ton temps ?

Il la tenait contre lui, respirant fort. Elle sentit qu'il essayait de glisser une main sous ses vêtements et elle se débattit. S'il parvenait à toucher sa peau, il allait perdre tout contrôle.

— Elle a quelque chose de cassé et elle risque de s'évanouir. Tu seras responsable… N'aggrave pas les choses.

Les bras plaqués le long du corps, elle réussit à s'écarter de lui. Son cœur battait si vite qu'elle respirait par à-coups. Elle ne devait ni le menacer ni le supplier. Et ne surtout pas montrer sa peur, ce qui avait le don de l'exciter, elle s'en souvenait.

— Tu ne mérites pas le mal que je me donne pour te reconquérir ! s'écria-t-il en levant la main.

Il lui donna une de ces petites claques méprisantes dont il avait tant usé avec elle, mais qui n'avait rien à voir avec la gifle si violemment assenée à Philippine. Puis il fit volte-face et s'éloigna en direction des sapins, ses pas rageurs faisant craquer la neige gelée. Sa silhouette disparut vite dans l'obscurité. Clémence resta encore quelques instants aux aguets. Puis elle alla s'agenouiller près de Philippine.

— J'appelle les secours, ne t'inquiète pas. Tu as très mal ?

— Très, mais c'est supportable. J'en ai un peu rajouté quand j'ai vu que tu allais réussir à le convaincre. À mon avis, j'ai le bras cassé.

Son visage était marqué par la douleur et, quand elle voulut sourire, cela ressembla à une grimace.

— Tu peux te lever ?

— Je vais essayer. On ne doit pas rester là, imagine qu'il revienne…

Clémence la prit par la taille pour l'aider à se mettre debout, et elles gravirent lentement les marches. Une fois barricadées à l'intérieur du chalet, Clémence appela successivement le Samu, la gendarmerie, Virgile, et enfin Lucas. Tout en parlant, elle surveillait Philippine, qui s'était assise avec précaution au bord du canapé et qui était livide.

— Une ambulance va arriver très vite, la rassura-t-elle. Virgile sera là pour t'accueillir à l'hôpital et il t'emmènera lui-même en radiologie. Tout se passera bien, tu verras.

Elle alla fermer les volets intérieurs, puis elle poussa enfin un long soupir, qui tenait autant du soulagement que de l'exaspération. Elle avait réussi à repousser Étienne à deux reprises, lors de sa première visite surprise au chalet et ce soir. Pas question de lui laisser une troisième occasion. Elle était déterminée à le poursuivre en justice, avant qu'il tente à nouveau de l'approcher. Pour Philippine, il s'agissait carrément de coups et blessures, il allait devoir en répondre. Mais aussi, qu'avait-il espéré ? S'était-il imaginé, dans sa tête de malade, que Clémence le suivrait sans broncher pour *discuter* avec lui ? Au souvenir de ses mains, qu'il avait essayé de glisser sous ses vêtements pour la toucher, elle fut parcourue d'un frisson de dégoût. Des images lui revenaient, que la petite claque avait fait ressurgir. Toutes ces nuits où il l'avait forcée, certain qu'elle *aimait ça*… Les crises de jalousie, la surveillance, les questions… Comment avait-elle pu le supporter ?

Elle sentit que des larmes lui piquaient les yeux, mais elle réussit à refouler ses émotions. Elle ne devait plus penser à elle, c'était Philippine qui avait besoin d'être rassurée et cajolée, en attendant l'arrivée des secours.

Deux heures plus tard, Virgile eut une discussion avec le radiologue devant les clichés accrochés au négatoscope.

— Fracture de l'olécrane avec déplacement, je vais pratiquer une ostéosynthèse par haubanage.

— Ce n'est pas invasif, mais ça ne pardonne pas l'erreur, remarqua le radiologue. Tu comptes l'opérer toi-même ?

— Évidemment.

— Tu sais pourtant qu'avec un proche on est trop concerné, et donc moins à l'aise.

— Ça ira.

— Tu en es sûr ?

— Certain.

— En somme, s'esclaffa son confrère, tu ne veux confier ta copine à personne ! Pas très flatteur pour les autres chirurgiens…

— Ils feraient aussi bien que moi, mais Philippine ne me le pardonnerait pas, prétexta Virgile.

En réalité, il avait plus d'expérience que ses confrères pour ce type d'intervention délicate.

— Je demanderai à être assisté, ajouta-t-il. Au cas où.

Après un dernier coup d'œil aux clichés, qui montraient la fracture de face, de profil et de trois quarts, il conclut :

— Elle a dû mettre la main à plat pour amortir sa chute, et c'est l'extrémité du cubitus qui a trinqué, comme toujours. J'espère qu'il y a un bloc de libre, je ne veux pas perdre de temps.

En quittant la radiologie, il bipa Sébastien, qui, par chance, n'avait pas encore quitté l'hôpital et pourrait assurer l'anesthésie, puis il s'enquit du chirurgien de garde, à qui il expliqua qu'il souhaitait être secondé durant l'opération. De retour dans son bureau, il envoya un SMS à Clémence pour la rassurer sur l'état de Philippine.

Lorsqu'il leva les yeux vers la fenêtre, il vit que de gros flocons s'étaient mis à tomber. En d'autres circonstances, cette nouvelle chute de neige aurait pu le réjouir, car il avait projeté tout un dimanche de ski avec Lucas. Entre la station de La Joue du Loup et celle de Superdévoluy, le massif comptait plus de cinquante pistes sur près d'une centaine de kilomètres, de quoi se régaler. Mais Lucas n'aurait sans doute pas envie de laisser Clémence, qui elle-même refuserait de laisser les jumelles à ses beaux-parents. Elle devait être traumatisée et attendre avec anxiété que les gendarmes réussissent à appréhender Étienne. Cette fois, il risquait la prison.

La porte s'entrouvrit et Sébastien annonça que le bloc était prêt.

— Je viens de voir ta femme, enfin, ta petite amie, et je pense qu'une sédation n'est pas nécessaire. Je trouve que ça augmente le temps de récupération. Alors, comme elle est calme, je l'endormirai directement sur la table. Si ça te va, bien sûr.

— Ce que tu fais me va toujours. Elle n'a pas trop mal ?

— Disons qu'elle est courageuse.

Virgile avait vu Philippine à son arrivée à l'hôpital. Ému de la voir souffrir, il lui avait manifesté toute sa tendresse. Malgré cela, il était conscient de ne plus éprouver les mêmes sentiments à son égard, et ce constat l'attristait autant qu'il le culpabilisait. Plus contrariant encore, alors qu'il avait pris la décision d'être franc avec elle et d'aborder l'éventualité d'une séparation, les circonstances l'obligeaient à se taire, pour l'instant. Blessée, choquée par la scène avec Étienne, Philippine était trop vulnérable, il allait devoir attendre qu'elle aille mieux. L'image de Chloé lui traversa l'esprit mais il la repoussa. Il n'avait aucune raison de penser à elle en ce moment, il devait se focaliser sur son opération et sur Philippine.

— Allons-y, déclara-t-il en se levant.

Sébastien le suivit en silence le long des couloirs, et ce ne fut qu'une fois arrivés devant les ascenseurs qu'il demanda :

— Tu es sûr que ça va, Virgile ? Tu fais une drôle de tête… Ne me dis pas que tu t'angoisses pour ta femme ?

— Nous ne sommes pas mariés et, en réalité, ça n'a plus aucune chance d'arriver.

Bouche bée, Sébastien le dévisagea. Il était sur le point de poser une question lorsque les portes s'ouvrirent. Deux infirmières se trouvaient dans la cabine, empêchant toute conversation personnelle. Virgile leur adressa un sourire, content de ne pas avoir à s'expliquer davantage. Il s'étonnait d'avoir avoué si spontanément qu'il n'avait plus d'avenir avec Philippine, mais c'était désormais une évidence pour lui.

En sortant de l'ascenseur à l'étage des blocs, il ne fut plus question que de l'ostéosynthèse à venir.

5

Pour faire plaisir à l'infirmière, Philippine prit l'un des chocolats de l'énorme boîte que Virgile lui avait fait porter.

— Goûtez-en un, je vous en prie, dit-elle poliment.

En tant que compagne du patron, elle était chouchoutée dans le service, mais elle n'avait qu'une hâte, malgré la gentillesse de tout le personnel soignant : quitter l'hôpital. Elle baissa les yeux sur son attelle de coude et soupira. Dans son malheur, elle avait eu de la chance qu'il s'agisse du bras gauche. Elle pourrait continuer à écrire pendant les six semaines d'immobilisation.

— Je sors aujourd'hui, n'est-ce pas ?

— Le docteur Decarpentry va venir vous voir. C'est lui qui décide. Pour l'instant, il est au bloc.

Le respect dans la voix de l'infirmière amusa Philippine. Apparemment, tout le monde ici vénérait Virgile. La veille, en salle de réveil, l'anesthésiste lui avait assuré que l'intervention s'était déroulée au mieux. Lui aussi semblait admiratif, et Philippine s'était sentie rassurée. Depuis, elle avait beaucoup dormi ou somnolé, abrutie par les antalgiques.

— Prenez tranquillement votre petit déjeuner et reposez-vous, conseilla l'infirmière.

Elle quitta la chambre, après un dernier sourire encourageant, et Philippine considéra d'un œil morne le bol de café léger et les deux biscottes sous cellophane. Pourquoi Virgile n'était-il pas venu l'embrasser en arrivant à l'hôpital, ce matin ? Pourquoi s'était-il contenté de confier les chocolats à une aide-soignante au lieu de les apporter lui-même ? Était-il donc si pressé, si occupé ? Elle ne l'avait pas revu, depuis les quelques instants où il lui avait tenu la main sur la table d'opération, juste avant qu'elle sombre dans l'inconscience. Elle gardait cette image de son regard bleu intense, au-dessus du masque. Il lui avait paru séduisant dans son accoutrement de chirurgien, malgré cette ridicule charlotte sur la tête.

Elle se redressa, but une gorgée du café tiède et sans goût. Un peu plus tôt dans la matinée, les gendarmes étaient venus l'interroger. Polis, attentifs, ils avaient noté ses réponses sans faire de commentaires. Toutefois, en partant, ils avaient paru satisfaits que les déclarations de Philippine correspondent point par point à celles de Clémence. Allaient-ils enfin arrêter ce malade mental, ou était-il en fuite ? Finalement, les précautions n'avaient servi à rien, Étienne avait trouvé le moyen de les coincer alors qu'elles étaient vulnérables, seules devant le chalet. Bien sûr, Philippine aurait dû descendre sa voiture au garage, mais c'était plus commode de s'arrêter devant la porte pour ne pas avoir à charrier les provisions dans l'escalier.

Un choix de facilité qu'elle payait cher. À présent, des semaines d'immobilisation et de rééducation l'attendaient. De son côté, Clémence était indemne, tant mieux pour elle…

— Cette histoire a trop duré, marmonna Philippine.

Tout en se sachant injuste, elle ne pouvait pas s'empêcher d'en vouloir à Clémence. Comment avait-elle pu épouser ce type, même très jeune et très naïve ? Il fallait vraiment manquer de jugeote pour tomber amoureuse d'une brute pareille !

Elle bâilla, se rallongea, ferma les yeux, et un peu plus tard ce fut le bruit de la porte qui la tira du sommeil.

— Comment te sens-tu ? lui lança Virgile en entrant.

Il s'approcha, sourire aux lèvres, se pencha sur elle et lui déposa un baiser léger sur la tempe.

— Encore un peu vaseuse…, soupira-t-elle. Merci pour les chocolats.

Il chercha la boîte du regard, hocha la tête en la découvrant.

— J'ai demandé à une infirmière d'aller en acheter parce qu'à l'heure où je suis arrivé ce matin, tout était fermé.

— Est-ce qu'ils l'ont arrêté ?

— Étienne ? Pas que je sache, mais ils doivent le chercher.

— Je suppose que tout ça va accélérer la vente du chalet ? À vrai dire, je serais assez contente que nous nous trouvions un bel endroit rien qu'à nous, toi et moi.

— Eh bien… Tout dépend de ce qu'il adviendra d'Étienne.

— Mais tu connais la justice ! Il va écoper de quoi ? Une peine avec sursis ? Des dommages et intérêts qu'il ne paiera pas ? Et encore, il faudrait d'abord lui mettre la main dessus. Tu vas sûrement me trouver lâche mais je m'éloignerais bien de Clémence, ces temps-ci.

— Tu n'es pas très solidaire, remarqua-t-il, sur le ton de la plaisanterie.

— Chacun ses problèmes. Je la plains d'avoir ce type accroché à ses basques, mais je n'ai pas envie de continuer à essuyer les dommages collatéraux.

Virgile avait une expression indéchiffrable, et Philippine se demanda si elle n'était pas allée trop loin.

— Est-ce que tu me laisses rentrer à la maison aujourd'hui ? Après tout, j'ai un médecin à domicile pour me surveiller…

— J'ai déjà signé les papiers de ta sortie. Véronique vient te chercher à midi.

— Pourquoi elle ? protesta Philippine.

— Christophe s'occupe des jumelles, Clémence est dans son salon de coiffure et Lucas à la concession. Quant à moi, je ne peux pas bouger d'ici avant ce soir.

Cette fois, il avait parlé d'un ton sec. Il aimait beaucoup les parents de Lucas, elle aurait dû s'en souvenir.

— Bon, c'est gentil de sa part, reconnut-elle. Mais comme tu le sais, Véronique n'est pas l'as des routes verglacées !

— Lucas lui a prêté une voiture très fiable, tout ira bien. Et elle a promis de nous préparer un excellent dîner pour fêter ton retour.

Il lui adressa un petit sourire gêné, avant de quitter la chambre en hâte, la laissant dépitée. Quelle mouche l'avait donc piqué pour qu'il se montre si froid et si susceptible ? Il ne s'était même pas assis au bord du lit cinq minutes ! De toute façon, depuis leur week-end à Paris, ou plutôt depuis la visite de cette Chloé, il était différent. Moins tendre et plus préoccupé. Quand il riait, c'était toujours avec Lucas ou Christophe. Certes, il avait paru bouleversé en l'accueillant à l'hôpital, et sans doute avait-il tout mis en œuvre pour qu'elle soit opérée le plus rapidement possible et dans les meilleures conditions. Mais il aurait fait la même chose pour Clémence ou pour les jumelles. Ah, les jumelles... Il avait toujours du temps à leur consacrer ! Était-ce son envie d'enfants qui le rendait distant ? Devrait-elle bientôt, pour le garder, envisager de faire enfin ce bébé dont il rêvait ? Non, elle ne se laisserait pas imposer un tel changement de vie. Elle voulait rester libre de ses choix et conserver son indépendance. Elle allait et venait à sa guise, pouvait s'investir à fond dans ses recherches universitaires, accumuler des diplômes dont elle était très fière, disposer de ses journées à son idée. Et poursuivre avec Virgile une belle histoire d'amour sans contraintes. Ils avaient été heureux jusqu'ici parce qu'ils ne s'étaient pas enfermés dans des habitudes ou des corvées. Elle imaginait ce que deviendrait son quotidien avec un nouveau-né hurlant et un mari absent du matin au soir. D'ailleurs, elle ne tenait pas à se marier. Pas plus qu'elle ne souhaitait poursuivre une cohabitation qui commençait à lui peser. Si Virgile voulait rester en montagne, s'il avait besoin de ces paysages autour de lui, ils pouvaient trouver un autre chalet ailleurs, plus petit mais tout aussi confortable. Où, cette fois, elle se sentirait chez elle.

Elle joua avec cette idée pendant un moment. Vivre avec Lucas et Clémence avait longtemps paru facile. Elle s'en était accommodée sans mal, ce qui tombait bien car Virgile ne lui avait pas vraiment laissé le choix. Cependant, les années passant, des détails insignifiants étaient devenus sources de conflits. Les jumelles étaient adorables, mais justement *trop* adorables devant un Virgile aussi ébloui que frustré. Et leur désordre d'enfants agaçait parfois Philippine. Tout comme la mièvrerie de Clémence lorsqu'elle parlait de Lucas. Ce côté famille parfaite avait quelque chose d'exaspérant. De plus, aucun lien de véritable amitié ne s'était créé entre Philippine et Clémence, dont les échanges restaient très superficiels. Et Philippine avait beau se le reprocher, elle éprouvait une vague condescendance pour le métier de coiffeuse. Elle se sentait intellectuellement supérieure en raison de ses longues études et du milieu auquel elle appartenait. La seule fois où elle s'en était ouverte à Virgile, il avait très mal réagi. Il adorait Clémence, Lucas ainsi que les parents de ce dernier pour leurs qualités humaines, et il respectait tous les métiers sans distinction. Il ne comprenait pas les préventions de Philippine, qu'il jugeait injurieuses. Elle n'avait plus abordé la question avec lui, agacée par sa volonté de se démarquer de sa propre famille si bourgeoise en réduisant à rien les différences sociales.

Elle soupira, s'agita dans son lit. Elle avait besoin d'une infirmière pour l'aider à s'habiller. Handicapée d'un bras, elle serait contente dans l'immédiat de ne pas se retrouver seule au chalet. L'entraide étant l'un des rares avantages de la cohabitation, elle comptait bien en profiter. Elle allait se faire dorloter ; après tout, c'était à cause de Clémence qu'elle était dans cet état.

Lucas avança de quelques centimètres et estima que le Range Rover Evoque était parfaitement positionné dans le hall d'exposition. Sous les spots, les chromes étincelaient, et la peinture métallisée semblait pailletée. Rouge et noir, le véhicule de luxe ne pouvait qu'attirer le regard.

Il neigeait toujours, la nouvelle couche s'accumulant sur les trottoirs et devant la concession. À chaque redoux, les flocons faisaient leur apparition, puis la température plongeait et tout gelait. La rigueur de l'hiver donnait probablement envie aux gens d'acheter un vrai 4 × 4 pour affronter les routes car les demandes de renseignements ou d'essais affluaient. Toutes les occasions trouvaient rapidement preneur, mais l'acquisition d'une voiture neuve représentait un gros budget chez Land Rover, et les clients ne se bousculaient pas.

Irrité de ne pas avoir de nouvelles de la gendarmerie, Lucas alla faire un tour dans l'atelier, bavarda un peu avec les mécaniciens puis passa dans le petit bureau de la secrétaire, où se trouvait la machine à café.

— Vous m'offrez un espresso, Élise ?

Elle sourit tout en lui faisant signe de se servir tout seul.

— J'ai encore deux factures de réparations à établir. Et pendant que vous manœuvriez l'Evoque dans la vitrine, le client de ce matin a rappelé pour prendre rendez-vous. Je crois qu'il est mûr, il va passer commande. Dix heures demain, ça vous va ?

— Parfait.

— Vous mettez trop de sucre dans ce café, il sera imbuvable.

Surpris, il baissa les yeux vers le gobelet, dans lequel il agitait distraitement une touillette.

— Vous êtes perturbé, n'est-ce pas ?

— Oui… Je voudrais être sûr que ce type est hors d'état de nuire. Tant qu'il sera dans la nature, à épier ma femme, je ne serai pas tranquille.

Élise hocha la tête, compatissante. Elle connaissait Clémence, allait se faire couper les cheveux dans son salon, mais cette histoire d'ex-mari lui semblait rocambolesque.

— Les flics le trouveront, vous verrez, affirma-t-elle, avant de se replonger dans ses factures.

Lucas but son café avec une grimace puis regagna le hall d'exposition. Il savait que sa mère était allée chercher Philippine à l'hôpital, à l'heure du déjeuner, et qu'elles étaient rentrées au chalet, où son père montait la garde. Clémence avait récupéré les jumelles à l'école et elles s'amusaient dans le sous-sol du salon de coiffure. Lucas irait les chercher toutes les trois, dès la fermeture du garage. Mais combien de temps encore allait durer cette situation intenable ?

Un coup frappé contre la vitrine lui fit lever la tête. Il découvrit Virgile, qui lui adressa un signe amical avant de pousser la porte.

— Je viens de confier ma voiture à l'atelier pour un réglage, la caméra de recul reste bloquée sur l'écran. Ton mécanicien m'a dit que ce n'était rien et qu'il allait arranger ça.

— Je ne t'ai pas vu arriver.

— Tu avais l'air perdu dans tes pensées.

— Comment va Philippine ?

— Aussi bien que possible.

Virgile fit le tour d'un des véhicules exposés, sifflant entre ses dents d'un air admiratif.

— Superbe…

Après avoir jeté un coup d'œil à l'affichette pendue au rétroviseur, il soupira.

— Et hors de prix !

— Tu veux changer de voiture ?

— Au printemps, peut-être.

— Mais tu restes Land Rover ?

— Évidemment ! Je suis ton plus fidèle client, non ?

Ils gagnèrent le fond du hall et s'installèrent de part et d'autre du bureau de Lucas.

— J'ai un problème, avoua spontanément Virgile.

Lucas le scruta quelques instants, puis, d'un geste de la main, il l'encouragea à poursuivre.

— Un problème sans rapport avec ce qui s'est passé au chalet.

— Oh ! Un de plus, alors ?

— Mais très personnel, cette fois.

— Je t'écoute.

Prenant une grande inspiration, Virgile débita d'une traite :

— Je pense que Philippine et moi sommes en bout de route. Le temps est venu de se quitter, du moins pour moi. Nous ne sommes plus sur la même longueur d'onde, nous ne partageons plus grand-chose. Je crois que Paris lui manque et qu'elle se contenterait de vacances à la montagne. Lorsqu'elle aura fini sa thèse, elle en entamera une autre. Elle n'a pas le désir de fonder une famille, elle est trop indépendante pour ça. Tous ces points nous éloignent de plus en plus. Je ne me suis pas rendu compte que je me détachais d'elle peu à peu. Jusqu'à ce que je tombe amoureux d'une autre. C'est ce qui est en train de m'arriver.

— Seigneur…, souffla Lucas. Mais que vas-tu faire ? Et puis d'abord, de qui s'agit-il ?

— Chloé.

— Chloé ?

— La jeune femme qui est venue visiter le chalet. Tu n'étais pas là.

— L'agent immobilier ?

— Elle ne fait qu'aider son frère. Elle était commissaire aux armées, et elle n'a pas rempilé au bout de son contrat.

— Tu la vois souvent ?

— Non. Je n'ai déjeuné avec elle qu'une seule fois.

— Et puis ?

— Et puis, rien. Elle m'a envoyé sur les roses, parce que je suis en couple.

— Alors, tu as décidé de quitter Philippine pour ça ? Mais je rêve !

— Chloé a été un révélateur. J'étais mûr pour tomber amoureux, même si je l'ignorais. Maintenant, je me sens comme un gamin, je pense à elle dix fois par jour, je suis littéralement obsédé et très content de l'être.

— Mais elle est peut-être pire que Philippine, encore plus indépendante et avec une sainte horreur des enfants ! Tu n'en sais rien. Tu ne peux rien savoir après un simple déjeuner !

— Absolument.

— Donc, tu ne dois pas mettre en péril…

— Mettre en péril quoi ? Nous n'avons plus d'avenir, Philippine et moi, je viens de te l'expliquer.

— Oh, bon sang, Virgile !

Lucas secoua la tête, chercha ses mots.

— Le moment est mal choisi, non ? finit-il par lâcher.

— Très ! Je vais devoir attendre. Elle a été assez choquée par ce qui s'est passé avec Étienne.

— Je la comprends !

— Mais ça ne fait que repousser l'échéance. Je ne veux pas lui mentir.

— Contente-toi de ne rien dire.

— Philippine n'est pas stupide. Je pense qu'elle s'aperçoit déjà de mon changement d'attitude et qu'elle finira par me poser des questions. Je suis consterné à l'idée de lui faire du mal. Nous avons été heureux ensemble, parfois même très heureux, et je ne l'oublie pas, mais nos routes se sont éloignées. Je ne l'ai pas vu venir, ou je n'ai pas voulu voir.

— Tu es toute la journée dans ton hôpital. Le soir, nous sommes quatre, et le week-end, six, parce que tu t'occupes beaucoup des filles. Vous n'avez peut-être pas eu suffisamment d'intimité, Philippine et toi.

— Ou trop, au contraire. Elle a eu cent fois l'occasion de m'expliquer, en tête à tête, qu'elle ne voulait pas d'enfant. Mais pour moi, le couple idéal, c'est Clémence et toi. Vous avez fondé votre famille, vous allez bien ensemble, vous êtes d'accord. Je rêve de ça. J'envie ton sort, Lucas.

Sa sincérité ne faisait aucun doute, et Lucas se sentit attristé. Il n'était pas en rivalité avec Virgile, l'admirant sans réserve. Leur amitié n'avait jamais pâti de la moindre ambiguïté, d'une quelconque jalousie. Que Virgile ait un métier plus prestigieux, qu'il gagne mieux sa vie, qu'il appartienne à un milieu plus aisé : tout cela ne changeait rien à l'affection et à la confiance de Lucas. Mais s'entendre dire qu'il avait un *sort enviable* le fit sourire.

— Comme tu y vas... Tu ignores les fins de mois laborieuses, les nuits de veille quand les bébés font leurs dents, la comptabilité, l'Urssaf, et les clients arrogants. Mais tout ça n'est rien à côté du retour inattendu de l'ex-mari déjanté ! Celui-là a chamboulé nos existences, et par ricochet la tienne et celle de Philippine. Tu n'aurais pas rencontré cette Chloé si la démence d'Étienne ne nous avait pas poussés à vendre le chalet. Tout est lié.

— Ne sois pas ridicule. Que je me sois détaché de Philippine n'a rien à voir avec Clémence ou avec toi. C'est de ma rupture à venir dont je suis venu te parler, Lucas.

Pour une fois, Virgile semblait avoir besoin d'aide. Ce qui rappela à Lucas l'époque où, jeune étudiant, Virgile débarquait à Levallois, dans l'appartement familial, en quête d'une joyeuse affection qu'il ne trouvait pas chez lui.

— D'accord, mon vieux, d'accord… Que puis-je faire ?

— Me remonter le moral, si toutefois le tien n'est pas trop bas.

— Raconte-moi ton coup de cœur. Elle est jolie ?

— Moins belle que Philippine, sans aucun doute, mais avec un charme fou ! Brune, petite, de grands yeux noirs et les dents du bonheur. Un rire irrésistible. Beaucoup de personnalité. On sent une femme déterminée, réaliste, qui va droit au but.

— Tout ça en un seul déjeuner, ironisa Lucas.

— Je n'avais jamais craqué aussi vite pour une femme, je n'en reviens pas.

— Et si ça ne débouche sur rien ? Si, une fois que tu te seras libéré, elle ne veut pas de toi ?

— C'est une option. Mais qui ne change pas le reste.

— Très bien, concéda Lucas.

Ils restèrent un moment silencieux, jusqu'à ce que la secrétaire les interpelle, de l'autre bout du hall.

— Votre voiture est prête, docteur ! Le chef d'atelier estime que c'était dû au froid, mais il a réinitialisé l'ordinateur de bord et tout est rentré dans l'ordre.

— Vous avez préparé ma facture, Élise ?

— Oh, voyons, pas pour une bêtise pareille…

Elle lui adressa un sourire radieux avant de repartir vers son bureau.

— Toutes les femmes minaudent avec toi, s'esclaffa Lucas.

— Pas Chloé, hélas ! Ce sera compliqué de la séduire, et je n'y arriverai peut-être jamais.

— Assez avec Chloé. On va rentrer à la maison et retrouver Philippine avec son bras dans le plâtre, or j'aimerais pouvoir la regarder en face.

— Pas dans le plâtre, juste une attelle. Tu m'en veux, de t'avoir mis dans la confidence ?

— Bien sûr que non. Tu es mon meilleur ami, si tu ne peux pas m'en parler à moi, je ne vois pas à qui d'autre. Et puis, c'est si rare que tu aies un problème !

De nouveau, il se mit à rire, arrachant un sourire à Virgile.

— On va skier, dimanche ? proposa-t-il. Quelques bonnes descentes devraient nous distraire. Ça m'évitera de penser à Étienne, et toi à Chloé.

— J'espère vraiment que nous aurons des nouvelles des gendarmes. Philippine porte plainte, bien entendu.

— Clémence aussi. Est-ce que ce sera suffisant pour le flanquer sous les verrous une bonne fois ?

— Il n'écopera probablement pas de grand-chose. Il prétendra avoir juste « poussé » Philippine, et jurera qu'il n'a pas touché Clémence.

— Les flics auront du mal à le croire.

— Ce sera parole contre parole. Théoriquement, il ne devrait plus avoir le droit d'approcher de Clémence, ni du chalet.

— Et tu crois qu'il sera découragé, qu'il lâchera l'affaire ?

— Non, Lucas. C'est un malade.

— Alors, dit lentement Lucas, il faudra vraiment que nous soyons chassés de chez nous ?

— J'y ai beaucoup réfléchi et je voulais te proposer quelque chose. Pourquoi ne louerais-tu pas un appartement en ville, le temps de voir comment les choses évoluent ? Pendant quelques mois, je reprendrais le crédit du chalet à mon compte.

Lucas fronça les sourcils, hésita.

— C'est généreux de ta part, mais… Je ne sais pas. Les filles seront tellement désolées !

— En revanche, côté sécurité, vous seriez mieux protégés. Et dans ma solution, rien n'est définitif.

Désemparé, Lucas se mit à pianoter sur son bureau.

— Bon, je ne suis pas enthousiaste, comme tu vois. Mais Clémence ne peut pas rentrer chaque soir avec la peur au ventre, alors tu as sûrement raison.

— En plein centre-ville, et d'autant plus que vous ne rentrez jamais tard le soir, Étienne ne pourra rien faire, même s'il est toujours en liberté.

— Et toi ? Tu te retrouverais seul au chalet après avoir quitté Philippine ? Tu imagines ?

— Ne t'occupe pas de moi.

— Oh, ça, c'est trop facile ! Ne joue pas au seigneur avec moi. Tu supposes qu'après avoir déménagé, je n'aurai plus une seule pensée pour toi ? Nous avons construit cette aventure ensemble, Virgile. Le chalet, pour Clémence et moi, c'est non seulement le bonheur, mais aussi le symbole de notre réussite à la force du poignet.

— Quelques mois, seulement quelques mois, pendant lesquels je vous le garde. Tu devrais y réfléchir et en parler à ta femme. Je n'ai pas d'autre idée pour l'instant.

Il voulut se lever mais Lucas lui fit signe de rester assis.

— Attends une seconde, je n'ai pas fini… Ah, comment te dire ça ? Voilà, je serais un peu déçu, ou même… humilié, de devenir ton débiteur. Ça ne me plaît pas. On a beau être très différents, jusqu'ici j'ai eu l'impression d'être sur un pied d'égalité avec toi. Tu comprends ? Et puis, que ce soit toi qui trouves une solution pour assurer la sécurité de Clémence, que ce soit toi qui prennes tout en charge pour préserver le chalet afin qu'on ne le perde pas, eh bien, ça me vexe !

Virgile le dévisagea, stupéfait.

— Tu plaisantes, là ?

— Non, même si ça me coûte de te l'avouer.

— Merde, Lucas ! s'exclama Virgile en tapant du plat de la main sur le bureau.

Il allait poursuivre, furieux, mais le portable de Lucas se mit à sonner. Ils restèrent encore une seconde les yeux dans les yeux, puis Lucas regarda son portable et le saisit fébrilement.

— La gendarmerie !

Il prit la communication, confirma son identité et écouta un moment en silence avant d'adresser une grimace à Virgile.

— Maintenant ? finit-il par demander. Très bien, j'arrive.

— Alors ? s'enquit Virgile dès que la communication fut coupée.

— Ils veulent me voir.

— Je t'accompagne. Je suis concerné aussi.

Lucas alla verrouiller les portes du hall d'exposition, enclencha l'alarme.

— Viens, on sort par l'atelier. Élise fermera le reste en partant.

Aussi impatients l'un que l'autre de connaître les suites de l'affaire, ils eurent le réflexe de se taper en même temps sur l'épaule, comme pour s'encourager.

— Trop mignonnes ! s'exclama Sonia en remontant du sous-sol. Tes filles jouent sagement avec les bigoudis qu'on a relégués en bas.

— Elles se font des mises en plis ? s'étonna Clémence.

— Tu plaisantes ? Elles ne doivent même pas savoir ce que c'est ! Non, elles construisent des tunnels, des ponts, des maisons. Je leur ai aussi donné les rouleaux à élastiques des anciennes permanentes.

Avec les nouvelles modes, la façon de travailler des coiffeurs avait changé. Même les dames âgées finissaient par abandonner leurs anciennes habitudes, confiantes dans le savoir-faire de Clémence et de Sonia. Le salon n'était ni l'un des plus grands ni l'un des plus luxueux de la ville, mais la clientèle était fidèle, et les nouvelles venues sensiblement plus jeunes. Clémence possédait un excellent coup de ciseau et savait suivre les tendances, tandis que Sonia perfectionnait sans cesse son talent de coloriste. À elles deux, elles faisaient bien tourner l'affaire, souvent aidées par un apprenti, et tous les deux ou trois ans elles renouvelaient elles-mêmes le décor du salon. Un lieu chaleureux, intime et accueillant, où elles proposaient toujours une tasse de café, accompagnée d'un chocolat. Le samedi, jour d'affluence, Sonia arrivait avec un grand sac de *tourtons* à la pomme ou à la framboise qu'elle avait confectionnés elle-même. Ces délicieux petits chaussons frits étaient une spécialité de la vallée du Champsaur, toute proche, dont la jeune femme était originaire. Les clientes se régalaient, riaient, échangeaient des recettes de cuisine, des trucs de maquillage, des sites web. Outre le plaisir de repartir bien coiffées, elles passaient toujours un bon moment.

Clémence jeta un coup d'œil machinal vers la rue, mais n'y remarqua rien d'inquiétant.

— Toujours sur le qui-vive ? s'inquiéta Sonia. Arrête d'y penser. Même s'il est encore en liberté, il n'osera pas venir en ville après ce qui s'est passé. D'ailleurs, il est tard, on va fermer. Mais ne t'inquiète pas, j'attends Lucas avec toi, je partirai après. Tu crois que les gendarmes vont le garder longtemps ?

— J'espère que non. J'ai tellement hâte d'en savoir plus !

Elle se pencha au-dessus de la rampe de l'escalier conduisant au sous-sol, écouta quelques instants et sourit.

— Elles gazouillent sans se disputer, tout va bien.

Sonia s'était emparée d'un balai pour faire disparaître les derniers cheveux encore visibles sur le carrelage. Clémence se mit à ranger tout ce qui traînait, des magazines aux bombes de laque. Un peu plus tôt, après le départ de la dernière cliente, elles avaient vérifié la caisse ensemble, mais la plupart des paiements s'effectuaient par carte bancaire et il n'y avait jamais beaucoup d'espèces. Tandis qu'elles s'activaient, avec la radio en fond sonore, Clémence prêta soudain l'oreille.

— Tu entends ça ? La météo lance un avis de tempête sur les Hautes-Alpes !

— Quand ?

— Demain soir. Des vents violents, et sans doute de nouvelles chutes de neige.

— Encore ? Vraiment, rien ne nous sera épargné, cette année !

— Lucas et Virgile avaient prévu de skier, mais ils devront y renoncer.

— Toujours aussi amateurs de pistes noires, tous les deux ?

— Toujours. Comme des gamins qu'ils ne sont plus.

— Et tu les accompagnes souvent ?

— Non, pendant qu'ils descendent comme des fous, je fais faire des choses plus faciles aux filles, même si elles me trouvent trop plan-plan. Elles veulent skier avec leur père et Virgile, sans comprendre qu'elles ne peuvent pas les suivre. Mais ils font preuve d'une patience inépuisable dès qu'il s'agit de leur faire plaisir.

— Virgile aussi ?

— Virgile le premier. Les enfants le font craquer.

— Et sa copine ne lui en fait pas ?

— Je crois qu'elle n'en a pas envie. C'est tout leur problème.

— Oh là là, si le très séduisant Virgile a des problèmes de cœur, fais-le-moi savoir, je me mettrai sur les rangs !

Elle éclata de rire, mais sans doute y avait-il un fond de vrai dans sa plaisanterie, car chaque fois que Virgile venait se faire couper les cheveux, elle ne le quittait pas du regard.

— Mais je suppose qu'une petite coiffeuse ne ferait pas son affaire, après sa grande intellectuelle ? ajouta-t-elle étourdiment.

Une seconde blague, plus lourde cette fois, que Clémence n'apprécia guère.

— Virgile ne juge pas les gens d'après leur métier ou leur compte en banque, que je sache, déclara-t-elle d'un ton un peu sec.

— Désolée, je ne voulais pas dire ça. Je sais que tu l'aimes beaucoup.

— C'est un ami formidable, et un homme bien.

Tout en parlant, elle avait jeté un énième regard vers la rue, et Sonia vint la prendre par les épaules, la fit reculer vers le fond du salon, où elles s'assirent sur les fauteuils du bac à shampooing.

— S'il doit y avoir une tempête demain, mieux vaudrait fermer le salon, suggéra-t-elle.

— Annoncée seulement dans la soirée. Attendons les prévisions météo de demain matin, ce sera plus précis. Je n'aime pas que les clientes trouvent porte close.

— Elles ne sortiront pas de chez elles si ça souffle vraiment fort.

Clémence réfléchit quelques instants puis finit par ébaucher un sourire.

— Bien à l'abri dans le chalet, je ne déteste pas les tempêtes de neige, avoua-t-elle.

— Le vôtre ne risque pas de s'envoler, c'est certain ! s'esclaffa Sonia. Mais vous ne vous retrouvez pas coupés de tout ?

— Le chasse-neige finit toujours par monter jusque chez nous. Et on l'accueille avec un gros pourboire pour lui donner envie de revenir la fois suivante. Au pire, il y a de quoi tenir un siège dans le congélateur et dans les placards de la cuisine. Philippine est très prévoyante, très organisée, quand elle fait un ravitaillement. Comme on a la place de stocker, on ne s'en prive pas.

— La place, c'est un luxe.

— Oui, admit Clémence d'un air songeur. Si on vend, il va falloir que j'apprenne à me restreindre. Et pour recevoir la famille, ce sera moins facile, moins...

Elle s'interrompit, secoua la tête.

— Je n'ai pas envie d'y penser. L'idée de ne plus avoir cette grande cheminée centrale, où on fait des feux d'enfer, ni ces longs plans de travail quand on prépare le dîner en bavardant avec les autres... Et puis, l'été, ce jardin de montagne qui monte vers l'alpage et la forêt de sapins, sans qu'on sache où il s'arrête... Et la vue sur la vallée, sur les toits des autres chalets au loin... Quitter ce paysage et tout ce confort, ça me brise le cœur !

Sans qu'elle les ait senties arriver, les larmes se mirent à couler sur ses joues.

— Mais si Étienne est arrêté, vous ne serez plus obligés de vendre, non ?

— Je ne sais pas. J'en viens à me dire qu'il ne faut pas tenter le diable. Même puni par la justice, il aura encore plus envie de prendre sa revanche. Il me voit comme son « bien » et veut me récupérer. De toute façon, il se moque des lois, il ne les a jamais beaucoup respectées.

— Attends, Clémence, attends… Tu te laisses déborder par tes émotions. Surtout par ta peur – parce que tu as toujours peur de lui. Pourtant, tu es parvenue à le faire partir, l'autre soir. Une fois Philippine à terre, il pouvait t'obliger à le suivre, or il ne l'a pas fait. Il n'est pas si sûr de lui qu'il le prétend.

Dubitative, Clémence prit néanmoins le temps de réfléchir aux paroles de Sonia. Oui, Étienne l'effrayait, mais moins qu'avant. À l'époque de leur mariage, il la terrorisait, mais aujourd'hui, elle avait Lucas, ses filles, toute une vie qu'elle avait réussi à bâtir et qu'elle défendrait bec et ongles. Étienne n'avait plus aucune emprise morale sur elle. Ne restait qu'une crainte physique, quand elle se retrouvait devant lui.

Elles furent soudain distraites par une cliente qui, malgré l'heure tardive, frappait à la vitre.

— On aurait dû baisser le rideau de fer, maugréa Sonia en se levant.

Mais ni elle ni Clémence n'auraient eu l'idée de refuser.

— Vous êtes encore là, quelle chance ! s'écria la jeune femme. J'ai rendez-vous ce soir avec l'homme de ma vie. S'il vous plaît, il me faut absolument un brushing ! C'est possible ?

Sa voix joyeuse et excitée fit sourire Clémence, qui lui tendit un peignoir.

— On va s'occuper de vous. Allez vous installer au shampooing, et vous serez sortie dans moins d'une demi-heure.

Échangeant un clin d'œil avec Sonia, elle verrouilla la porte.

Étienne n'avait pas cherché à s'enfuir. Il se doutait bien que la copine de Clémence, cette insupportable bonne femme, porterait plainte si elle était blessée, et il ne voulait pas être recherché sur tout le territoire pour une bêtise pareille. Quand les gendarmes s'étaient présentés au pavillon, il les avait suivis docilement, sans se donner la peine d'avoir l'air étonné.

Une fois dans les locaux de la gendarmerie, la mauvaise surprise avait été de se retrouver face à une femme, apparemment gradée puisqu'il s'agissait d'une adjudante. Après quelques questions sur son identité, suivies d'un bref exposé des faits qui lui étaient reprochés, elle poursuivit, d'une voix tranchante :

— La législation à l'égard du type d'infraction dont vous vous êtes rendu coupable a été durcie. Notamment par la loi du 9 juillet 2010, relative aux violences faites aux femmes. Ces violences, qu'elles soient exercées au sein du couple…

— Nous sommes divorcés ! protesta-t-il.

— Laissez-moi finir. Au sein du couple, donc, ou par un *ancien conjoint*, un ancien partenaire. Ce qui est votre cas. Le juge aux affaires familiales peut délivrer une ordonnance de protection qui vous interdira d'approcher de votre ex-femme.

Elle ne le quittait pas des yeux, le mettant mal à l'aise.

— Quant à la personne que vous avez bousculée délibérément, elle a dû subir une opération et une hospitalisation.

— Elle m'empêchait de parler à ma femme !

— Votre *ex-femme*, rappela-t-elle sèchement. Qui n'a pas envie de vous parler, ce qui est son droit.

Il dut faire un effort pour se maîtriser. Il aurait voulu être interrogé par un homme, sans doute plus compréhensif, plutôt que par cette gendarmette arrogante.

— L'autre, bougonna-t-il de mauvaise grâce, je l'ai seulement repoussée, et elle est tombée. Le sol était gelé.

— Elle porte plainte pour coups et blessures volontaires.

— Volontaires ?

— Oui. Avant de la faire tomber, vous l'avez giflée. Cette plainte va vous conduire au tribunal correctionnel.

Il se contenta de hausser les épaules, exaspéré. Durant quelques instants, l'adjudante se tut, tout en le scrutant. Finalement, elle demanda :

— Quel est votre problème ? Pourquoi harcelez-vous votre ex-femme ?

— Je ne la harcèle pas. Je voulais bavarder avec elle.

Elle baissa les yeux vers le rapport qui se trouvait sur le bureau.

— Vous la suivez en voiture, j'ai là la déclaration d'un témoin. Vous vous êtes déjà présenté chez elle sans y être invité, et l'autre soir, vous vous êtes introduit dans son jardin pour l'aborder. Tout ça dans le but de « bavarder » ?

Étienne en déduisit que le témoin en question devait être le chirurgien, cet abruti qui était arrivé comme un cheveu sur la soupe le soir de la poursuite.

— Si vous continuez, monsieur, vous pourriez être amené à subir une expertise médicale en vue d'établir votre dangerosité, voire placé sous surveillance électronique.

— Rien que ça !

— Parfaitement. Aujourd'hui, on ne plaisante plus avec les violences faites aux femmes. Or, si j'en crois ce que je lis, là, lors de votre divorce, les choses s'étaient déjà mal passées.

Cette fois, Étienne accusa le coup. Il s'était mis dans son tort, il le savait, et désormais il était dans le collimateur des gendarmes. Y avait-il une part d'intimidation dans tout ce que l'adjudante lui assénait ?

— Pourquoi êtes-vous revenu dans la région ? lui demanda-t-elle brusquement.

— Je suis né ici, j'y ai grandi, vécu. Ça me manquait.

— Vous avez un travail ?

— J'en cherche.

— Et de quoi vivez-vous ?

— J'ai des économies.

— Bien…

Elle pianota sur le bord du bureau durant une longue minute.

— L'affaire va suivre son cours, dit-elle enfin. En attendant, vous restez à la disposition de la justice, sans quitter le territoire, et vous ne vous approchez en aucun cas du domicile de Mme Vaillant…

— Ah, oui, elle s'appelle comme ça, maintenant !

Le ton rageur lui avait échappé, et il eut un petit sourire d'excuse.

— Ça me fait bizarre, expliqua-t-il.

— Donc, vous ne vous approchez pas du domicile de Mme Vaillant, ni de son salon de coiffure.

Elle avait détaché chaque mot, comme si elle s'adressait à un simple d'esprit. Quand elle se leva, il remarqua qu'elle était toute menue. Et elle s'imaginait lui avoir fait peur ? Certes, il allait y réfléchir à deux fois, mais il ne comptait pas abandonner la partie, toutes ces femmes ne le feraient pas plier. Qu'elles aient le moindre pouvoir l'avait toujours mis hors de lui, à ses yeux elles étaient faites pour obéir, rien d'autre. S'il avait été le supérieur de cette petite adjudante, il lui en aurait fait baver.

Alors qu'il sortait de la gendarmerie, il avisa deux hommes, près d'une grosse voiture, qu'il reconnut immédiatement. Le garagiste et le chirurgien... Ils étaient venus témoigner contre lui, bien entendu ! Ignorant le toubib, il observa Lucas. Qu'est-ce qui avait attiré Clémence chez ce type ? Dans leur lit, le soir, parlaient-ils de lui ? L'image lui fit serrer les poings et rentrer la tête dans les épaules. Sa Clémence faisant l'amour avec ce bonhomme sans intérêt ?

Une estafette arrivait sur le parking et il dut se détourner pour ne pas se faire remarquer. En montant dans sa voiture de location, il eut l'impression d'être soudain très malheureux et très seul. Récupérer Clémence était peut-être au-dessus de ses moyens, au-dessus de ses forces. Un dernier coup d'œil vers les deux hommes qui bavardaient toujours lui révéla que le chirurgien l'avait repéré et l'observait à son tour. Il éprouva une bouffée de haine qui lui coupa le souffle. Ces deux mecs ! Leurs grosses bagnoles, leur grand chalet, leurs certitudes de nantis ! Était-ce à ça que Clémence avait aspiré, à avoir du fric ? Elle l'avait quitté, alors qu'elle l'aimait, pour se faire un avenir de petite-bourgeoise ? La garce…

Il quitta le parking sur les chapeaux de roues, mais sans savoir où il voulait aller.

Philippine étudia son image dans le miroir. Après s'être reposée une grande partie de l'après-midi, elle avait décidé de peaufiner son apparence. Elle s'était maquillée avec soin, d'une seule main, et elle avait jeté un châle aux tons vifs sur ses épaules pour dissimuler son attelle de coude. Elle ajouta une touche de parfum sur ses poignets, puis des boucles d'oreilles. Virgile et Lucas venaient de rentrer, elle avait entendu leurs voitures, et ensuite, un joyeux chahut avait suivi leur arrivée. Patiente, Philippine avait attendu que les jumelles soient montées se coucher. Elle tenait à ce que Virgile la remarque lorsqu'elle descendrait l'escalier. Ainsi pourrait-elle dissiper les doutes qui commençaient à l'assaillir.

Alors qu'elle s'apprêtait à quitter la salle de bains, Virgile y entra en coup de vent.

— Oh, tu es là ? Je pensais que tu dormais…

— Non, je suis bien réveillée, et très en forme !

— Tant mieux. Je prends une petite douche vite fait.

Il commença à se déshabiller, sans lui prêter attention.

— Les gendarmes ont été gentils, mais Étienne est toujours en liberté, annonça-t-il en ouvrant les robinets. L'affaire suit son cours, il faudra attendre.

Elle le regarda se savonner, se shampouiner, renverser la tête en arrière et laisser ruisseler l'eau sur lui, les yeux fermés. À quand remontait la dernière fois où ils avaient pris une douche ensemble ? Elle s'aperçut qu'elle le trouvait beau, attirant, et qu'elle avait envie de faire l'amour avec lui, là, tout de suite. Mais cette fichue attelle de coude l'en empêchait, et il était déjà en train de se sécher.

— J'ai promis à Véronique de me dépêcher, elle nous a préparé un très bon dîner.

— Véronique attendra, dit-elle en le rejoignant.

Elle lui mit son bras valide autour du cou et l'attira à elle pour l'embrasser, puis elle murmura :

— Pourquoi ne sommes-nous jamais tranquilles ?

Si elle avait cru l'amuser avec cette question ambiguë, elle fut déçue en le sentant se crisper.

— Nous le sommes quand nous voulons, que je sache. Mais maintenant, j'ai faim.

Sans plus s'occuper d'elle, il enfila un slip propre, un jean et un gros pull.

— Comment va ton coude ? demanda-t-il en ouvrant la porte. Si tu as mal, n'hésite pas à me le dire.

— Tu es tellement pressé que tu t'en vas pieds nus, fit-elle remarquer.

Il éclata de rire et revint vers les placards pour mettre des mocassins. Sa bonne humeur ne compensait pas son manque de tendresse, qu'elle ne pouvait plus ignorer.

— Virgile ?

Déjà sur le palier, il s'arrêta, se retourna.

— Je ne te trouve pas très câlin, pas très attentif. Est-ce que nous aurions un problème, toi et moi ?

La question était trop directe, elle s'en rendit compte avec angoisse. Virgile baissa la tête, enfouit ses mains dans les poches de son jean. Il y eut un petit silence éloquent, qu'il rompit apparemment à contrecœur.

— Eh bien… Il faudra que nous en parlions. Plus tard.

— Pourquoi pas tout de suite ? Tu as trop faim ? Tu ne veux pas faire attendre la chère Véronique ?

Persifler n'était pas très habile, mais elle n'avait pas pu s'en empêcher.

— Philippine, tu as été opérée avant-hier, tu es encore fatiguée et choquée par ce qui est arrivé ici. Pour ma part, je suis crevé, et aussi affamé, oui. Je trouve le moment mal choisi pour discuter.

Il avait utilisé un ton cassant, très inhabituel chez lui. Elle allait devoir patienter. D'ailleurs, elle n'avait plus très envie d'entendre la suite. Il y avait un problème entre eux, elle ne s'était pas trompée. Pourrait-elle le résoudre ? Récupérer un Virgile amoureux et patient ? S'il s'agissait encore de cette histoire d'enfant… Elle se demanda quel serait son choix, entre perdre Virgile et avoir un bébé dont elle ne voulait pas.

Il tendit la main vers elle, la prit gentiment par son bras valide.

— Viens, descendons.

Une bonne odeur de fromage fondu se répandait dans l'escalier. Pourquoi Véronique ne brûlait-elle jamais ses plats ? Pourquoi Virgile privilégiait-il cette famille Vaillant avec tant d'enthousiasme ? Pourquoi les jumelles étaient-elles si mignonnes et si affectueuses ? Pourquoi fallait-il toujours défendre Clémence ? Cela faisait vraiment trop d'interférences dans leur vie de couple ! Exaspérée, elle s'obligea à sourire, tout en se préparant à passer une très mauvaise soirée.

6

Lucas effectua un superbe freinage qui souleva une gerbe de neige en direction de Virgile. Celui-ci reprenait péniblement son souffle, appuyé sur ses bâtons et le buste penché en avant.

— J'ai gagné…

— De peu ! ragea Lucas.

— Mais ça fait deux fois de suite, ce matin. Tu me dois le champagne.

— C'est injuste, tu as de meilleurs skis que moi. Avec tes Rossignol à taille de guêpe, tu passes tes virages sans perdre de vitesse. Il faut que je trouve la parade.

— Essaye le talent.

Ils étaient descendus à toute allure, longtemps côte à côte, jusqu'à ce que Virgile parvienne à prendre l'avantage. Décidé à en découdre, Lucas proposa :

— Allez, on remonte pour la consolante ?

— Je veux d'abord boire quelque chose de chaud.

Ils quittèrent le pied de la piste noire, déchaussèrent leurs skis.

— Dans quelques semaines, il n'y aura plus de neige, regretta Lucas.

— Mais on a été servis, cette année, et ce n'est pas fini. Tu as vu l'avis de tempête pour la nuit prochaine ? Elle a traîné en route, mais apparemment, elle arrive.

— Tant mieux ! Enfin, je veux dire que lorsque l'enneigement est correct, la station arrive à rembourser les infrastructures. Il y a eu de tels investissements, ces derniers temps…

— Les vacanciers en veulent toujours davantage, et ils sont de plus en plus nombreux. Tu te souviens comment c'était, ici, il y a vingt ans ?

— Ne sois pas passéiste, Virgile. La différence essentielle est que nous étions plus jeunes et plus en forme.

— Plus têtes brûlées, aussi.

En pénétrant dans la buvette, ils durent se frayer un chemin jusqu'au comptoir. L'ambiance était bruyante, joyeuse, et il faisait très chaud. La plupart des skieurs avaient baissé le haut de leur combinaison, qui pendait sur leurs hanches, et leurs chaussures de ski, à moitié ouvertes, les contraignaient à se déplacer lourdement. Virgile commanda deux cappuccinos à emporter et entraîna Lucas vers la sortie.

— On étouffe, là-dedans, fit-il remarquer en ouvrant la porte.

Un groupe de skieurs cherchait à entrer au même moment, ce qui provoqua une petite bousculade.

— Faites un peu attention ! s'écria une jeune femme.

Lucas ayant heurté le chambranle de l'épaule, un peu de son cappuccino venait de rejaillir sur le blouson bleu ciel d'une petite brune.

— Désolé, je ne…

— Chloé ! s'exclama Virgile.

Il écarta Lucas, regarda les dégâts.

— Ah oui… Bon pour le pressing ! Mais, que je vous le présente, ce grand maladroit, voilà Lucas Vaillant, mon ami et copropriétaire.

Son air ravi intrigua Lucas, qui sourit à tout hasard.

— Chloé Couturier, dit la jeune femme en lui tendant la main.

Virgile semblait sur un nuage, le visage rayonnant.

— N'entrez pas là-dedans, conseilla Lucas, c'est bondé. Voulez-vous que j'aille vous chercher quelque chose pour me faire pardonner ?

— Un chocolat chaud, merci.

Elle s'éloigna de quelques pas sur la terrasse en bois, suivie de Virgile.

— Franchement, soupira-t-elle avec un geste le long de son blouson, de quoi ai-je l'air, maintenant ? Je ne suis déjà pas une très bonne skieuse, et maintenant, cette énorme tache ajoute à mon ridicule.

Puis elle éclata de ce rire qui donnait irrésistiblement envie de s'esclaffer avec elle.

— Vous n'aurez qu'à dire que vous êtes tombée dans la boue, suggéra-t-il.

— Il n'y a aucune boue ici. Que de la neige, à l'infini. De toute façon, je crois que j'en ai assez pour aujourd'hui. Il y a trop de skieurs sur les pistes, c'était une mauvaise idée de venir un dimanche. D'ailleurs, on annonce une tempête, je vais rentrer.

— Elle ne sera pas là avant plusieurs heures, affirma Virgile en désignant le ciel. Sur quelle piste êtes-vous descendue ?

— Une piste modeste. Dans mes petits moyens. Pour être plus explicite, de la couleur de mon blouson avant que votre ami ne le ruine.

— La bleue ? Vous n'êtes pas vraiment débutante, alors.

— À peine mieux.

— D'où êtes-vous originaire ? La plupart des montagnards savent skier, on les met sur les planches avant de leur apprendre à lire.

— Je suis née à Aix-en-Provence et j'y ai fait mes études. Or, il neige rarement sur le cours Mirabeau ! Après, j'ai bourlingué. Mon frère a décidé de monter une agence à Gap parce qu'il adore la région et parce que la ville est en pleine expansion, donc l'immobilier aussi. Comme on s'entend très bien tous les deux, je l'ai rejoint il y a quelques mois.

— Et vous allez rester ?

— Tout dépendra du travail que je trouverai… ou pas !

Des cris de joie les interrompirent tandis que les jumelles arrivaient en courant vers la buvette, suivies de leur mère.

— Tu es là, youpi ! On te cherchait, maman est fatiguée, mais nous, on veut skier encore !

L'expression de stupeur de Chloé obligea Virgile à clarifier aussitôt la situation.

— Émilie et Julie sont les filles de Lucas, s'empressa-t-il d'annoncer. Et voilà Clémence, son épouse. À présent, vous connaissez tout le monde.

— Pas tout à fait, je crois ?

Son allusion au fait que Virgile avait avoué être en couple fut accompagnée d'un sourire amusé. Elle lui signifiait ainsi qu'elle n'était pas dupe et que sa position n'avait pas changé.

Émergeant de la buvette, Lucas remit son chocolat à Chloé et s'excusa de nouveau.

— Je suis le responsable de cette horrible tache, expliqua-t-il à Clémence.

Il en profita pour la prendre par la taille, l'embrasser et lui chuchoter quelques mots à l'oreille.

— Venez, les filles, on remonte, et cette fois papa nous accompagne pour une nouvelle descente !

— Une moins facile, hein ? demanda Émilie.

— Moins facile, ponctua Julie en écho.

— D'accord, mais ce sera la dernière. Après, on rentre.

Ils s'éloignèrent aussitôt tous les quatre, les jumelles marchant devant, surexcitées.

— Vos amis sont très attentionnés, ironisa Chloé, ils se sont dépêchés de partir.

— Lucas est comme mon frère, il me connaît bien, il n'a pas eu de mal à déduire que je suis content de passer un petit moment avec vous.

Elle affichait un petit sourire énigmatique qui décourageait d'avance toute tentative, pourtant il se lança :

— Je vous proposerais bien une nouvelle invitation à déjeuner, mais vous allez me dire que…

— C'est effectivement ce que je vais dire. Où est votre… compagne ? Elle ne skie pas ?

— Elle vient de subir une opération du coude, elle est restée à la maison.

— Ah… Et cette maison, alors, vous la vendez ou pas ?

— Nous en discutons toujours. Nous sommes dans une situation un peu compliquée. À tous points de vue !

Le sourire de Chloé se fit plus chaleureux, sans doute appréciait-elle sa franchise.

— Bien. Quand vous serez décidé, j'aurai quelque chose à vous montrer.

Elle but son chocolat à petites gorgées puis, d'un geste précis, expédia le gobelet dans la poubelle de la terrasse. Virgile comprit qu'elle allait partir et qu'il n'aurait pas de prétexte pour la revoir de sitôt. Impuissant, il la vit s'éloigner, récupérer ses skis et ses bâtons appuyés à la barrière, puis se diriger vers le parking. Il n'avait rien trouvé à ajouter, mais qu'aurait-il pu dire ? Il n'était toujours pas libre, Philippine l'attendait au chalet.

Sans se presser, il gagna le pied de la piste rouge. Lucas avait dû choisir celle-ci parce qu'ils étaient deux adultes pour encadrer les jumelles. Tout le temps de la remontée mécanique, il leur avait sans doute répété les consignes de sécurité : faire des virages pour ne pas se laisser emporter par la pente, considérer les skieurs devant soi comme prioritaires, au besoin les doubler avec une extrême prudence, anticiper sa trajectoire et celles de tous ceux qui vous entourent. Les petites skiaient bien, sans la moindre appréhension, et elles avaient fait de gros progrès cet hiver, mais Clémence craignait toujours une mauvaise chute, ce qui la poussait à un excès de prudence. D'où le désir des fillettes de skier avec leur père et Virgile.

Quand il les aperçut, il ne put retenir un sourire réjoui. Émilie et Julie fonçaient, dans une bonne position de vitesse, leurs parents juste derrière elles. Une fois encore, Virgile envia la joie et la fierté que devait éprouver Lucas. Il ne pouvait décidément plus différer sa rupture avec Philippine.

Émilie réussit son freinage mais Julie termina sa course dans les jambes de Virgile. Ils se retrouvèrent tous les deux assis dans la neige, hurlant de rire.

— Espèce de petit bolide, tu as ralenti beaucoup trop tard !

— C'était tellement bien…, lâcha-t-elle d'un air extasié, tandis qu'il l'aidait à se relever.

— Tu n'es pas stable, comme barrière de sécurité, tu t'écroules au moindre choc, fit remarquer Lucas en s'arrêtant à côté d'eux.

Ils échangèrent un coup d'œil complice et attendirent que Clémence les ait rejoints, bonne dernière.

— Je faisais office de voiture-balai, expliqua-t-elle, mais en réalité, vous êtes dures à suivre, les filles !

— Une petite dernière ? demanda Émilie d'un ton suppliant.

Pour une fois, Julie ne répéta pas les mots de sa sœur.

— Non, on rentre déjeuner, trancha Lucas. D'ailleurs, le temps se gâte.

Le ciel devenait gris plombé, n'augurant rien de bon, et les pistes se vidaient peu à peu. Ils avaient tous envie de se mettre à l'abri au chalet, pour guetter l'arrivée de la tempête devant une bonne flambée. Rassemblant skis et bâtons, ils se dirigèrent ensemble vers le parking.

Un peu après 15 heures, cet après-midi-là, le vent se leva avec force et la neige se mit à tomber en petits flocons serrés qui tourbillonnaient et brouillaient le paysage. Il faisait si sombre qu'on aurait cru la nuit déjà tombée. Les voitures étaient dans le garage, et toutes les ouvertures bien fermées, mais au rez-de-chaussée, les volets intérieurs restaient repliés pour que l'on puisse observer la suite des événements.

— Ça souffle de plus en plus fort, constata Clémence.

On entendait des arbres grincer au-dehors, les bois du chalet craquaient et, dans la cheminée, des bourrasques faisaient vaciller les hautes flammes.

— Très impressionnant…, déclara Christophe.

Il se tenait près d'une fenêtre, essayant de discerner ce qui se passait à l'extérieur.

— Le plus ennuyeux, expliqua Lucas, est que ce vent violent va expédier toute la poudreuse là où elle n'aurait pas dû se trouver, ce qui rendra le manteau très instable.

Lassée par ces considérations météorologiques, Philippine repoussa le plaid en mohair qu'elle avait drapé sur ses genoux et quitta le canapé.

— Je monte m'allonger un peu, annonça-t-elle.

Virgile, qui arrangeait les bûches avec un tisonnier, tourna la tête vers elle, parut hésiter mais déclara :

— Je te rejoins dans une minute.

Durant quelques instants, il contempla les flammes, écouta le ronflement du vent dans le conduit.

— Tu es décidé, ça y est ? chuchota Lucas derrière lui.

— Oui…

— Alors, courage, mon vieux ! Ménage-la, et ménage-toi aussi.

Virgile se retourna, posa sa main sur l'épaule de Lucas comme s'il y cherchait du réconfort, puis il traversa le séjour et s'engagea dans l'escalier, sous le regard intrigué de Clémence. N'ayant aucun moyen d'échapper à l'explication qui allait suivre, qu'il souhaitait et redoutait, il avait décidé de ne plus différer, quel que soit le prix à payer.

En entrant dans leur chambre, il découvrit Philippine qui lisait, ses lunettes sur le nez, belle et attendrissante. Elle eut une expression fugitive d'inquiétude, qu'elle maîtrisa aussitôt.

— Le vent ne se calme pas, on découvrira les dégâts demain.

Elle avait choisi une phrase neutre pour lui laisser l'initiative de la discussion.

— Philippine, j'ai des choses à te dire, commença-t-il.

Au lieu d'aller s'asseoir près d'elle, sur leur lit, il s'adossa à la porte qu'il avait fermée.

— Je crois que notre couple ne va plus très bien…

— Je le crois aussi. Tu es un peu distant, ces temps-ci, et j'ignore pourquoi. Mais tu vas me l'expliquer, je suppose ?

Il se laissa glisser le long du battant, s'assit par terre et mit ses coudes sur ses genoux.

— Nous ne partageons plus grand-chose, lâcha-t-il en préambule. Nous n'avons pas de projets communs.

— Oh, toujours ton obsession de fonder une famille ?

— En grande partie, oui. Pour le reste, je pense que Paris te manque, mais pas à moi, et je ne retournerai pas y vivre. Tu n'apprécies pas les gens que j'aime, comme les parents de Lucas. Tu supportes la cohabitation, mais ce n'est pas ton choix, c'est le mien. Tout ça est contradictoire.

— Dans un couple, il faut se faire des concessions, rappela-t-elle. Je t'en fais sans états d'âme.

— Je ne t'ai jamais demandé de te sacrifier.

— Non, en effet. Avec toi, je m'en souviens parfaitement, c'était à prendre ou à laisser. Je t'aime, donc j'ai pris, et je n'en souffre pas.

— Vraiment ?

— Je ne m'ennuie pas, ici. J'ai mes recherches à faire, ce qui m'occupe amplement. Quand vous rentrez tous, le soir, je trouve ça assez… gai. Une sorte de vie de groupe ! Et les petites sont gentilles, je le reconnais, même si elles t'accaparent, et même si ton air extasié finit par m'agacer.

— J'avais remarqué. Pourquoi prends-tu ombrage de mon affection pour elles ?

— Parce que ça souligne trop ta frustration.

— D'enfants ? Oui. J'ai trente-sept ans, il est grand temps pour moi d'être père.

— Pour te prouver quoi ?

— Peut-être pour cesser de vivre en égoïste.

— Mais c'est le comble de l'égoïsme, de vouloir des enfants ! Se projeter à travers eux, s'imaginer qu'on a quelque chose à transmettre ou une empreinte à laisser, quel orgueil ! Je crois que tu as surtout envie d'enfants parce que je n'en veux pas. En général, c'est l'inverse, la femme implore qu'on lui fasse des petits, et l'homme essaie de se défiler. Or, je t'ai plu parce que je suis différente, indépendante. Je ne souhaitais pas te mettre la corde au cou, faire de toi un mari et un père, t'infliger tout un tas de responsabilités. Et ça t'a séduit, reconnais-le.

— C'était il y a longtemps, nous étions plus jeunes.

— Je ne me sens pas vieille, à trente ans !

— Je sais. Mais tu ne m'as pas dit d'attendre encore un peu. Tu as décrété que tu refusais tout net de fonder une famille parce que ça ne t'intéresse pas.

— Du coup, tu ne m'aimes plus ?

Elle s'était redressée d'un mouvement vif et elle réprima une petite grimace, en portant la main à son attelle de coude.

— Regarde-moi et réponds-moi, Virgile. Tu ne m'aimes plus ?

— Eh bien, bredouilla-t-il en affrontant son regard, moins qu'avant, sans doute.

L'aveu avait été difficile, il en éprouva autant de peine que de soulagement. Philippine se leva d'un bond, fondit sur lui, se pencha et le gifla de toutes ses forces.

— Tu as rencontré une autre femme, c'est ça ? hurla-t-elle.

Il se releva pour lui faire face mais resta adossé à la porte.

— Non, pas exactement. Je ne t'ai pas trompée, Philippine.

Cependant il en avait éprouvé le désir, il le savait et se sentait mal à l'aise avec cette demi-vérité.

— Tu veux qu'on se quitte ? lança-t-elle d'une voix blanche. Tu veux que je fasse mes valises et que je sorte de ta vie ? Tu veux être libre de chercher la future mère de tes enfants ? Un ventre consentant, tout disposé à enfler comme une outre ? Bobonne bêtifiant avec ses marmots, voilà ton idée de l'amour ? Mais oui, bien sûr, je devrais pourtant le savoir, tu regardes Clémence avec des yeux béats d'admiration. Sainte Clémence !

— Laisse Clémence hors de cette discussion. Elle et Lucas ont réalisé leur projet, construit leur avenir. Alors, oui, je les envie.

— Eh bien, moi, la petite famille parfaite de ton meilleur ami me sort par les yeux ! Je pensais que nous étions plus libres qu'eux, moins conventionnels, que nous n'étions pas obligés de rentrer dans un moule pour ressembler à tout le monde et n'importe qui. Faire des marmots, c'est facile, mais après, il faut les élever en oubliant ses propres rêves.

— Ses rêves ? Apparemment, nous n'avons pas les mêmes, toi et moi.

— Les tiens sont si banals ! C'est paradoxal, tu veux ce qu'a Lucas. Dans votre binôme, on croit que c'est toi le meneur, mais pas du tout, c'est lui. Le gentil Français moyen et fier de l'être. Tu parles d'une ambition ! Et d'ailleurs, pourquoi manques-tu à ce point d'ambition ? Tu es en révolte contre ta propre famille, et plutôt qu'écouter les conseils de ton père, tu préfères ceux de Christophe et Véronique. Tu te complais dans ton petit hôpital, où tu resteras jusqu'à la retraite. Et, bien que tu prétendes avoir mûri, tu en es toujours à l'esprit coloc et sports d'hiver.

— En somme, je suis bourré de défauts, ironisa-t-il.

— Mais je m'en suis accommodée, parce que je t'aime. Par ailleurs, parmi tes qualités, j'admire ton goût du travail bien fait, ta générosité, ta gentillesse, ta droiture, ton sang-froid…

Radoucie, elle tendit la main vers lui, effleura son visage.

— Je suis désolée de mon geste d'humeur. Il y a une marque sur ta joue, ce doit être ma bague, pardon.

Il voyait bien qu'elle était aux abois, entre fureur et panique, et il se sentait aussi coupable qu'impuissant.

— Virgile… Tu ne m'aimes vraiment plus ?

Son menton s'était mis à trembler. Il se demanda s'il l'avait jamais vue pleurer. La souffrance le laissait démuni, il était toujours prêt à la réduire, la soulager, y compris dans son service, où il refusait qu'on laisse un patient sans antalgiques en attendant un bloc.

— Je t'aime énormément, dit-il tout bas, mais ce n'est plus cette sorte d'amour. Nous nous sommes usés à essayer d'être sur la même longueur d'onde, sans y parvenir. Nos destins sont parallèles, ils ne se rejoindront pas. Ne perds plus ton temps avec moi. Trouve quelqu'un qui…

— Comme si c'était un marché aux bestiaux ! Ça ne se commande pas, figure-toi. Si j'en avais le pouvoir, je cesserais de t'aimer sur-le-champ. Tu veux que je cherche ailleurs ? Tu veux me voir dans les bras d'un autre, pour ne pas te sentir coupable de m'avoir éjectée de ta vie ? Quelle sorte d'homme es-tu ?

La colère reprenait le dessus, elle avait ravalé ses larmes. Elle le toisa rageusement, puis se détourna.

— Tu ne me feras jamais croire qu'il n'y a pas une femme là-dessous… Les grands mots, l'avenir, le destin ! C'est indigne de toi, Virgile.

Cette accusation le hérissa et, une seconde, il fut tenté de lui dire la vérité. Oui, il s'était lassé d'elle, il en désirait une autre. Mais ce genre de déclaration n'aurait fait que la blesser davantage et il y renonça. Comme il restait silencieux, elle lança :

— Je vais aller passer quelques jours à Paris. Le temps que tu réfléchisses. Peut-être finiras-tu par découvrir que je te manque.

Elle se préservait en choisissant l'attente et laissait la porte ouverte à une possible réconciliation.

— Je partirai demain, à condition que la tempête soit calmée, ajouta-t-elle sur un ton de défi.

Partir, revenir, se faire des scènes : il envisagea les semaines à venir avec découragement. Dans le silence qui suivit, le ronflement du vent cernant le chalet se fit plus présent. Philippine alla jusqu'à une fenêtre, colla son front contre le carreau obscur.

— Il neige, il neige… Nous finirons enfouis sous la foutue neige de ce foutu hiver interminable… Et pourtant, j'aime la montagne, j'aime être ici avec toi, j'aime l'instant où tu te glisses sous la couette, je t'aime même quand tu dors. Mais, toi ? Jamais je n'aurais pu imaginer ce qui est en train d'arriver. Il me semblait que notre couple aurait pu durer toujours. Est-ce que je compte encore pour toi ?

— Tu compteras toujours.

Faisant volte-face, elle le toisa de nouveau.

— Chaque mot que tu prononces ressemble à un adieu. Tu es décidé à en finir, n'est-ce pas ? Pourquoi es-tu si pressé ?

— Je ne veux pas qu'on passe des semaines à se déchirer.

— Je vois. Y aurait-il, quelque part, une demoiselle ou une dame en attente ?

Il ne répondit rien. Certes, Chloé ne l'attendait pas. Toujours est-il qu'il aspirait à la liberté pour tenter sa chance auprès d'elle.

— Que prévoit Météo-France ? Je peux prendre un train dès demain matin si tu ne supportes plus de m'avoir dans les pattes !

— Philippine…

— Oh, je t'ai déjà entendu prononcer mon prénom autrement ! Avec plus d'amour, plus de désir, plus de tendresse. Maintenant, tu t'adresses à moi sur un ton poli. Encore un peu et nous serons des étrangers. Je n'en reviens pas… Bon, va rejoindre tes chers amis en bas, vous aurez tout le loisir de parler de moi, de mon refus de porter tes marmots. Ils vont te donner raison, forcément, te consoler, surtout sainte Clémence dont tu bois les paroles ! Tu sais quoi ? Je serais Lucas, je me méfierais de toi.

Elle était assez malheureuse pour dire n'importe quoi, mieux valait ne pas relever pour ne pas l'exaspérer davantage. Il ouvrit lentement la porte, tandis qu'elle criait derrière lui :

— Et ne reviens pas ! Je ne descendrai pas dîner, et tu n'auras qu'à dormir dans la chambre d'amis !

Sur le palier qui séparait les deux couloirs, Virgile découvrit Lucas et Clémence. Ils se tenaient immobiles, côte à côte, l'air stupéfait. Ils avaient de quoi l'être s'ils avaient entendu les derniers mots de Philippine.

— Ça ne s'est pas très bien passé, dit-il d'un ton piteux.

— On est montés, de peur que ça dégénère entre vous, parce que vous faisiez beaucoup de bruit, expliqua Lucas tout en scrutant Virgile.

— Je vais voir les filles, bredouilla Clémence.

Elle s'éloigna en hâte, laissant les deux hommes face à face. Lucas chercha ses mots puis demanda, avec un sourire hésitant :

— Pourquoi était-il question de Clémence, et pourquoi devrais-je me méfier de toi ?

— Philippine est en colère. Elle prend très mal les choses, alors elle dit un peu n'importe quoi.

— Mais encore ?

— Que je chouchoute tes filles et que j'admire ta femme la met hors d'elle.

— Ah…

— Nous achoppons toujours sur le même sujet, à savoir un modèle familial dont elle ne veut pas. Elle va aller passer quelques jours à Paris.

— Et ensuite ?

— Elle s'imagine que… À vrai dire, j'aurais préféré un départ définitif, mais bien sûr je ne peux pas le lui imposer. Elle est malheureuse et ça me rend triste.

— Tu savais que ce ne serait pas facile.

— Pas facile et douloureux. Il n'y a hélas pas de méthode pour se quitter aimablement.

— Elle ne s'y attendait pas du tout ?

— Pas à une vraie rupture, en tout cas. Et donc, elle la refuse. Quand elle sera un peu apaisée, je l'appellerai et j'essaierai de lui faire comprendre qu'il vaut mieux en rester là. Il n'y aura pas de joyeuses retrouvailles. Alors, pourquoi multiplier les disputes ?

Lucas hocha la tête, dubitatif.

— J'espère que tu ne le regretteras pas.

— Non, je suis déterminé.

— À cause de…

Il n'osa pas prononcer le prénom de Chloé, de peur que Philippine ne les écoute.

— Bon, après tout, tu es un grand garçon, ça te regarde et pas moi. Mais je te le redemande : je n'ai vraiment aucune raison de me méfier de toi ?

— C'est la deuxième fois que tu me poses la question, c'est une de trop ! s'emporta Virgile. Te *méfier* ? Ma parole, les élucubrations de Philippine te perturbent ! Qu'est-ce que tu racontes ? Tu fais une crise de jalousie ? Je rêve !

Lucas leva les deux mains en signe d'apaisement, mais Virgile se sentait blessé par l'insinuation.

— Tu tiens notre amitié en piètre estime, et tu me prends pour un mec tordu. Je ne sais pas ce que je dois en penser, mais je suis très déçu, très vexé.

Consterné, Lucas protesta :

— Arrête, c'est idiot. *Je* suis un idiot. Les événements de ces dernières semaines nous ont tellement bouleversés qu'on finit par tout mélanger. Le retour d'Étienne et les drames que ça provoque, la perspective peu réjouissante de quitter le chalet, et toi qui te sépares de Philippine… Trop de changements pour moi, peut-être.

Il tenta un petit sourire qu'il voulait complice, puis désigna la joue de Virgile.

— Elle t'a frappé ?

Et soudain, il se mit à rire, jusqu'à ce que Virgile soit lui aussi gagné par l'hilarité. Quelques instants plus tard, une porte s'ouvrit à la volée, et Philippine fit irruption sur le palier.

— Qu'est-ce qui vous amuse ? C'est moi qui vous fais rire ?

— Bien sûr que non, répondit Lucas qui avait immédiatement repris son sérieux.

— Ah, non ? Alors, c'est quoi ? Les brutalités de ce gros con d'Étienne qui m'a envoyée à l'hôpital ? Les états d'âme de Virgile qui veut pouponner ? La tempête qui s'acharne et qui va nous coincer ici ? Si vous saviez comme j'ai envie de m'en aller pour ne plus vous voir, ni les uns ni les autres !

Elle éclata en sanglots et repartit à grands pas vers sa chambre, où elle s'enferma.

— Là, c'est ma faute, soupira Lucas. Je n'aurais pas dû rire.

— Moi non plus.

— Mais je ne me moquais pas d'elle ! J'ai simplement trouvé comique cette marque sur ta joue et…

Ils furent interrompus par un claquement sec en provenance de l'extérieur. Échangeant un regard inquiet, ils se précipitèrent vers l'escalier pour dévaler jusqu'au rez-de-chaussée. Christophe, les mains en visière devant une fenêtre, leur annonça :

— Une grosse branche de sapin vient de tomber. On a l'impression que le vent va tout déraciner, y compris le chalet !

— Ne t'inquiète pas, il est solide, répliqua Lucas.

Il rejoignit son père pour regarder à son tour. Dehors, la neige tourbillonnait follement, portée par de violentes bourrasques, et s'accumulait contre la façade.

— On va devoir pelleter demain !

— Vous avez encore du sel ? s'inquiéta Christophe.

— Oui, et aussi du sable, il y a tout ce qu'il faut au sous-sol. Certains hivers sont plus durs que d'autres, mais on prévoit toujours large.

— Eh bien, tu n'auras plus ce genre de soucis quand tu vivras dans un appartement !

Lucas haussa les épaules, agacé. Il savait que son père n'approuvait pas son choix de retourner en ville, pourtant il n'y avait guère d'autre solution. Chaque jour, pendant qu'il était occupé à la concession, il parvenait à occulter le problème, mais dès que la nuit tombait, il y repensait.

— En attendant, maugréa-t-il, tempête ou pas, il va bien falloir qu'on sorte…

Il désignait le casier à bûches presque vide. Ils avaient allumé une flambée dès qu'ils étaient rentrés des pistes, et le feu brûlait depuis plusieurs heures.

— Pour des gens prévoyants ! s'esclaffa Christophe.

Sa bonne humeur semblait inaltérable. S'il était contrarié ou en colère, cinq minutes plus tard il trouvait une raison de rire. À l'époque où il était encore en activité, il ne se plaignait jamais de son travail de peintre, sifflotant gaiement sur n'importe quel chantier, et quand il rentrait chez lui le soir, il avait souvent une anecdote amusante à raconter.

— On s'y colle, toi et moi, toubib ? suggéra-t-il.

Sans doute avait-il remarqué le visage fermé de Virgile, et il lui offrait un dérivatif. Ils s'équipèrent chaudement, avec gants, écharpes et bonnets, avant d'affronter les tourbillons de neige poussés par le vent. La réserve de bois se trouvait à l'arrière du chalet, abritée sous un large auvent, et ils peinèrent un peu dans la poudreuse pour y arriver.

— Vous pourriez stocker ça ailleurs ! râla Christophe.

Ils avancèrent entre les piles de rondins pour récupérer deux grands paniers qu'ils commencèrent à remplir, choisissant différents calibres. Au bout de quelques instants, Christophe fit remarquer :

— Tu as ta tête des mauvais jours.

— Je suis en train de me séparer de Philippine, et c'est très dur.

— En voilà une nouvelle !

— Lucas t'expliquera pourquoi. Je n'ai pas très envie d'en parler.

— Je comprends.

Tout en mettant des bûches dans son panier, Virgile ajouta :

— C'est une femme formidable, intelligente, posée, très belle… Mais je n'ai eu avec elle qu'une relation superficielle, je m'en aperçois seulement maintenant. Ça m'arrangeait de pouvoir me consacrer à mon métier, alors j'ai occulté le reste. Philippine était là, je n'avais pas besoin d'en chercher une autre, c'était pratique et agréable. Tu te rends compte ? Agréable ! Quelle vision minable de l'amour, hein ? J'ai raté ma vie sentimentale par manque de discernement, j'ai été lâche, aveugle, nul !

Pour quelqu'un qui ne voulait pas parler, il était soudain très disert.

— Tu as eu la vie trop facile, c'est sûr, approuva Christophe.

— Facile ?

— Ben, oui ! Je me souviens que ça faisait rager Lucas. Il disait que tu n'avais qu'à claquer des doigts pour avoir n'importe quelle fille à tes pieds. Et tu ne t'es jamais donné de mal pour les conquérir ni pour les garder. Pas de grands sentiments, comme ça, tu étais tranquille. Lucas avait connu des échecs et des chagrins de jeune homme, je pense que tu t'en souviens, et il était prêt pour une grande histoire quand il a rencontré Clémence. Mais pas toi. Alors, dis-moi, qu'est-ce qui t'a ouvert les yeux ? Qu'est-ce qui t'est enfin tombé dessus ?

Refusant de répondre, Virgile finit de charger son panier, l'empoigna puis le reposa. Au fond de l'abri, ils étaient protégés de la neige et du vent qui continuait à souffler.

— On traverse une drôle de période, finit-il par lâcher.

— Oui, et figure-toi que ça nous inquiète beaucoup, Véronique et moi. Pourtant, jusqu'à il n'y a pas si longtemps, on dormait sur nos deux oreilles. On vous savait heureux, tous ensemble, et on s'en réjouissait. Chaque fois qu'on venait vous rendre visite, on repartait éblouis. Quelle harmonie, quel mode de vie agréable vous aviez établis dans ce cadre exceptionnel ! Et puis un beau matin, tout se détraque… On a beau savoir que rien ne dure, ça fait mal.

Résolument, Christophe saisit son lourd panier et quitta le fond de l'abri. Virgile le suivit, soulagé d'avoir pu discuter avec cet homme dont il appréciait le bon sens et la franchise. Lucas lui-même, pour le ménager, ne lui aurait pas tenu un discours aussi direct. Ils regagnèrent le chalet, en mettant leurs pas dans les traces qu'ils avaient créées en venant et qui commençaient déjà à s'effacer sous les flocons.

Dans la nuit, la tempête s'était calmée et le vent avait brusquement cessé de souffler. Le lundi matin, au lever du jour, tout le paysage semblait cristallisé sous une épaisse couche de neige glacée. Philippine avait décidé de partir pour Paris sans attendre, et Virgile avait dû suivre le chasse-neige durant toute la descente vers Gap. Lorsqu'il la déposa devant la gare, elle ne lui avait pas adressé plus de trois mots.

— Appelle-moi quand tu auras réfléchi ! lui lança-t-elle sur un ton de défi.

Il sortit son sac du coffre, le lui tendit.

— Tu vas y arriver avec une seule main ? Je peux t'accompagner si tu…

— Non, je me débrouillerai.

— Pense à prendre rendez-vous avec un kiné, pour la rééducation.

— J'imagine qu'on se reverra d'ici là ?

Il hésita, chercha une réponse appropriée, sans la trouver.

— Fais bon voyage et prends soin de toi, se borna-t-il à dire.

S'il tentait le moindre geste de tendresse, il savait qu'elle en profiterait pour le repousser, ou au contraire le retenir, et qu'il aurait droit à une nouvelle scène. Elle le dévisagea quelques instants avant de se détourner, puis elle s'éloigna, la tête haute. Il la suivit du regard, ne pouvant s'empêcher de la trouver très belle. Comme chaque fois qu'elle partait pour Paris, elle avait choisi des vêtements élégants, adaptés à un climat plus doux que celui de la montagne et qui la mettaient en valeur. Il supposa que, dès son arrivée, elle gagnerait son studio du boulevard Saint-Germain, téléphonerait à des amis, à son directeur de thèse, et s'organiserait tout un programme pour occuper ses journées. Elle n'était pas du genre à pleurer sur son sort et à se morfondre, même si cette séparation la rendait malheureuse. Malheureuse et surtout furieuse, elle serait sans doute un peu préservée par son orgueil, qui l'empêcherait de se désespérer.

Un frisson le parcourut. Il se dépêcha de remonter dans sa voiture et brancha le chauffage. Il ne se sentait pas aussi triste qu'il aurait dû l'être et ce constat le culpabilisait. Certain d'avoir aimé Philippine, il s'était pourtant détaché d'elle de manière insidieuse. Chloé était l'étincelle qui lui avait permis d'y voir clair, mais rien ne l'autorisait à croire qu'il vivrait un jour une histoire avec elle. Il le souhaitait, tout en étant bien conscient qu'il ne la connaissait quasiment pas. Elle pouvait se révéler très différente de ce qu'il espérait, et peut-être était-il tombé amoureux de l'idée d'une grande histoire, plutôt que de la jeune femme. En fait, il ne s'était pas séparé de Philippine *à cause* de Chloé, mais plutôt par besoin de liberté. Cependant, il n'allait pas profiter tout de suite de son nouveau statut de célibataire, il attendrait d'abord que le calme soit revenu dans sa vie, dans sa tête et dans son cœur. D'ici là, il avait un lourd planning d'interventions à assurer et il ne pouvait pas se laisser distraire.

L'un des péchés mignons de Clémence était la curiosité. Habituée aux confidences des clientes dans son salon, elle suivait les feuilletons d'histoires d'amour ou de famille parfois rocambolesques, et elle s'en amusait. La rencontre, au pied des pistes, avec Chloé Couturier avait éveillé son intérêt. Rien qu'à voir la manière dont Virgile avait couvé cette jeune femme du regard, Clémence avait compris les motifs de la dispute avec Philippine et du départ précipité de celle-ci. Virgile, si calme et stable, amoureux d'une autre ? Pour en apprendre davantage, elle avait eu l'idée de passer à l'agence immobilière où Chloé travaillait. Elle avait eu la chance de l'y trouver. Sous prétexte de vouloir visiter des petites maisons ou des appartements à louer dans Gap, elle avait longuement bavardé avec Chloé, lui expliquant que la location était une option temporaire imposée par une situation délicate.

— Sans entrer dans les détails, disons que ce serait une solution qui nous permettrait de ne pas vendre le chalet. Vous l'avez visité, vous comprenez sûrement pourquoi nous y sommes tellement attachés.

— Il est magnifique, approuva Chloé. Et donc, vous allez tout faire pour le garder ?

— Au moins, nous allons essayer. Mais j'imagine que vous serez déçue si vous ne le rentrez pas dans votre portefeuille de maisons à vendre ?

— Forcément. Sauf que… C'est une grosse affaire, il faut trouver le client pour un bien de ce type. Maintenant, concernant votre désir de louer, je dois vous rappeler qu'il y aura des frais d'agence, une caution, un mois de loyer d'avance, le prix d'un déménagement… Si ce n'est que temporaire, ce sera coûteux !

— Je sais tout ça. Nous avons établi un budget, mon mari et moi.

— Bien. Voulez-vous que je vous emmène voir un ou deux endroits susceptibles de vous convenir ?

— Avec plaisir. Mais je ne veux pas vous faire perdre votre temps.

— Je suis là pour ça. Nous allons prendre rendez-vous.

— Oh… Ce n'est pas possible aujourd'hui ? Le lundi, je ne travaille pas, mon salon de coiffure est fermé, mais le reste de la semaine, je ne suis pas très disponible.

Chloé hésita, jeta un coup d'œil à son agenda et finit par hocher la tête. Elle avait l'habitude de se rendre libre sur-le-champ si un client le souhaitait.

— J'ai les clefs d'un appartement qui pourrait vous plaire et qui se trouve à deux pas d'ici. On y va ?

Ravie, Clémence accepta, tout en se demandant ce que Lucas penserait de sa démarche. Après tout, elle joignait l'utile à l'agréable, puisqu'elle pouvait à la fois satisfaire sa curiosité vis-à-vis de Chloé et tester l'éventualité d'un changement d'habitat. Elles quittèrent l'agence, qui se trouvait rue Jean-Eymar, en plein cœur du centre-ville et de l'activité commerciale, s'engagèrent rue Bon-Hôtel tout en bavardant. Pour ne pas glisser sur des plaques de verglas, elles s'étaient familièrement prises par le bras. Clémence se sentait conquise par l'abord franc et souriant de Chloé. Elle la devinait déterminée, efficace, pleine d'énergie. Une personnalité qui semblait très éloignée de celle de Philippine. Physiquement aussi, les différences étaient notables. Plus petite, menue mais bien faite, elle n'avait pas le côté gazelle de Philippine et elle était indiscutablement moins belle. Malgré cela, ses pommettes hautes et ses grands yeux sombres soulignés de longs cils attiraient l'attention. Son visage s'animait quand elle parlait, et son sourire plein de naturel était assez irrésistible. Elle inspirait la sympathie, même si on comprenait tout de suite qu'il valait mieux ne pas lui marcher sur les pieds.

Elles étaient arrivées devant un immeuble sans grand intérêt, et Chloé désigna un des balcons de la façade.

— C'est là, au deuxième étage.

Clémence la suivit à l'intérieur, déjà désemparée par l'aspect froid et impersonnel de la cage d'escalier.

— Un beau quatre pièces, annonça Chloé en ouvrant la porte, après avoir cherché parmi toutes ses clefs étiquetées. Cuisine équipée, parquet flottant, bonne exposition sud-est, pas de travaux à prévoir. Il y a des placards dans les deux chambres, qui sont séparées par une salle de bains aveugle mais de bonnes dimensions. Je vous laisse visiter.

À pas lents, Clémence fit le tour de chaque pièce, incapable de se projeter dans ce décor.

— On peut installer un petit guéridon et deux chaises sur le balcon, crut bon d'ajouter Chloé. Ou bien des plantes, au printemps.

Les larmes aux yeux, Clémence laissa errer son regard sur les murs blancs. Elle les comparait aux murs de bois blond et de pierre du chalet. Ici, il n'y avait pas d'espace, de lumière, de chaleur. Ni de grande cheminée au centre de la pièce, ni de vue sur les forêts de sapins à flanc de colline. Il n'y aurait pas de sonnailles d'alpage au cou des vaches l'été. Et l'hiver, pas de neige immaculée sur laquelle s'aventurer, raquettes ou skis aux pieds, mais seulement la gadoue grisâtre de la rue.

— J'ai dû prendre de mauvaises habitudes, murmura-t-elle. Peut-être qu'à une époque, cet appartement m'aurait séduite mais…

Essayant d'imaginer là Émilie et Julie, elle sentit une boule se former dans sa gorge. Les filles seraient encore plus déçues qu'elle et ne comprendraient pas un tel changement.

— Vous auriez toutes les commodités à deux pas, et il y a même un emplacement de parking prévu dans la cour, à l'arrière de l'immeuble. En revanche, il n'y a pas de cave.

De nouveau, Clémence songea au chalet, à tous ces week-ends qu'ils avaient passés, Lucas, Virgile et elle, à carreler les salles de bains, vernir les balustrades des balcons, choisir des luminaires, poser des miroirs. Ils se transformaient en ouvriers du bâtiment et en décorateurs dès le samedi matin, pique-niquaient et partageaient des fous rires tandis que le décor prenait forme autour d'eux. Ils avaient mis tout leur argent et toute leur énergie dans ce chalet dont ils n'auraient pas osé rêver avant de l'acheter. Pour Clémence, qui n'avait jamais vécu dans un si bel endroit, en devenir copropriétaire avait représenté le symbole d'une réussite qui devait tout au travail. Fière d'avoir contribué à offrir un tel cadre de vie à ses filles, elle avait tiré un trait sur son passé. Hélas, il avait ressurgi. Et au-delà de la peur qu'Étienne lui inspirait, elle lui en voulut soudain de la ramener en arrière, de la faire dégringoler.

— Je ne sais pas quoi dire, balbutia-t-elle d'une voix étranglée.

Elles échangèrent un regard, puis Chloé hocha la tête et ouvrit son sac pour en sortir une pochette de mouchoirs en papier, qu'elle lui tendit.

— Inutile qu'on s'attarde, n'est-ce pas ?

— Je suis désolée, s'excusa Clémence.

— Ne vous inquiétez pas, je me doutais de votre réaction. Comme je suis allée chez vous, je comprends pourquoi vous éprouvez un choc ici. C'est un autre mode de vie, avec ses avantages et ses inconvénients, mais qui n'est sans doute plus le vôtre. Il vaut toujours mieux se rendre compte sur place, et maintenant, vous savez ce dont vous ne voulez pas.

Elles quittèrent l'appartement en silence, et Chloé attendit d'être à nouveau dans la rue pour proposer à Clémence de revenir à l'agence.

— Nous discuterons plus sereinement devant un petit déjeuner. Nous avons une excellente machine à café, et j'ai acheté ce matin des petits tourtons aux pruneaux qui sont délicieux.

Sans doute estimait-elle que Clémence avait besoin de réconfort après cette visite.

— Je prends de plus en plus de plaisir à travailler dans l'immobilier, déclara-t-elle gaiement. La diversité des lieux, le contact avec une clientèle de tous horizons, la recherche du bien qui va déclencher l'enthousiasme… Tout ça est très amusant, même si ce n'est pas mon métier.

— Ah bon ? Vous avez pourtant l'air très à l'aise.

— Tant mieux ! Mais je ne fais qu'aider mon frère pendant le congé de maternité de sa négociatrice. Lui est un passionné d'immobilier, ainsi qu'un amoureux de la région.

Une fois qu'elles furent installées devant deux espressos, à l'agence, Chloé sortit un mince dossier sur lequel était inscrit : « Decarpentry-Vaillant ».

— Nous allons faire le point, si vous voulez bien, dit-elle d'un ton encourageant. Car vous n'êtes pas des clients faciles à cerner ! Pour résumer, le docteur Decarpentry ne semble qu'à moitié décidé à vendre et, d'après ce que je comprends aujourd'hui, votre mari et vous-même en êtes au même point. Nous passons donc à une option location momentanée de votre côté, même si la visite de ce matin vous a beaucoup déçue. Je dois vous signaler qu'il n'y a pas que des appartements, on peut aussi dénicher une petite maison à louer, dans la périphérie de Gap. Toutefois, la comparaison avec votre habitat actuel sera encore plus déprimante. De son côté, le docteur Decarpentry m'avait indiqué que, en cas de vente, il souhaiterait racheter un chalet moins grand, mais toujours en altitude, car il n'envisage pas de vivre en ville. Dernière précision, vous êtes actuellement tous les trois en copropriété. Bien… Tout ceci ne rend pas mes recherches évidentes ! Madame Vaillant, si vous pouviez me préciser votre position exacte, nous y verrions plus clair.

— Appelez-moi Clémence, je vous en prie.

— D'accord. Moi, c'est Chloé. Allez-y, je vous écoute.

Elle était décidément très directe, ce qui n'était pas pour déplaire à Clémence.

— Vous devez nous juger indécis et agaçants, mais nous sommes englués dans une situation compliquée. C'est la rançon d'une copropriété. Quand les uns sont en difficulté, les autres doivent suivre. Je vous rassure, il ne s'agit pas d'un problème financier. Je ne vais pas vous raconter ma vie, je peux seulement vous dire qu'en habitant un endroit isolé, je me trouve momentanément en danger, et mes filles aussi. Pour y remédier, mon mari préférerait que nous soyons en ville, au moins durant quelques mois, le temps que les choses s'apaisent.

— En danger ? répéta Chloé d'un ton sceptique.

— Je sais, ça paraît ridicule.

Clémence se tut, hésitant à se confier davantage.

— La vie n'est jamais un long fleuve tranquille, déclara Chloé avec un sourire. En pénétrant dans l'intimité des gens, je vois et j'entends des choses extraordinaires.

Sensible à l'empathie que dégageait Chloé, Clémence finit par lâcher :

— Je suis harcelée par un cinglé, potentiellement dangereux. Mon ex-mari, pour être plus précise.

Le sourire de Chloé s'effaça aussitôt.

— Vous êtes sérieuse ? Mais enfin, il y a des lois, des moyens de vous protéger ! Avez-vous averti la police ?

— Les gendarmes, oui. Et que croyez-vous qu'ils puissent faire ? Me surveiller nuit et jour, me raccompagner chaque soir au chalet ? Quand je suis seule, je n'ai aucun moyen de me défendre. Figurez-vous que transporter une petite bombe lacrymogène est un délit ! Je n'ai donc pas d'arme, je ne suis pas ceinture noire de judo, et mon ex doit peser cent kilos. Il m'a déjà poursuivie en voiture, il a aussi envoyé une de mes amies à l'hôpital. Bien sûr, un juge va bien le convoquer et le sermonner, ce que les gendarmes ont d'ailleurs déjà fait, mais c'est une tête brûlée, je suis bien placée pour le savoir. Et il fait une fixation sur moi alors que nous sommes divorcés depuis presque dix ans !

Étonnée d'en avoir raconté autant, elle s'interrompit, soudain embarrassée.

— Eh bien, souffla Chloé, en voilà une histoire… Je comprends mieux à présent pourquoi vous voulez vous réfugier en ville, même s'il n'y a pas non plus un flic à chaque coin de rue. Bon, je vais essayer de vous trouver quelque chose d'acceptable provisoirement, et vraiment dans le centre.

Elle se tourna vers l'écran de son ordinateur puis se mit à taper à toute vitesse sur le clavier.

— Je mets quelques confrères dans la boucle des recherches, expliqua-t-elle, ainsi nous aurons plus de chances.

Quand elle eut terminé, elle regarda de nouveau Clémence, avec beaucoup de gentillesse.

— Je vous tiendrai au courant et, croyez-moi, je vais faire mon possible. Je suis navrée pour vous, c'est une situation inadmissible. Je suppose que votre ex était un grand jaloux bien autoritaire ?

— Oh oui !

— Je connais ce genre de types détestables, imbus d'eux-mêmes et qui considèrent les femmes comme des bonnes à tout faire et des objets sexuels dont ils sont les propriétaires exclusifs. J'ai vécu le début d'une expérience de ce genre, que j'ai arrêtée à temps. Mais j'ai plus de chance que vous : mon travail dans l'armée m'a habituée à un univers masculin et plutôt macho qui ne m'impressionne pas. De toute façon, je pratique depuis longtemps des sports de combat, au cas où…

Elle raccompagna Clémence jusqu'à la porte de l'agence et la suivit du regard. C'était, à l'évidence, une femme vulnérable qui avait dû connaître de grandes difficultés dans son enfance et lors de son premier mariage. Elle n'était pas sûre d'elle et la spontanéité avec laquelle elle s'était confiée prouvait son désarroi. Comment accepter qu'elle n'ait aucun recours ? Qu'elle ait peur pour elle-même et pour ses deux fillettes sans que personne puisse la mettre à l'abri ? Déménager était un moyen aussi extrême que dérisoire pour se protéger. Si son ex était vraiment obsédé, il la trouverait, où qu'elle soit.

Songeuse, elle revint vers son bureau, baissa les yeux sur le dossier « Decarpentry-Vaillant ». Elle n'avait pas eu de nouvelles de Virgile, mais elle savait qu'elle en aurait tôt ou tard. Elle relut quelques lignes pour s'assurer qu'ils étaient bien trois copropriétaires, Virgile, Lucas et Clémence. La compagne de Virgile n'apparaissait nulle part, d'ailleurs Clémence ne l'avait pas mentionnée. À moins que ce ne fût la fameuse « amie » envoyée à l'hôpital par la brute ?

L'arrivée de son frère Damien la tira de ses réflexions. Il brandissait triomphalement une bouteille de champagne, qu'il vint déposer devant elle.

— J'ai conclu ma vente !

— La grosse baraque de Pont-Sarrazin ?

— Oui, sœurette ! Six mois d'efforts, mais c'est fait. Et toi, bonne matinée ?

— Un peu étrange, dit-elle en désignant le dossier.

— Ah, le sublime chalet du chirurgien… Il y aura une coquette commission pour toi si tu y arrives. Mais finalement, il s'en sépare ou pas ?

— Il n'est pas seul à décider, et c'est une affaire très compliquée.

— Je te fais confiance, répliqua-t-il avec un clin d'œil, tu deviens imbattable pour les ventes !

La présence de Chloé à l'agence le réjouissait vraiment, il la trouvait douée pour l'immobilier et il espérait qu'elle resterait avec lui, même après le retour de sa négociatrice. Il avait bien développé son affaire, et il y avait largement du travail pour trois. Aussi insistait-il chaque jour pour qu'elle accepte de s'établir à Gap. Jusque-là, elle avait résisté, réservant sa décision.

Il alla chercher deux gobelets en carton, en principe destinés au café, et déboucha la bouteille. Devant l'air surpris de sa sœur, il proclama :

— Il n'y a pas d'heure pour boire du champagne ! Surtout qu'il est bien frais.

— Par ce temps, je préfère les boissons chaudes, mais tu as raison, le champagne est toujours joyeux.

Elle se rappela qu'ils en avaient bu le jour de l'enterrement de leurs parents, noyant leur chagrin dans les bulles. Elle avait tout juste vingt ans, et Damien vingt-cinq. L'accident d'hélicoptère qui les rendait orphelins les avait rapprochés, et par la suite Damien s'était débrouillé pour garder un œil sur sa sœur, même de loin. Leur petit héritage, équitablement partagé, avait servi à Damien pour monter sa première agence à Aix, où ils habitaient, et à Chloé pour financer ses études. Il l'appelait chaque semaine, insistait pour qu'elle vienne fêter avec lui Noël et leurs anniversaires, rencontrait tous ses petits copains. Il l'avait consolée de ses peines de cœur, sans pour autant intervenir dans sa vie, même s'il avait été très surpris par sa décision, après l'obtention d'une licence en économie, de tenter le concours de l'école des commissaires des armées. Amusé, mais se prenant au jeu, il l'avait aidée à s'entraîner pour aborder les cinq semaines de formation militaire et sportive. Ils avaient nagé et couru ensemble, fait des pompes et des tractions. Quand elle était partie pour un an à Salon-de-Provence, il s'était senti suffisamment rassuré pour quitter Aix, où ils avaient toujours vécu, et aller tenter sa chance à Grenoble. Il adorait la montagne, et surtout le ski alpin, seul sport où Chloé ne brillait pas. Pendant qu'elle passait quelques années dans l'armée, apparemment satisfaite de son sort, il avait mené ses affaires tambour battant, et un beau jour, il avait choisi de s'installer à Gap. Depuis lors, s'il réussissait professionnellement, en revanche il multipliait les aventures sans lendemain, passant pour un cœur d'artichaut. Mais Chloé savait qu'en réalité il avait peur de s'engager, de s'attacher, toujours traumatisé par la perte brutale de leurs parents, dont il ne s'était jamais vraiment remis.

— Pour ce chalet, reprit-il après avoir savouré deux gorgées de champagne, qu'est-ce qui te paraît si compliqué ?

Il prit le dossier, qu'il parcourut, mais il n'y avait rien de plus qu'un descriptif détaillé et les photos que Chloé avait prises avec son téléphone.

— La valse-hésitation des copropriétaires, expliqua-t-elle. Justifiée, d'après ce que j'ai appris ce matin, mais qui retarde l'affaire. Et dis-moi, à propos… Que penses-tu de Virgile Decarpentry ?

— Je le connais mal. Je ne l'ai rencontré qu'à l'hôpital, il y a deux ans, après mon entorse du genou.

Un type apparemment brillant dans son métier et plutôt sympa, si mes souvenirs sont bons. Il t'intéresse ?

— C'est lui qui s'intéresse à moi. Mais quelque chose me dérange. Il doit approcher de la quarantaine et n'a jamais été marié, n'a pas d'enfant… Peut-être est-il comme toi et refuse-t-il toute histoire sérieuse, auquel cas je ne me laisserai pas draguer. Les trucs qui ne débouchent sur rien, très peu pour moi.

— Il a pourtant une copine. Je l'ai aperçu deux ou trois fois en ville ou dans des restaurants, avec une très belle jeune femme. Toujours la même.

— Qui, cependant, ne figure pas dans la copropriété du chalet.

Damien la scruta quelques instants, avant de conclure :

— Si, si, il t'intéresse ! Je t'aurais crue moins sensible au stéréotype « chirurgien-aux-yeux-bleus ».

Elle éclata de rire, termina cul sec son champagne et expédia d'une pichenette le gobelet dans la poubelle.

— Ah, railla-t-il, tes façons de faire de militaire ! Ce n'est pas très féminin, je t'assure…

— Je ne me sens pas obligée de minauder.

Dès son plus jeune âge, elle avait revendiqué le droit de ne pas forcément faire ce qu'on attendait d'elle, de ne pas se laisser enfermer dans un rôle défini par avance.

— Tu es une drôle de petite femme, sœurette ! Toute petite femme…

Il ponctua son expression d'un geste censé mimer sa taille, entre le pouce et l'index.

— Avant d'être ivres, allons déjeuner, suggéra-t-elle en enfilant sa doudoune.

Elle s'habituait à Gap, à la région, à la montagne, sans pour autant savoir si elle voulait rester là. C'était la première fois qu'elle n'avait pas de projet précis, qu'elle ne s'était pas fixé un but à atteindre. Mais elle allait bientôt avoir trente-deux ans et elle ne se laisserait pas porter par le hasard. En fermant la porte de l'agence, elle eut une pensée pour Clémence Vaillant et, par association d'idées, pour Virgile.

7

La réanimation durait depuis plus de vingt-cinq minutes et toute l'équipe, autour de la table, continuait de s'acharner. L'injection d'adrénaline, les chocs électriques et le massage cardiaque pratiqué à un rythme soutenu ne donnaient toujours pas de résultat. Le regard rivé au monitorage, Sébastien semblait désespéré. Virgile jeta un coup d'œil à la pendule murale puis il recula de deux pas.

— On arrête, soupira-t-il.

Médecins et infirmières s'immobilisèrent, atterrés, épuisés. Un silence de plomb succéda à l'activité frénétique.

— Je ne peux pas y croire…, murmura Sébastien.

En tant qu'anesthésiste, il se sentait responsable, alors que rien n'avait laissé présager l'arrêt cardiaque du patient. Interrompu en pleine opération de la hanche, Virgile s'était lancé avec Sébastien dans une réanimation qu'ils avaient prolongée en vain.

— Cet homme n'avait que soixante-trois ans et aucun antécédent, ajouta Sébastien d'une voix blanche.

Il croisa le regard de Virgile, arracha son masque et quitta le bloc à grands pas. Avant de le suivre, Virgile donna ses consignes au reste de l'équipe. Se remémorant toutes les étapes qui avaient précédé l'arrêt, puis toutes les manœuvres entreprises pour faire repartir le cœur, il estima que personne n'avait commis la moindre faute.

Il rattrapa Sébastien dans un couloir, le prit par l'épaule et l'obligea à lui faire face.

— Tu as fait ce que tu as pu. Moi aussi. Tout le monde…

— Mais ça n'arrive jamais !

— Si. Environ cinq fois sur dix mille, et tu le sais aussi bien que moi.

— J'ai le dossier de ce patient, j'ai pratiqué tous les examens et j'ai tous les résultats. Normaux. J'ai parlé avec lui hier, et encore ce matin, il ne présentait pas de risque particulier, n'était même pas anxieux !

— D'accord, d'accord… Y a-t-il des membres de sa famille, ici ?

— Non.

— Qui doit-on prévenir ?

— C'est dans le dossier.

— Alors va le chercher et rejoins-moi dans mon bureau, nous allons établir un rapport.

La voix posée de Virgile parut réconforter un peu Sébastien, qui demanda :

— Pourquoi est-ce que ça tombe sur moi ?

— Pas sur toi, mon vieux, sur lui.

— Écoute, je vérifie tout trois fois ! Je sais exactement ce que j'ai mis dans la perf' et je n'ai pas quitté ma place une seule seconde !

— Calme-toi, veux-tu ? Personne ne t'accuse.

— Sauf que c'est *toujours* la faute de l'anesthésiste.

— Ou du chirurgien.

— Non, tu es hors de cause, ton intervention se déroulait très bien. Comme d'habitude…

— Il n'y a pas d'habitudes dans un bloc. N'importe quoi peut arriver, aujourd'hui en est la preuve.

Il conservait son calme, même si cet accident le perturbait. En tant que chef du service de chirurgie orthopédique, il était responsable. Il lui incombait de trouver les raisons exactes de cet arrêt cardiaque, celles de l'échec de la réanimation, et d'établir les responsabilités de chacun des membres de son équipe.

— Rejoins-moi dans mon bureau, répéta-t-il avec juste ce qu'il fallait d'autorité.

Philippine ne décolérait pas. Toute la journée, elle avait essayé en vain de joindre Virgile, systématiquement renvoyée à sa boîte vocale. Depuis son retour à Paris, quelques jours plus tôt, il ne lui avait donné aucune nouvelle, et en réponse à ce qu'elle prenait pour une provocation, elle avait boudé de son côté. Mais à présent, il était vraiment temps qu'ils se parlent, qu'ils s'expliquent, car elle ne parvenait pas à croire que leur longue histoire puisse se terminer si abruptement.

Elle se résigna à envoyer un SMS assez sec, où elle lui demandait de rappeler quand il aurait enfin cinq minutes pour elle. Puis, après quelques hésitations, elle sélectionna le numéro de Clémence.

— Est-ce que je te dérange ? demanda-t-elle en préambule. Parce que j'ai l'impression de déranger tout le monde !

— Mais non, pourquoi dis-tu ça ?

— Virgile ne se donne même pas la peine de me répondre.

— Il doit être encore à l'hôpital.

— Avant, il trouvait toujours une minute pour me téléphoner, mais je n'épiloguerai pas… Bref, je dois lui parler. Fais passer le message quand tu le verras.

— Entendu. As-tu besoin de quelque chose ?

— Évidemment ! Toutes mes affaires, par exemple. S'il s'agit vraiment d'une séparation, ce que j'ai pourtant du mal à croire, je veux récupérer mes vêtements, mes livres, des objets auxquels je tiens.

— Je comprends…

— Toi ? Je n'en suis pas sûre.

— Ne m'agresse pas, Philippine, je ne suis pour rien dans ce qui vous arrive.

— Délibérément, sans doute pas. Mais à force de t'afficher comme épouse et mère modèle, tu as donné à Virgile des idées qu'il n'avait pas.

— Attends, vous êtes ensemble depuis longtemps et…

— Plus maintenant, on dirait !

— … et il vieillit.

— Des enfants le feraient vieillir encore plus vite, et moi avec !

Elle n'avait pas pu s'empêcher de crier et elle reprit, plus bas :

— Bon, je veux ce qui m'appartient. Mais ça ne tiendra pas dans des valises, et avec mon coude, je ne pourrais pas les porter, de toute façon. Il faut que je trouve un transporteur, que je m'organise. Je pense que je descendrai d'ici quelques jours.

Perplexe, Clémence ne répondit rien. Elle était presque certaine que Philippine avait surtout envie de voir Virgile, pour se réconcilier avec lui. Elle ne semblait pas admettre l'idée d'une rupture définitive. Pourtant, c'était bien de cela qu'il s'agissait. Depuis son départ, Virgile était plus détendu, plus souriant, visiblement soulagé, et la perspective d'une énième explication orageuse avec Philippine n'allait pas lui plaire.

— Veux-tu que je m'en occupe ? finit par proposer Clémence.

— Pourquoi ? Je suis indésirable au chalet ?

— Non, c'est pour t'éviter de…

— Je ne veux pas éviter Virgile, je veux l'avoir en face de moi !

— Bon, je vais lui dire de t'appeler.

— Merci. Quand je pense qu'il m'aura fallu passer par toi ! Allez, à plus tard.

Sans la moindre formule amicale, elle coupa la communication, laissant à Clémence un sentiment d'agacement.

— C'était ta copine intello ? ironisa Sonia, qui nettoyait les bacs à shampooing.

— J'ai bien peur qu'elle ne soit plus ma copine, ni celle de personne. Je sais qu'elle est furieuse, et sans doute vexée par l'attitude de Virgile, mais ce n'est pas une raison pour s'en prendre à moi. On s'entendait bien, on a vécu sous le même toit pendant des années, et je croyais que nous étions devenues des amies.

— Toujours aussi naïve, hein ? À ton avis, pourquoi n'est-elle jamais venue se faire couper les cheveux ici ? Pourquoi ne faisiez-vous jamais les boutiques ensemble ? Je crois qu'elle te regardait de haut, à la fois comme une petite provinciale et comme quelqu'un d'un milieu modeste. D'après ce que tu m'as raconté, elle, c'est une Parisienne et c'est à Paris qu'elle s'habille. C'est une héritière qui n'a jamais travaillé et, en plus, elle est bardée de diplômes. Amies, vous deux ? Tu rêves !

Clémence ne trouva rien à rétorquer tant le discours de Sonia sonnait juste. Il n'y avait jamais eu de réelle complicité, intimité ou amitié entre elle et Philippine. Plutôt une simple camaraderie de femmes vivant sous le même toit mais n'ayant pas les mêmes préoccupations. Philippine n'avait pas essayé d'intéresser Clémence à ses études, ne lui avait pas proposé de lire sa thèse. Et, en effet, elle ne mettait pas les pieds au salon de coiffure, ne serait-ce que pour y acheter un shampooing. Malgré tout, Clémence regrettait son départ. Une deuxième présence féminine manquait d'ores et déjà dans l'organisation de la vie quotidienne au chalet. Virgile avait d'ailleurs fait remarquer, avec un certain embarras, que Clémence ne pouvait pas assumer seule toutes les tâches, comme les courses ou la préparation des repas. Il suggérait d'employer davantage la femme de ménage et de prendre ces heures supplémentaires à sa charge.

— On vit au jour le jour sans se poser de questions, dit-elle d'une voix songeuse. Comme je suis très heureuse avec Lucas et les filles, que Virgile est un ami précieux et facile à vivre, j'avais facilement adopté

Philippine. Mais tu dois avoir raison, elle ne m'appréciait sans doute pas beaucoup.

Elle se mit à nettoyer ses ciseaux et ses peignes avant de les ranger dans un tiroir.

— Notre nouvel apprenti arrive demain, lui rappela Sonia.

Appuyée sur un balai, elle s'était immobilisée devant la vitrine.

— Qu'est-ce que tu regardes ? voulut savoir Clémence.

— Un type, là-bas… Mais non, ce n'est pas lui, ouf ! Je deviens comme toi, je crois voir ton ex partout.

— Les gendarmes lui ont demandé de ne pas s'approcher du salon ou du chalet. Et cette fois, je crois qu'il va les écouter. Il sait qu'il est allé trop loin.

— Il y a aussi l'école, le supermarché, n'importe quel endroit où il peut te trouver… Quand doit-il voir le juge ?

— Quand il sera convoqué, j'imagine. Mais on ne me tient pas au courant.

Les jours passant, elle pensait moins souvent à Étienne, elle était moins sur ses gardes. Et malgré l'insistance de Lucas, elle n'envisageait toujours pas un déménagement, traumatisée par la visite de l'appartement que lui avait montré Chloé. Elle rejoignit Sonia, inspecta la rue à son tour sans voir personne de suspect. Étienne était-il vraiment capable de suivre les injonctions des gendarmes ?

— Tu peux partir, dit-elle à Sonia.

— Qui vient te chercher ce soir ?

— Mon beau-père.

— Pourquoi n'est-ce jamais Virgile ? Maintenant qu'il est libre…

— Il doit venir ces jours-ci pour une petite coupe. Si tu veux la faire, je te cède ma place, mais je te préviens, il a déjà quelqu'un en tête !

Sonia poussa un soupir théâtral qui fit rire Clémence, puis elle désigna une voiture qui se rangeait le long du trottoir.

— Voilà justement Christophe avec les jumelles.

Sur la banquette arrière, les fillettes leur adressaient de grands signes joyeux, et ni Clémence ni Sonia ne prêtèrent attention à un homme qui s'éloignait, tête baissée sous sa capuche.

Étienne ne se résignait pas. Il savait pertinemment qu'il allait s'attirer de gros ennuis en s'obstinant à vouloir approcher Clémence, mais chaque fois qu'il prenait la résolution d'abandonner et de quitter la région, il changeait d'avis au dernier moment. Trois fois déjà, il avait fait sa valise, puis l'avait rouverte.

Au fond de son portefeuille, il conservait depuis dix ans une photo de Clémence prise durant leur voyage de noces. Quelques jours dans un camping au bord de la mer, du côté de Cassis. Sur le cliché, on la voyait en maillot de bain, à savoir deux petits bouts de tissu ridicules, qui avaient mis Étienne en colère. Dans cette tenue provocante, tous les hommes présents sur la plage l'avaient suivie du regard, surtout lorsqu'elle était sortie de l'eau, le maillot plaqué sur elle. Le soir même, il avait mis un terme à leur voyage, et durant toute la route du retour, il s'était acharné à lui faire comprendre qu'elle ne devait pas s'exposer de cette façon et qu'il serait dorénavant le seul à profiter du spectacle. Clémence avait pleuré, c'était leur première vraie dispute.

Elle n'avait pas beaucoup changé depuis cette époque, du moins d'après ce qu'il voyait d'elle tout habillée. Il se serait volontiers coupé un bras pour la tenir nue contre lui. Telle qu'il l'avait connue, douce, aimante, docile… Une femme idéale, qui avait été la sienne – *la sienne !* – et qu'il ne parvenait pas à oublier. Pourquoi ? Parce qu'elle s'était échappée, l'avait quitté pour un autre ? Durant la procédure de divorce, elle avait prétendu être seule, mais le garagiste devait déjà l'avoir séduite, Étienne en était persuadé.

Les poings serrés, il arpentait sa chambre des heures durant en essayant de résister, mais quand l'envie devenait trop forte, il finissait par sortir pour aller rôder du côté du salon de coiffure. Il s'obligeait à ne passer qu'une ou deux fois devant la vitrine, pas davantage. Il jetait un coup d'œil furtif et poursuivait son chemin, conscient de prendre un gros risque. Mais elle était presque toujours occupée par une cliente, des ciseaux ou un sèche-cheveux à la main. Parfois, elle riait.

Quand il rentrait dans son petit pavillon de location, il contemplait sa valise ouverte, réfléchissait, mais ses pensées tournaient en rond sans trouver d'issue. Il savait pourtant exactement ce qu'il voulait : un tête-à-tête avec Clémence. Une conversation privée. Oserait-elle lui dire qu'elle ne pensait pas à lui, qu'elle ne le regrettait pas ? Il se demandait encore, atterré, comment il avait pu accepter ce divorce. S'il s'était battu pour la garder, aujourd'hui, ce serait lui, le père des deux petites mijaurées, lui que Clémence attendrait sagement le soir à la maison. Il avait raté sa vie, l'avait laissée filer, se déliter. Il n'avait pas su taper du poing sur la table pour conserver son bien.

Il devait en avoir le cœur net. Et tant pis s'il finissait devant un juge. À condition que ce soit un homme, il avait une chance d'être compris. Dans le cas contraire, ce serait plus compliqué, comme avec cette adjudante à la gendarmerie. Ah, toutes ces femmes qui se croyaient sur un pied d'égalité ! Le féminisme, la parité et autres revendications ridicules l'exaspéraient. Chacun devait tenir sa place dans un couple, dans une famille. Il n'avait jamais rechigné au travail, était même prêt à accepter des boulots ingrats s'il le fallait, mais il ne se voyait pas faisant la vaisselle, mitonnant un ragoût, changeant les couches d'un moutard ou tricotant une écharpe. Quant à demander chaque soir à sa femme, avec des simagrées, l'autorisation de lui faire l'amour, très peu pour lui. Cette permission, il l'avait obtenue une fois pour toutes de monsieur le maire, le jour du mariage.

Inlassablement, il ruminait les mêmes pensées, passait de la ferveur au découragement et faisait et défaisait sa valise. Ce soir-là, excédé par son impuissance, il décida de se donner huit jours, pas un de plus, pour obtenir ce qu'il désirait par-dessus tout, ce pourquoi il était revenu à Gap : Clémence.

— C'est vrai qu'on va partir ? Dis ? C'est vrai qu'on va partir ? chuchota Émilie.

— On va partir, c'est vrai ? répéta Julie en écho.

Elles étaient venues attendre Virgile à la sortie de sa salle de bains. En principe, elles n'allaient pas dans cette partie du chalet, mais c'était le seul moyen de se retrouver loin des oreilles de leurs parents et grands-parents.

— On ne veut pas quitter le chalet ! Est-ce qu'on va nous obliger ?

La détresse qui se lisait sur les visages des deux fillettes émut Virgile.

— Ce serait juste pour un petit moment, répondit-il à mi-voix.

— Mais pourquoi ?

— Maman ne vous a pas expliqué ?

— Non ! Personne ne nous dit rien, sauf qu'on va devoir partir. Et nous, on veut rester. Si les parents s'en vont, tu n'as qu'à nous garder, toi ! Toi et Philippine, quand elle reviendra.

Fières de leur idée, elles attendaient la réponse, leurs têtes levées vers lui.

— Mes jolies puces, à votre âge, ce sont forcément vos parents qui décident pour vous. Et, croyez-moi, ils font pour le mieux, parce qu'ils vous aiment.

Très déçues, elles eurent aussitôt les larmes aux yeux. Une fois encore, Virgile s'étonna de la similitude de leurs expressions. Non seulement elles se ressemblaient, mais leurs réactions étaient à l'unisson. Bien qu'Émilie, un peu plus vive, s'exprime toujours la première, on devinait que Julie aurait dit exactement la même chose si elle en avait eu le temps.

— Tu ne veux pas de nous ? insista Émilie.

— Je vous aime aussi très fort, mes chéries, vous le savez bien, mais je ne suis pas votre papa, vous ne pouvez pas vivre avec moi. Et puis, votre maman serait si triste de ne pas vous avoir près d'elle ! Vous avez pensé à ça ?

Elles secouèrent la tête, puis firent volte-face ensemble en entendant la voix de Lucas.

— Que faites-vous là, les filles ?

— Ben… On parle avec Virgile.

— Je vois ça. Mais pourquoi ne pas attendre qu'il descende ? En plus, vous n'avez rien à faire de ce côté de la maison.

Devant le silence des jumelles, il insista :

— C'est un secret ?

Toujours muettes, elles se tortillaient dans leurs pyjamas roses.

— On ne va pas tarder à dîner, allez rejoindre maman en bas.

Elles filèrent en se bousculant l'une l'autre, tandis que les deux hommes échangeaient un clin d'œil.

— Elles sont inquiètes à l'idée de s'en aller, expliqua Virgile. Et elles pensent que Philippine va revenir prendre sa place. À mon avis, il faut trouver une façon de leur présenter les choses, elles sont trop malignes pour qu'on puisse leur raconter n'importe quoi.

— Leur parler d'Étienne serait un peu compliqué, fit valoir Lucas. Je ne veux pas les effrayer.

Il réfléchit, cherchant ses mots, puis ajouta, plus bas :

— Ni leur dire que je préfère fuir le danger. Elles ne comprendraient pas, elles prendraient leur père pour un lâche.

— Non ! Tu les mets à l'abri, leur mère aussi, c'est une attitude responsable.

— À l'abri de quoi ? Ni d'une avalanche ni d'un tsunami ! Juste d'un type seul qui fait trembler toute la famille ! Mon père lui-même me regarde d'un œil navré.

— Christophe voit les choses très simplement. À ta place, il aurait été se bagarrer avec Étienne. Mais nous savons, toi et moi, que ça ne réglerait rien.

— En es-tu certain ?

— Eh bien… D'abord, je ne te donne pas gagnant. Ensuite, tu te mettrais en tort vis-à-vis de la loi.

— La loi ! À quoi nous sert-elle, dans ce cas précis ? Concrètement ? Quel angélisme de croire qu'un petit sermon va transformer le loup en agneau ! Le soir où tu es arrivé à temps, sur cette route dangereuse, Clémence aurait pu avoir un accident grave, et les filles étaient à bord. Quand on est capable de provoquer ça, on est capable de tout.

Virgile ne répondit pas, préférant se taire que donner un mauvais conseil à Lucas.

— Ton amie Chloé cherche pour nous quelque chose à louer, mais Clémence n'est pas enthousiaste. On en discute tous les soirs, sans arriver à tomber d'accord, et les filles ont dû nous entendre. Elles font comme tous les enfants, elles écoutent aux portes !

— Mais pour Philippine, elles ne sont manifestement pas au courant. Qu'est-ce que je leur dis ?

— La vérité. Si c'est vraiment terminé entre vous, autant qu'elles le sachent.

— D'accord, je trouverai une version douce.

Lucas eut un sourire attendri. Il savait que Virgile ferait tout pour préserver les fillettes.

— En attendant, elles n'ont pas à venir t'embêter de ton côté du chalet, on le leur a répété sur tous les tons.

— Ça ne m'ennuie pas. Bon, descendons, il faut que je demande à ta femme ce qu'elle pense de Chloé !

— Tu es vraiment accro, hein ? Et, euh… Tu progresses ?

— Je n'ai rien tenté, je dois laisser passer un peu de temps.

— En tout cas, rien que l'évoquer te donne l'air joyeux ! Parce que en arrivant, tout à l'heure, tu paraissais bien sombre.

— J'ai des soucis à l'hôpital. Un patient est décédé au bloc. Le genre de grosse tuile que tout le monde déteste et qui n'arrive que très rarement, Dieu merci. Bien entendu, il y a une enquête en cours.

— Est-ce que tu vas être inquiété ?

— Non, tous ceux qui m'assistaient ont été irréprochables et je peux en témoigner sans mentir, mais on soupçonne toujours le chef de service de couvrir son équipe. Donc, je dois répondre dix fois aux mêmes questions, ce qui bouleverse l'emploi du temps. Quant à mon anesthésiste, il est au bord de la dépression parce qu'il n'a rien vu venir. Mais je crois qu'il n'y avait rien à voir, tout était normal.

Ils restèrent un moment silencieux, puis Lucas finit par déclarer :

— Je n'envie pas tes responsabilités !

— Tu as les tiennes.

— Ce n'est pas comparable. En revanche, nous avons tous les deux des problèmes…

— Essayons de les résoudre un par un.

— Tu te souviens de ce que disait mon père quand nous étions jeunes et qu'on se désespérait pour un truc ou un autre ?

— Très bien ! Il nous tapait sur l'épaule en affirmant : « Tu verras, un jour tu en riras. »

— On trouvait ça horripilant et on ne le croyait pas.

— Pourtant, c'était vrai.

— Tu lui donnes toujours raison ! s'esclaffa Lucas.

— Parce que c'est un homme de bon sens.

Il y eut une cavalcade dans l'escalier et les jumelles réapparurent.

— Faut descendre, le dîner est prêt ! claironna Émilie.

— Prêt, répéta Julie d'un ton sentencieux.

Elles avaient beau accomplir une mission, elles se souvinrent qu'elles n'avaient pas le droit d'être de ce côté-là du chalet et elles repartirent en courant.

Après la colère, Philippine commençait à éprouver de l'angoisse. Virgile lui manquait bien davantage qu'elle n'aurait pu le croire. Ne plus le retrouver chaque soir ni se réveiller près de lui chaque matin provoquait un manque aigu. Durant des années, elle avait eu la certitude d'être aimée et désirée par un très bel homme, brillant et sincère, que toutes les femmes lui enviaient. De quoi la combler, la rassurer, lui permettre de continuer à mener son existence indépendante. Il était là, attentif et bienveillant, sans aucune autre exigence que celle de vivre à la montagne, ce qui ne la dérangeait pas. Certes, depuis quelque temps, ses demandes d'enfant étaient plus fréquentes, plus concrètes, mais elle s'y était dérobée sans que leurs rapports changent. Du moins l'avait-elle cru.

Comment devait-elle s'y prendre pour le récupérer ? Elle savait qu'elle lui plaisait toujours, pourtant ce n'était plus suffisant. Alors, que faire ? Accepter d'avoir un fichu bébé ? Elle ne pouvait s'y résoudre, persuadée qu'elle avait le droit de profiter encore de quelques années de totale liberté avant de se fixer une chaîne au pied. Pourquoi Virgile s'était-il mis à exercer ce chantage ? Personne au monde n'avait le droit de la forcer, de l'obliger. Dans sa famille, elle avait été choyée, chacun cédant à ses moindres caprices. Elle avait, de surcroît, la chance d'être belle et d'avoir de l'argent, de quoi s'affranchir à sa guise de toute contrainte.

À peine de retour à Paris, elle s'était empressée de rencontrer son directeur de thèse, mais elle n'arrivait pas à bien travailler, la tête ailleurs. Elle avait pris rendez-vous avec un kiné pour sa rééducation du coude, multiplié les sorties au théâtre avec des amis, visité plusieurs expositions, discuté avec son notaire, tout cela sans parvenir à se distraire. Virgile demeurait au centre de ses préoccupations.

Après avoir longuement réfléchi aux moyens à sa disposition, elle avait appelé Laetitia pour obtenir son aide, mais la jeune femme se trouvait à Genève avec son fiancé suisse. Il ne lui restait donc qu'une option : retourner à Gap, sous prétexte de récupérer ses affaires. Elle ne comptait pas aller directement au chalet, elle s'arrangerait pour arriver dans l'après-midi afin de surprendre Virgile à l'hôpital. Loin de Lucas, de Clémence et des jumelles. Ils pourraient ensuite dîner tous les deux quelque part en ville, s'expliquer, se séduire, se retrouver…

Cependant, un doute persistait dans son esprit quant à une éventuelle autre femme. Cette Chloé qui avait visité le chalet représentait un danger potentiel. Jamais Philippine n'avait eu à douter de Virgile, et le sentiment de jalousie était tout à fait nouveau pour elle. Lors des aventures qu'elle avait eues avant de tomber sous le charme de son beau chirurgien, c'était toujours elle qui s'était lassée la première, qui avait rompu. N'ayant jamais eu de rivale, elle se demandait comment se battre. Est-ce qu'une femme aussi insignifiante que Chloé pouvait attirer un homme aussi séduisant que Virgile ? Ça semblait improbable, néanmoins…

L'idée qu'il tombe amoureux d'une autre était douloureuse, inacceptable. Malgré son caractère volontaire et orgueilleux, Philippine avait envie de pleurer lorsqu'elle imaginait Virgile succombant au charme de cette petite brune. Elle connaissait son regard conquis, son sourire en coin, ses mains douces et sa voix pleine de tendresse, tout ce qu'il lui avait réservé jusque-là et qu'il allait peut-être offrir à Chloé. En échange d'une promesse de paternité ? À moins que… Non, elle refusait de penser à un éventuel et peu probable coup de foudre, le pire qui puisse arriver. D'ailleurs, Virgile était trop rationnel, trop posé, il n'était pas du genre à craquer en cinq minutes pour la première venue. La vérité était que, oui, leur relation s'était usée, affadie, et l'unique espoir de Philippine résidait dans sa capacité à le reconquérir. Elle se jura de réussir, et elle avait assez confiance en elle pour croire à son serment.

Sur les conseils de son frère, Chloé avait envoyé à Virgile, par courriel, les photos de deux chalets à vendre, avec leurs descriptifs. L'un était situé près du col du Noyer, l'autre un peu à l'écart de la station de La Joue du Loup. Elle était persuadée que ces affaires ne l'intéresseraient pas vraiment, malgré leur attrait, mais Damien affirmait qu'un acquéreur indécis pouvait soudain se laisser séduire de manière inattendue, y compris par le contraire de ce qu'il recherchait. Pour présenter les deux dossiers, elle s'était contentée d'ajouter quelques mots courtois, mais sans familiarité. Comme elle s'y attendait, Virgile l'avait appelée le jour même. Il voulait des détails supplémentaires et, bien sûr, en parler avec elle de vive voix. Pour éviter le déjeuner qu'il n'avait pas manqué de lui proposer, elle avait suggéré de passer le voir à l'hôpital, où son emploi du temps probablement très chargé lui laisserait peut-être le temps d'une brève discussion autour d'un café. Beau joueur, il s'était incliné.

Le lendemain, en arrivant au centre hospitalier, Chloé fut surprise par l'importance du site, qui bénéficiait depuis cinq ans d'importants travaux d'extension et de modernisation. Un peu perdue, elle commença par errer entre les bâtiments, puis elle se fit indiquer la cafétéria d'où elle envoya un SMS à Virgile. Un quart d'heure plus tard, il la rejoignit. Vêtu d'un jean et d'un blazer sur une chemise blanche dont le col était ouvert, il venait de quitter sa consultation et s'excusa de l'avoir fait attendre. Sans lui laisser le temps de pouvoir entamer un numéro de charme, elle lui montra de nouvelles photos, plus détaillées, des deux chalets.

— Celui-ci est plus proche de Gap, vous auriez moins de route à faire. Je pense qu'il correspond mieux à vos goûts, c'est une construction haut de gamme, et il dispose d'une vue magnifique.

Constatant qu'il regardait distraitement les clichés, elle eut un sourire contraint.

— Docteur, vous…

— Virgile, je vous en prie.

— Eh bien, Virgile, je suis persuadée que vous n'avez pas de temps à perdre et, franchement, moi non plus. Je ne comprends pas très bien ce que vous voulez. Acheter, louer, déménager, rester ? Des biens comme ceux que je vous montre aujourd'hui ne resteront pas longtemps en vente. Il y a un engouement pour la montagne. Les gens investissent afin de profiter de leur bien pour les sports d'hiver ou les vacances d'été et, le reste de l'année, ils prennent des locataires ponctuels pour rentabiliser. C'est un marché qui fonctionne très bien. Du coup, il y a davantage de demandes que d'offres, et par conséquent, j'ai beaucoup de travail. Alors, je vous propose de me parler honnêtement.

Un peu déstabilisé, Virgile l'observa tandis qu'elle refermait ses dossiers et les rangeait dans son porte-documents. Quand elle releva la tête, elle croisa son regard et se demanda si elle n'était pas allée trop loin. Damien ne se serait jamais adressé comme ça à un éventuel acheteur, même capricieux.

— Le chalet du col du Noyer me plaît beaucoup, dit-il lentement. Mais il est vrai que, pour l'instant, j'ai les mains liées, je ne peux rien décider.

— J'ai rencontré Clémence Vaillant, et je sais que votre situation est complexe. Nous devrions laisser tout cela en attente. Quand vous y verrez plus clair, les uns et les autres, nous pourrons reprendre nos recherches.

— Clémence vous a trouvée très sympathique.

— Merci, c'est réciproque. Malheureusement, elle m'a semblé assez… perturbée par ce qui lui arrive.

— Elle vous en a parlé ?

— De son ex-mari ? Oui. Ce genre de type est vraiment traumatisant pour une femme. En tout cas, s'il voulait lui faire peur, il a réussi !

Tandis qu'elle finissait de rassembler ses affaires, Virgile comprit qu'elle allait partir et qu'il n'aurait vraiment aucun prétexte pour la revoir avant longtemps.

— Si vous n'avez pas de rendez-vous dans l'heure qui vient, voulez-vous que je vous fasse visiter l'hôpital ?

— Vous n'avez pas de rendez-vous non plus ? ironisa-t-elle.

— Non, la fin de journée est calme, pour une fois ! On en profite ?

— D'accord, céda-t-elle d'une voix amusée.

Ils quittèrent ensemble la cafétéria, et Virgile se lança dans l'éloge de toutes les transformations du centre hospitalier, dont celles du service de chirurgie.

Philippine constata avec soulagement qu'il n'y avait plus de neige dans les rues de Gap. Depuis son opération, elle redoutait une chute qui aurait pu compromettre ou retarder la rééducation de son coude. Elle ne portait plus qu'une attelle discrète, dissimulée sous un poncho court en cachemire bleu, dont le col roulé lâche laissait voir un top de soie blanche. Maquillée et coiffée avec un soin particulier, elle avait opté pour un jean slim et des boots à talons hauts. Avant de descendre du train, elle jeta sur ses épaules une élégante cape beige bordée de fourrure.

Dans le taxi qui la conduisait à l'hôpital, elle recensa les arguments qu'elle comptait utiliser, bien décidée à se montrer à la fois convaincante et enjouée. Connaissant les lieux, elle gagna directement le service de chirurgie orthopédique. À cette heure-ci, Virgile devait terminer sa consultation, et s'il n'y avait pas eu d'urgence, il ne tarderait pas à être libre. L'une des infirmières qui l'avait soignée après son opération la reconnut, vint la saluer chaleureusement, prit de ses nouvelles, puis l'invita à patienter.

— Le docteur Decarpentry est descendu à la cafétéria tout à l'heure, mais il va forcément revenir car il a laissé ses affaires dans son bureau. De toute façon, il fera le tour de ses patients opérés avant de partir. Désirez-vous un café, un verre d'eau ?

En tant que compagne du patron, Philippine bénéficiait de l'attention du personnel soignant, comme lorsqu'elle avait été hospitalisée. On l'installa dans une petite salle d'attente ouverte sur un couloir, à proximité du poste des infirmières de l'étage, et on lui apporta des magazines avec son café.

Un quart d'heure, puis une demi-heure s'écoulèrent. Nerveuse, Philippine ne s'intéressait pas à ce qu'elle lisait. Il y avait peu d'activité dans le service en fin d'après-midi, et elle percevait vaguement le bavardage des infirmières. Devait-elle leur demander de biper Virgile ? Mais peut-être s'attardait-il avec des confrères et sans doute n'apprécierait-il pas d'être interrompu.

Vingt minutes passèrent encore, et Philippine décida de lui envoyer un SMS. Au dernier moment, elle hésita, choisissant finalement de lui laisser la surprise.

Alors qu'elle tentait de remplir une grille de mots croisés, elle entendit une femme éclater de rire, puis la voix chaleureuse de Virgile, qu'elle reconnut aussitôt. Abandonnant son magazine, elle se leva et sortit dans le couloir. À l'autre bout, Virgile se tenait face à celle qui l'accompagnait. Incrédule, Philippine découvrit qu'il s'agissait de Chloé Couturier. Sous le choc, elle resta sans bouger quelques secondes, le temps de les entendre rire encore et de voir Virgile ouvrir la porte de son bureau, invitant Chloé à y entrer. La fureur qu'elle éprouva la souleva comme une lame de fond.

— Eh bien, voilà ! Il fallait le dire, je me serais épargné le voyage !

Virgile se retourna, stupéfait, tandis qu'elle remontait le couloir droit sur lui.

— Tu m'as bien vite remplacée, mon chéri ! Tu m'as donc virée pour… elle ?

Elle désigna Chloé d'un mouvement dédaigneux, sans même la regarder.

— Tu es un mufle, un lâche, un menteur, et tu caches bien ton jeu !

Comme elle s'étranglait de rage, Virgile fit un geste vers elle.

— Philippine, s'il te plaît, ne crie pas…

— Pourquoi ? Tu as peur qu'on m'entende ? Que tous les gens de ton service qui te prennent pour Superman comprennent que tu n'es qu'un sale type ?

Dans son dos, les infirmières étaient sorties du poste de garde, sans doute effarées mais n'osant pas intervenir.

— Philippine, dit doucement Virgile, que fais-tu ici ?

— Je croyais te faire une bonne surprise, pauvre idiote que je suis ! Apparemment, je tombe très mal, tu es en train de draguer cette fille, à moins que tu ne l'aies déjà mise dans ton lit !

Elle n'arrivait pas à s'empêcher de crier et Virgile posa une main sur son épaule.

— Calme-toi, je t'en prie, nous sommes dans un hôpital.

— Ne me fais pas la leçon, ne me donne pas d'ordre !

— Sortons, on parlera dehors.

— Dehors ? Par ce froid ? Tu rêves ! Tu penses me larguer définitivement sur un parking ? Comme ça, vous pourrez continuer à rire, tous les deux ?

Hystérique, elle se tourna soudain vers Chloé qui semblait statufiée.

— Vous êtes encore là ? Vous voulez profiter de la scène de ménage ? Est-ce qu'il vous a déjà dit qu'il rêve d'une tripotée de mouflets ? Apparemment, il est prêt à les faire avec n'importe qui, mais n'espérez pas être aimée, il ne sait pas ce que c'est !

De nouveau, elle fit face à Virgile qu'elle toisa avec hargne. Il était livide, décomposé.

— Tu n'auras qu'à emballer mes vêtements et mes livres, tout ce qui m'appartient. Toi, pas elle. Tu m'entends ? Je ne veux pas qu'elle y touche. N'oublie rien, je ne compte pas te laisser de souvenir. Et trouve un transporteur à tes frais.

Elle se détourna, contrainte de repasser par la salle d'attente où elle avait laissé son sac et sa cape. Les infirmières battirent aussitôt en retraite, s'engouffrant dans le poste de garde. Quelques portes étaient à moitié ouvertes dans le couloir, beaucoup de gens devaient avoir entendu l'algarade, mais tout le monde avait disparu. Philippine récupéra ses affaires et gagna la sortie en martelant le sol de ses talons.

— Je suis…, commença Virgile.

Il s'interrompit, dut se racler la gorge avant de pouvoir achever :

— … vraiment consterné, Chloé. Et aussi vexé, chagriné pour vous, pour moi, pour Philippine. Voulez-vous entrer une minute dans mon bureau ou préférez-vous partir en courant ?

— Eh bien… Je ne vais pas m'enfuir, mais je ne vois pas le genre de commentaires que nous pourrions faire, comme ça, à chaud…

Il observa un bout du couloir, puis l'autre.

— Tous les gens de ce service vont avoir un sacré sujet de conversation ! ironisa-t-il amèrement.

— Et moi, un bon sujet de réflexion.

— Sans doute.

— Votre amie ne vous a pas épargné.

— Je suppose que c'est de bonne guerre. Sauf de s'en prendre à vous, qui n'y êtes pour rien. Quoique…

— *Quoique ?*

Il la contempla quelques instants d'un air navré, avant de murmurer :

— Oubliez ça. J'espérais vous inviter à dîner, mais vous allez refuser ?

— En effet. Pas ce soir.

— Un autre ?

— Je ne sais pas.

— Je peux vous appeler dans la semaine ?

— Bien sûr. Maintenant, je file. Merci pour la visite, c'est un très bel hôpital.

Elle hésita entre deux directions, puis parut se souvenir d'où elle venait et s'éloigna de sa démarche décidée. Virgile lâcha un long soupir de frustration avant d'entrer dans son bureau, dont il laissa la porte ouverte. La séance que venait de lui imposer Philippine l'avait totalement déstabilisé. Si seulement elle l'avait prévenu ! Elle était arrivée au pire moment, alors qu'il commençait à gagner la sympathie de Chloé et qu'une sorte de complicité s'instaurait entre eux, mais il ne pouvait pas le lui reprocher. Philippine avait longtemps fait partie de sa vie, elle comptait encore pour lui et, dans la mesure du possible, il aurait voulu la ménager. Qu'était-elle en train de faire ? À cette heure-ci, il n'y avait plus qu'un train de nuit pour regagner Paris, mais il mettait un temps fou. Peut-être choisirait-elle de dormir à l'hôtel. Les rares personnes qu'elle connaissait à Gap étaient des amis communs, elle n'irait sûrement pas les voir. L'idée qu'elle passe la soirée seule dans une brasserie puis dans un hôtel proche de la gare le rendait terriblement triste.

Les coudes appuyés sur le bureau, Virgile mit son menton dans ses mains. La phrase de Lucas résonnait encore dans sa tête : « Nous avons tous les deux des problèmes… » Oh, oui ! Aucun hiver ne s'était aussi mal passé que celui-ci.

— Je te dérange ? demanda Sébastien depuis le seuil.

Virgile leva les yeux, tenta de sourire mais renonça.

— Entre, mon vieux… Tu es déjà au courant ?

— Du scandale qu'a fait ta copine ? On est venu me chercher parce qu'on ne parle que de ça dans tout l'étage, et l'hôpital entier s'en régalera d'ici demain. Comment te sens-tu ?

— Passablement humilié.

— Elle t'a traité de sale type ?

— Oui, et de lâche, de menteur, de mufle.

— Joli portrait. Toi que l'ensemble des femmes de cet établissement prenait pour un homme courageux, franc et galant ! Mais ne t'inquiète pas, il y en aura pour te plaindre, voire te consoler. Et l'autre dame, comment a-t-elle réagi ? Bien entendu, on veut savoir qui c'est, les paris sont ouverts.

— Je ne te donnerai pas son prénom.

— Mais tu es amoureux d'elle ?

— Oui.

— Ah, je le savais !

Sébastien éclata de rire et vint s'asseoir face à Virgile.

— Allez, raconte…

— Hors de question.

— Je crève d'envie d'aller fumer une cigarette, mais j'ai encore plus envie de savoir. Alors je vais rester là à te questionner. Je veux absolument être le premier à avoir des infos, il en va de ma réputation !

— De quoi ? De pipelette ?

Cette fois, ils rirent ensemble, et Virgile remarqua que Sébastien retrouvait sa gaieté pour la première fois depuis plusieurs jours.

— Toi, au moins, tu as l'air d'aller bien.

— La commission d'enquête m'a enfin lâché les baskets.

— Je ne vois pas ce qu'ils pouvaient faire d'autre puisqu'il n'y a pas eu de faute professionnelle.

— Maintenant, c'est ratifié, et je me sens mieux.

Penché au-dessus du bureau, Sébastien dévisagea Virgile.

— Je n'aurais jamais cru que ça puisse t'arriver. Une scène de ménage au beau milieu de ton service, toi traîné dans la boue et deux nanas prêtes à en venir aux mains : personne ne s'y attendait.

— Surtout pas moi.

— Tu n'as pas eu une seule histoire de femme depuis que tu as pris ton poste ici. C'était presque… anormal. Bienvenue au club !

Virgile haussa les épaules, amusé mais un peu agacé. Il regrettait d'avoir offert un spectacle navrant au personnel présent à ce moment-là. Qu'on en fasse des gorges chaudes n'était pas dramatique, il savait que son autorité sur le service ne serait pas contestée pour autant. Il aurait quand même préféré rester irréprochable. En revanche, il avait complètement raté son rapprochement avec Chloé. Que pensait-elle de lui, après les paroles de Philippine ?

— Je vais rentrer chez moi, annonça-t-il d'un ton résigné.

Le seul auprès duquel il pouvait s'épancher en toute confiance était Lucas, et il avait hâte de le rejoindre.

— Si tu as besoin d'une contenance, je peux t'accompagner jusqu'à la sortie, proposa Sébastien.

Piqué au vif, Virgile se rebiffa.

— Merci d'y avoir pensé, mais ça ira !

Il se sentait de taille à soutenir n'importe quel regard, même moqueur ou compatissant. Tout ce qu'il souhaitait, à cet instant, était de se retrouver devant la cheminée du chalet, une bière à la main, en compagnie de son meilleur ami, à qui il pourrait tout dire. Alors peut-être finirait-il par rire de ce qui lui arrivait, ainsi que l'avait toujours affirmé Christophe.

Chloé était rentrée à l'agence, où Damien travaillait encore, et elle l'avait invité à dîner au Refuge, un restaurant de Gap qui proposait de généreuses pierrades. Elle n'avait pas jugé opportun de lui raconter la scène de l'hôpital, préférant parler de leurs dossiers en cours. Par bonheur, tous les clients n'étaient pas comme Virgile et ses copropriétaires, et elle avait pu réaliser quelques bonnes ventes depuis qu'elle travaillait avec son frère. Au début, il lui avait laissé des biens faciles à négocier, mais elle s'était prise au jeu et désormais il lui confiait des affaires plus importantes ou plus délicates. Jamais à court d'enthousiasme pour tout ce qui concernait l'immobilier, Damien lui suggérait, d'ici un an ou deux, de s'associer avec lui. Ils pourraient agrandir l'agence, en faire une de tout premier plan dans la région. À condition qu'elle soit intéressée et qu'elle décide de rester. Jusque-là, Chloé n'avait pas voulu envisager sérieusement ce projet, qui ne lui semblait pas adapté à ses compétences. Cependant, elle y voyait un avantage, celui d'être son propre patron plutôt qu'intégrer une entreprise. Elle tenait à rester libre de ses choix et à conserver un avenir ouvert. Pour cette raison, elle n'avait pas voulu faire carrière dans l'armée, choisissant d'être officier sous contrat pendant quatre ans, à titre d'expérience professionnelle. Elle se savait polyvalente, avec une solide formation juridique et administrative, mais elle n'avait pas apprécié outre mesure la rigueur militaire et ne tenait pas à retrouver la hiérarchie et les chefs. Or Damien ne se comportait jamais comme tel, mais seulement en grand frère bienveillant. Elle avait donc promis de réfléchir à sa proposition.

En rentrant chez elle ce soir-là, elle pensait plutôt à Virgile et à sa compagne, qu'elle avait découverte aujourd'hui sous un jour explosif ! Une très belle jeune femme, grande et élancée, avec de superbes cheveux miel, des yeux dorés étincelants sous le coup de la colère, et beaucoup d'allure. Virgile l'avait donc quittée ? Elle avait utilisé les expressions *virée* et *remplacée*, ce qui signifiait qu'ils avaient dû rompre, et apparemment elle l'acceptait très mal. Elle l'avait aussi traité de menteur et de lâche. Comment s'y était-il pris pour mettre fin à leur relation ? Et pourquoi ? Elle se souvenait que lors de leur unique déjeuner au Bouchon, il avait prétendu que cette histoire était en fin de course. Chloé ne l'avait pas cru, pourtant il était sincère. Philippine avait aussi enragé à propos d'une *tripotée de mouflets* que, d'après elle, il était prêt à faire avec la *première venue*. Ce qualificatif, qui visait Chloé, n'était pas le seul propos désagréable qu'elle ait eu à subir, pourtant elle avait jugé préférable de ne pas réagir, ni intervenir dans cette engueulade très intime. Les cris ne l'effrayaient pas, les attitudes menaçantes non plus, en revanche elle n'avait pas apprécié le mépris manifeste de Philippine. Devant une femme comme elle, on pouvait vite se sentir insignifiante.

Elle louait un agréable deux-pièces dans l'un des immeubles aux façades roses de la place Jean-Marcellin, un endroit très animé du centre-ville. Elle l'avait meublé sobrement, dans un esprit scandinave, et elle s'y plaisait beaucoup. Si elle pouvait débusquer le même, en plus grand, pour Clémence Vaillant, celle-ci s'y sentirait à l'abri. Serait-ce une solution à son problème ? Clémence se laissait terroriser par un type qui, certes, semblait dangereux, mais qui mettait trop de choses en péril pour qu'on se contente de fuir. Chloé, qui s'était elle-même retrouvée un jour en butte à la jalousie maladive d'un homme, avait su s'en libérer à temps, de manière expéditive. Sauf qu'alors, elle était seule en cause, tandis que Clémence avait une famille à préserver. Ses fillettes, d'abord, et sans doute son mari, qu'elle ne voulait pas exposer.

En se glissant sous sa couette, Chloé se remémora la visite de l'hôpital en compagnie de Virgile. Il avait vraiment déployé pour elle tout son charme. Et il en avait ! Drôle, chaleureux et sans la moindre arrogance, pas du tout ce qu'on pouvait attendre d'un séduisant chirurgien au regard bleu intense, déjà chef de service alors qu'il n'avait pas quarante ans. De plus, il n'avait rien d'un dragueur, il n'était pas très à l'aise dans ce rôle, ce qui le rendait touchant. Sa rupture sentimentale était cependant beaucoup trop récente, il aurait forcément besoin d'un laps de temps pour s'en remettre avant de passer à quelqu'un d'autre. Chloé avait donc tout le loisir de se poser une question cruciale : lui plaisait-il assez pour qu'elle se laisse tenter par l'aventure ?

Elle tendit la main vers sa table de chevet, où se trouvait un paquet de biscuits. Tout en grignotant, elle essaya de s'interroger honnêtement sur ses désirs profonds. Pas question pour elle de se laisser ballotter par la vie au gré des opportunités. Jusqu'ici, elle avait bien mené sa barque. Ses années dans l'armée avaient forgé son caractère, l'avaient aidée à prendre confiance en elle et à oublier le drame du décès brutal de ses parents. Contrairement à Damien, qui ne voulait s'attacher à personne de crainte d'avoir à souffrir en perdant à nouveau un être cher, elle était bien décidée à fonder un foyer, pour recréer le cocon familial qui lui manquait. Et maintenant qu'elle avait passé le cap symbolique de la trentaine, le moment était venu d'y penser sérieusement. Au moins un point commun avec Virgile, d'après les paroles agressives de son amie Philippine.

Elle se redressa pour saisir la bouteille d'eau posée à côté du lit et but à longs traits, puis elle éteignit sa lampe. Enroulée dans la couette, elle songea que la présence d'un homme à ses côtés serait agréable. Mais pour éviter les erreurs passées, elle ne s'aventurerait dans une relation que pas à pas, à son rythme. Virgile Decarpentry allait donc attendre, ce qui serait le meilleur moyen de connaître son opiniâtreté. Ensuite, il devrait faire ses preuves, car la phrase que Chloé avait surtout retenue parmi les accusations de Philippine était : « N'espérez pas être aimée, il ne sait pas ce que c'est ! » Venant de celle qui avait été sa compagne plusieurs années, ce jugement sans appel était inquiétant. Vérité ou méchanceté ? Savoir aimer n'était pas donné à tous les hommes. À quel camp appartenait Virgile ?

Certaine de ne pas trouver le sommeil si elle continuait à se poser des questions sans réponse, Chloé chassa Virgile de sa tête et s'endormit presque aussitôt.

8

— Ce n'est pas du tout ce que j'espérais, constata la cliente d'un ton aigre.

Elle se contemplait dans le miroir sans le moindre plaisir.

— Ils vont éclaircir en séchant, temporisa Sonia.

— De combien de tons ? Je voulais du blond !

— Mais *c'est* du blond, madame.

— Ça ? s'écria-t-elle en saisissant une mèche de ses cheveux et en l'agitant.

— Pas platine, pas scandinave, mais blond tout de même.

Clémence traversa le salon, un sourire de commande aux lèvres, et les rejoignit.

— Attendez que le brushing soit terminé, suggéra-t-elle aimablement. Ils seront en effet plus clairs et très brillants. Si ça ne vous convient pas, nous pourrons y remédier. L'important est que vous soyez contente.

— Oui, il me semble, ronchonna la cliente.

Toutefois, elle s'était radoucie et elle accepta de rester assise tandis que Clémence prenait un sèche-cheveux. Avant qu'elle ait pu le tendre à Sonia, la cliente exigea :

— C'est vous qui le faites !

— Bien sûr…

La règle d'or du salon était que les femmes et les hommes qui venaient se faire coiffer ici sortent pleinement satisfaits. Alors que Clémence se munissait d'une grosse pince et d'une brosse ronde, la cliente désigna la vitrine.

— Mais… C'est le docteur Decarpentry ? lâcha-t-elle d'un ton incrédule et ravi.

Virgile poussa la porte et adressa un salut à la ronde. Sonia se précipita pour prendre son manteau, le suspendre et lui présenter un peignoir.

— Vous venez pour une coupe ? bredouilla-t-elle.

— Oui. Je suis un peu pressé. Y aura-t-il de l'attente ?

Il regardait Clémence, déçue de la trouver occupée. Elle se retourna, lui adressa une petite mimique complice tout en déclarant :

— Sonia va très bien s'occuper de toi, et tu seras sorti dans un quart d'heure.

Tandis qu'il gagnait le bac à shampooing, escorté d'une Sonia à la fois rayonnante et intimidée, la cliente chuchota :

— Vous *tutoyez* le docteur Decarpentry ?

— Nous nous connaissons depuis très longtemps, répondit évasivement Clémence.

Elle devinait que la nuance de blond n'avait plus grande importance après cette découverte.

— C'est un homme merveilleux, gloussa la cliente à mi-voix, il a remarquablement opéré ma fille d'un genou.

Amusée, Clémence constata que lorsqu'il était question de Virgile, la plupart des gens se montraient laudatifs. Sauf Philippine, évidemment. Du coin de l'œil, elle vit que Sonia venait d'installer Virgile sur un fauteuil et qu'elle semblait hésiter, ses ciseaux à la main.

— Pas trop courts, lui lança-t-elle pour l'aider. Et tu les sèches avec les doigts.

Il n'aimait pas avoir l'air de sortir de chez le coiffeur, et ses cheveux blond cendré se mettaient en place sans effort. Elle n'avait pas encore terminé son brushing quand Virgile fut prêt. Les efforts de conversation de Sonia n'avaient rien donné. Il était resté silencieux tout en affichant son sourire poli. Il la gratifia d'un large pourboire avant d'aller embrasser Clémence.

— Qui vient te chercher, ce soir ?

— Lucas.

— Parfait.

Il s'éclipsa, sous le regard ébahi de la cliente. Finalement, celle-ci se déclara plutôt contente du résultat de sa couleur.

— Pas mal… Vous ferez un peu plus clair la prochaine fois, mais au fond, c'est plus raisonnable d'y aller par paliers.

Quand elle fut partie, Sonia et Clémence se réfugièrent au fond du salon pour pouvoir rire ensemble.

— Compte sur elle pour nous recommander à ses amies ! s'esclaffa Clémence. Parce que notre salon est très bien fréquenté, n'est-ce pas ?

— Merci de m'avoir laissée m'occuper de Virgile. Hélas, il n'a pas été très bavard.

— Je t'avais prévenue. Il sort d'une rupture orageuse et il est amoureux.

— Dommage… Il est tellement craquant ! Je ne sais pas comment tu fais pour vivre sous le même toit que lui sans tomber sous le charme.

— Je suis toujours sous le charme de mon mari, c'est lui qui me fait craquer.

— Je reconnais que Lucas n'est pas mal non plus.

Toujours en quête de l'âme sœur, et depuis bien trop longtemps, Sonia poussa un long soupir. Clémence était émerveillée par son altruisme, n'ayant jamais perçu chez elle d'aigreur ou de jalousie. Après l'avoir épaulée dans les années difficiles de son divorce avec Étienne, Sonia avait salué la chance de Clémence, qui avait trouvé un merveilleux mari, eu deux belles petites filles, et qui, de surcroît, habitait un endroit de rêve. Elle aurait voulu que la vie lui réserve les mêmes belles surprises, mais en attendant, elle se contentait de son sort. Serviable, fidèle en amitié et fière d'exercer son métier de coiffeuse, elle était une alliée précieuse pour Clémence. Elles travaillaient ensemble avec plaisir et se faisaient confiance, ce qui rendait leur quotidien agréable.

— Sonia ? J'ai tout pour être heureuse, n'est-ce pas ?

Le ton grave de Clémence, en rupture avec ce qui avait précédé, inquiéta Sonia.

— Oui, enfin, il me semble. Pourquoi ?

— Alors, comment se fait-il que les choses aillent de travers ?

— Parce qu'il y a un élément perturbateur contre lequel tu ne peux rien.

— C'est tellement injuste ! Je ne veux pas qu'Étienne ruine mon existence, je veux qu'il disparaisse et ne plus jamais y penser !

Son explosion de colère était inattendue mais cependant compréhensible. Clémence tenait à préserver ce qu'elle avait patiemment bâti, et surtout à ne plus endosser le rôle de victime qu'elle avait tenu dans le passé.

— Te voilà bien combative, fit gentiment remarquer Sonia.

— Ce n'est pas ma nature, mais je n'ai plus le choix. Tu vois à quoi je suis réduite ? On m'accompagne, on vient me chercher, on me transporte, comme une potiche qui n'aurait pas son permis !

— Clémence…

— Mais si ! Je dépends des autres, j'attends leur protection et leur aide, je mets tout le monde à contribution. J'avais conquis un statut de femme, d'épouse et de mère responsable, et voilà que je suis infantilisée. J'étais épanouie, et maintenant je tremble dès que je mets le nez dehors. Je précipite mon entourage dans le chaos, on discute, on se dispute, on parle de déménager, de vendre, et pourquoi pas de changer de pays, hein ?

D'un geste rageur, elle essuya les larmes qui roulaient sur ses joues. Sonia s'approcha d'elle, lui prit les mains.

— *Combative*, chérie, pas victime. D'accord ? Les cris de rage te rendent moins vulnérable que les larmes. Reste en colère et défends-toi. Ne te laisse pas déposséder.

— Bonjour ! lança une cliente en entrant. J'ai décidé de me lancer, je viens pour les mèches…

Retrouvant instantanément le sourire, Clémence et Sonia allèrent l'accueillir.

— Il faudra bien qu'on finisse par rentrer chez nous, dit doucement Véronique.

Lucas acquiesça, sans enthousiasme.

— Vis-à-vis de Philippine et de Virgile… Enfin, de Virgile tout seul à présent, on se sent un peu en surnombre. Nous sommes là depuis longtemps, sous votre toit, et vous avez le droit de retrouver vos habitudes, votre intimité.

— Virgile vous adore, ce n'est pas un problème pour lui.

— Oui, intervint Christophe, mais votre équilibre repose sur… Bon, je sais que la cohabitation vous plaît, parce que vous vous connaissez par cœur, tous les deux, et que vous avez conservé votre esprit coloc. Clémence est entrée aisément dans votre petit cercle, mais ce n'était pas forcément le cas de Philippine. Qu'en sera-t-il de la prochaine ? Et que pensera-t-elle de toute cette famille sous le toit de son chéri ? Nous ne sommes pas de votre génération, on doit vous laisser entre vous.

— Le printemps arrive, ajouta Véronique, les jours rallongent et il n'y a plus de neige sur les routes, sauf un peu ici, en altitude.

— Et les gendarmes ont promis de garder un œil sur Étienne en attendant sa convocation chez le juge. Vous n'avez plus vraiment besoin de nous. D'ailleurs, on pourra revenir si besoin est. Mais ta mère a envie d'être un peu chez elle, dans ses affaires… Maintenant, si tu penses que Clémence est encore en danger, on reste !

Christophe se plaisait au chalet et ne tenait ce discours que pour faire plaisir à sa femme. Dans leur appartement de Levallois, il n'avait guère l'occasion de bricoler, alors qu'ici il trouvait toujours quelque chose à arranger, et les promenades au parc de la Planchette ou dans l'île de la Jatte n'avaient pas le même attrait qu'en montagne.

— Tu avais promis de repeindre le garage, lui rappela Lucas avec un clin d'œil.

— Eh bien, il le fera la prochaine fois ! répliqua Véronique.

Lucas comprit que sa mère voulait vraiment rentrer. Elle se sentait en porte-à-faux vis-à-vis de Virgile. Trois générations de Vaillant sous le même toit, cela devait lui sembler excessif pour un homme désormais seul.

— D'accord, maman, vous reviendrez en mai ou en juin, quand il fera très beau et qu'on pourra organiser de grandes balades, des pique-niques, des barbecues…

Elle lui adressa un sourire reconnaissant, tandis que Christophe marmonnait :

— Ça va me faire drôle de reprendre ma voiture, je m'étais fait au 4 × 4 de Clémence.

— Un de ces jours, papa, je te mettrai une très bonne occasion de côté.

— Il n'en a aucun besoin ! protesta Véronique, toujours souriante.

Cependant elle finirait par céder, l'un et l'autre cherchant constamment à se faire plaisir.

— Bon, je m'attaque au dîner, déclara-t-elle gaiement. Virgile m'a réclamé une blanquette, alors je m'y mets.

Malgré son désir de regagner sa cuisine de Levallois, elle appréciait beaucoup celle du chalet, et surtout de pouvoir s'affairer tout en continuant à bavarder avec ceux qui se prélassaient devant la cheminée. Lucas estima qu'elle allait manquer à tout le monde mais que, en effet, sans doute était-il temps pour eux de retrouver leurs habitudes.

— Je ne savais pas par où commencer, avoua Virgile d'un air contrit.

— Les vêtements prennent beaucoup moins de place quand on les plie bien.

Debout devant la penderie de Philippine, Clémence commença par sortir les piles de pulls.

— Tu as bien fait de m'appeler à l'aide, ce n'est pas très gai de faire ça tout seul.

Des valises étaient posées par terre, ouvertes, ainsi que trois cartons déjà scotchés.

— Il y a ses livres et ses dossiers là-dedans, expliqua Virgile. Je vais m'occuper des objets fragiles, j'ai du papier-bulle pour les emballer.

Clémence lui jeta un regard à la dérobée, se demandant dans quel état d'esprit il était.

— Elle tient beaucoup à cette lampe, elle l'avait dénichée chez un antiquaire, déclara-t-il en dévissant l'abat-jour.

Une nuance de mélancolie, dans sa voix, alerta Clémence qui se tourna vers lui.

— Tu ne regrettes rien, Virgile ?

Il hésita avant de répondre :

— J'ai la nostalgie des bons moments du passé, et il y en a eu ! Mais la séparation était devenue inévitable, en tout cas pour moi. Rencontrer Chloé n'a fait que hâter les choses.

Il enveloppa un petit cheval de bronze et le déposa dans le carton qu'il venait de déplier.

— Elle aimait bien chiner dans la région, quand elle en avait assez de plancher sur sa thèse, ajouta-t-il. Remarque, elle n'achetait pas grand-chose… Ah, si, son bureau, bien sûr ! Je l'ai ajouté sur la liste pour les déménageurs, mais je ne sais pas où elle va le mettre, à Paris.

— Peut-être ne restera-t-elle pas dans son studio ?

— Je l'ignore. Elle peut trouver plus grand si elle le désire. Elle en a les moyens.

Durant quelques minutes, ils continuèrent d'emballer en silence. Clémence avait décroché des chemisiers, qu'elle pliait soigneusement. Comme elle s'y attendait, la plupart des vêtements de Philippine portaient la griffe de grandes marques de prêt-à-porter. Elle avait toujours soigné son apparence et disait n'aimer que les matières nobles, comme la soie, le cachemire ou le velours.

— Et ses affaires de ski ? demanda Clémence. Sa combinaison et ses chaussures sont dans le garage…

— Il y a aussi deux paires de skis et des bâtons. Je confierai tout ça aux déménageurs.

— Des skis dans un studio ?

— Elle dispose d'une cave, si ma mémoire est bonne.

Les yeux dans le vague, il parut se perdre dans des souvenirs.

— Quand je l'ai rencontrée, j'habitais encore Paris et vous étiez déjà ici, Lucas et toi. Philippine venait plus souvent chez moi que je n'allais chez elle parce que je partais tôt le matin pour Lariboisière. Je mourais d'envie de vous rejoindre à Gap et ça la faisait rire, mais quand je lui ai annoncé que j'avais obtenu un poste au CHICAS, elle n'a plus trouvé ça drôle. Elle ne comprenait pas. Pour elle, même en aimant skier, descendre dans les Alpes ne pouvait s'envisager que pendant les vacances. Mon désir de quitter Paris et un hôpital comme Lariboisière lui semblait un caprice.

— Pourtant, elle t'a suivi.

— Je crois que je ne lui ai pas laissé le choix. Nous ne nous étions rien promis, je me sentais libre de mes décisions. En réalisant que j'allais vraiment partir, elle m'a déclaré qu'elle venait aussi. J'ai été content mais… pas fou de joie. Je savais que je lui avais forcé la main. D'ailleurs, elle n'a jamais rompu les ponts avec la capitale.

Faire disparaître dans des valises et des cartons toutes les affaires de Philippine le rendait nostalgique et lui donnait envie de se confier, ce qu'il faisait rarement.

— Mais elle s'était bien adaptée, fit remarquer Clémence.

— Oui, au point que j'ai pu imaginer que nous allions finir par fonder une famille, elle et moi. C'est là que j'ai découvert le fossé entre nous. À trente ans, elle voulait continuer à vivre comme à vingt. Et, ces derniers temps, tu lui renvoyais une image qui l'exaspérait.

— Moi ?

— Tu ne t'en es pas rendu compte ? J'aurais voulu qu'elle et moi soyons comme Lucas et toi. J'enviais votre bonheur avec vos filles, je rêvais d'avoir le même, et ça lui déplaisait. Elle trouvait ça très ringard… Alors, tu comprends, entre nous, la messe était dite.

Tandis qu'il scotchait le carton plein, la voix de Lucas résonna dans le couloir.

— Vous êtes là ?

La porte s'ouvrit avant qu'ils aient le temps de répondre.

Lucas les regarda l'un après l'autre, puis remarqua tout le désordre qui régnait autour d'eux. Un sourire soulagé remplaça aussitôt son air suspicieux.

— Ah, vous emballez…

— Que croyais-tu qu'on faisait d'autre ? lui lança Virgile d'un ton glacial.

— Rien, je…

— Lucas, merde !

Pour sortir de la pièce, Virgile l'écarta de son chemin sans ménagement.

— Attends !

Lucas le rattrapa sur le palier, le saisit par l'épaule.

— Virgile, attends. Je n'ai rien insinué, je…

— Tu aurais dû voir ta tête ! Je ne supporte pas ça, Lucas. C'est injurieux pour moi, et aussi pour Clémence.

— Mais vous avez disparu depuis plus d'une heure…

— Et alors ?

— Alors, rien.

— Rien ? Tu sèmes le doute de façon inadmissible. Dès que je vais me retrouver seul avec Clémence, je serai mal à l'aise, ce qui ne m'était jamais arrivé. Je te connais par cœur, je sais exactement ce que tu pensais en ouvrant, tu…

— Non ! Comment peux-tu imaginer un truc pareil ? J'ai confiance en ma femme, j'ai confiance en toi ! Je ne vous soupçonne de rien du tout. Je pensais que vous parliez tous les deux, qu'elle avait besoin d'avoir ton avis. On reste, on part, on vend, on loue : ça la rend folle. Elle sait que tu es de bon conseil, tu l'as toujours été. Et, oui, je suis jaloux du crédit qu'elle t'accorde. Jaloux que ce que tu penses ait autant d'importance à ses yeux. C'est tout. Tu m'entends ?

Déstabilisé, Virgile le scruta durant quelques instants.

— On s'est déjà engueulés à cause de ça, Lucas.

— Je m'en souviens très bien, et je me suis promis de ne plus jamais avoir de ces idées grotesques. Je n'en ai pas. Maintenant, c'est à toi de me croire. S'il te plaît.

Ils étaient tellement occupés à se regarder droit dans les yeux qu'ils perçurent la présence de Clémence un peu tard.

— Que se passe-t-il ? voulut-elle savoir en les rejoignant.

Elle les considéra alternativement, sourcils froncés.

— Vous vous disputez ? Pourquoi ?

Devant leur silence embarrassé, elle s'adressa directement à son mari.

— Tu peux me répondre ?

Voyant Lucas en péril, Virgile vola à son secours.

— Rien d'important, ma Clém. Lucas estime que tu n'as pas à plier les affaires de Philippine pendant des heures. Et je lui donne raison, j'ai abusé de ta gentillesse, c'était à moi de m'en occuper.

— De toute façon, j'ai fini, les valises sont bouclées. Si je t'avais laissé faire, tu aurais entassé ses chemisiers et ses tee-shirts n'importe comment. Je crois qu'elle est suffisamment triste pour qu'on ne lui envoie pas un paquet de vêtements chiffonnés.

— C'est juste. Eh bien, merci de ton aide, et tant pis pour la grogne de Lucas ! Il est mal embouché, en ce moment… Mais notre discussion a eu le mérite de soulever un problème. Une fois Christophe et Véronique partis, et puisque Philippine n'est plus là, il n'y a aucune raison pour que toute l'intendance de la maison repose sur toi, sous prétexte que tu es la seule femme.

— Oh, tu sais, un peu plus, un peu moins… D'ailleurs, tu as déjà demandé à la femme de ménage de venir plus souvent.

— Oui, j'y tiens. Elle pourrait aussi nous préparer certains repas que nous n'aurions plus qu'à réchauffer, elle est très bonne cuisinière. N'hésite pas à lui suggérer de faire tout ce qui te prend trop de temps, ce sera ma contribution.

Se tournant vers Lucas, il ajouta, goguenard :

— Satisfait, monsieur ronchon ?

Entendant ses filles l'appeler, Clémence les laissa ensemble. Lucas réprima un sourire puis leva les yeux au ciel.

— Tu aurais dû faire dentaire plutôt que médecine, Virgile.

— Pourquoi donc ?

— Parce que tu mens comme un arracheur de dents !

— Plains-toi, je t'ai sauvé la mise. Je suis sûr que la jalousie est un défaut que Clémence ne supportera plus jamais.

— Je sais.

— Alors, la prochaine fois que je serai en tête à tête avec ta femme, si tu t'avises de débarquer…

Par surprise, Virgile envoya un petit coup de poing dans l'épaule de Lucas, qui faillit perdre l'équilibre et leva les mains en signe de paix.

— Si on profitait de la dernière neige pour skier, dimanche ?

— Il y en a encore pas mal à La Joue du Loup, on peut y monter avec les filles.

— Elles vont adorer !

Comme presque chaque fois qu'ils s'étaient affrontés pour une raison ou une autre, depuis le lycée, ils n'avaient mis que quelques minutes à se réconcilier. Mais Lucas avait bien conscience de s'être totalement égaré. Soupçonner Virgile – et, pire encore, Clémence – était indigne de lui. Il ne comprenait pas d'où lui était venu ce doute absurde qui aurait pu empoisonner durablement une amitié vieille de vingt ans. Était-ce, comme il le supposait, le retour d'Étienne qui le perturbait ? Les souvenirs du divorce houleux de Clémence, son sentiment d'impuissance à l'époque, ses espoirs, mêlés à ses craintes de la voir retomber sous la coupe de ce mari pervers qu'il haïssait, et le combat qu'il avait dû mener pour la sortir de ses griffes : tout ce traumatisme avait finalement laissé des traces. À lui de les effacer définitivement s'il voulait retrouver sa sérénité, et surtout préserver la paix sous son toit.

Après le départ de Damien, parti boire un verre avec une nouvelle petite amie, Chloé s'était attardée. Méticuleuse, elle avait classé ses derniers dossiers puis transféré quelques photos sur le site de l'agence. Sa maîtrise de l'informatique lui avait permis d'améliorer cet outil depuis quelques semaines, le rendant plus clair et plus attractif.

Une fois son travail accompli, elle passa un petit moment à naviguer sur les réseaux sociaux, répondant aux messages de ses amis et commentant leurs publications. Alors qu'elle allait mettre en veille l'ordinateur, elle eut l'idée d'en apprendre un peu plus au sujet de Virgile. Ainsi qu'elle le supposait, il était présent sur Facebook et elle décida de consulter son profil. Elle remarqua d'abord qu'il n'abusait pas des selfies : les images de son mur étaient presque toutes dédiées aux jumelles de Clémence. Chloé les reconnut sans mal pour les avoir vues au pied des pistes, elles apparaissaient à skis, sur une luge ou en pleine bataille de boules de neige. Examinant les rares clichés où il apparaissait, elle constata qu'il avait simplement l'air d'un chic type viril. D'ailleurs, il s'était comporté de la sorte avec son ex, lors de la pénible scène de l'hôpital. Ni agressif ni faible, mais plutôt bienveillant.

Malheureusement, Chloé ne croyait ni au prince charmant ni à l'homme parfait. Comme tout un chacun, Virgile devait avoir des défauts, restait à trouver lesquels. Était-il attardé dans ses amitiés d'étudiant, ainsi qu'en attestait la copropriété du chalet ? Matérialiste ? Son 4 × 4 rutilant lui avait été sans doute fourni par Lucas à des conditions exceptionnelles, et sa montre n'était qu'une simple Swatch. En tout cas, il ne semblait pas indifférent à son image, à voir ses blazers bien coupés et ses jeans à la mode. Peut-être trop fondu de sport et tellement accro à ses skis qu'il en avait oublié le bien-être de sa compagne ? Égoïste, au point d'habiter en altitude parce qu'il adorait le paysage alpin, et tant pis pour les inconvénients subis par ceux qui vivaient avec lui ?

Perplexe, Chloé décida de creuser encore et découvrit qu'il avait publié un long poème. Pas de lui, bien sûr, mais de Musset. Voulait-il passer pour un littéraire romantique, alors qu'il faisait indubitablement partie des scientifiques ? Elle vit aussi qu'il adorait les chiens et qu'il aurait voulu en avoir un. Qui l'en avait empêché ? Philippine n'appréciait donc ni les enfants ni les animaux de compagnie ? Pour en savoir plus, Chloé rechercha ses amis, en dehors de Lucas. Elle repéra quelques échanges amusants avec un certain Sébastien, qui semblait travailler dans le même service à l'hôpital. Virgile avait-il de l'humour ? Il ne consacrait guère de temps à Facebook, encore moins à Instagram, et il ne tweetait pas. Il n'évoquait pas non plus son métier de chirurgien, ce qui signifiait qu'il n'en tirait pas une gloire particulière.

Poussant ses investigations, elle se mit en quête d'autres Decarpentry, trouva un grand ponte en médecine, des magistrats, un banquier. Ce dernier avait un fils prénommé Virgile, il s'agissait donc de la même famille, apparemment très bourgeoise et qui aurait pu favoriser la carrière de Virgile à Paris. Alors, que faisait-il à Gap ? Était-il asocial, loup solitaire ? Refusait-il de se mesurer à plus fort que lui ?

Mal à l'aise, elle éteignit l'ordinateur, se reprochant soudain d'avoir été curieuse et d'avoir trouvé ce qu'elle cherchait en seulement quelques clics. Elle était presque certaine qu'il n'en avait pas fait autant, quel que soit son intérêt pour elle. De toute façon, si elle tenait à mieux le connaître, elle n'avait qu'à accepter ses invitations. Rien ne pouvait remplacer une véritable conversation, et les profils sur Facebook étaient souvent trompeurs.

Pour la énième fois, elle se reposa la question : avait-elle envie d'aller plus loin avec cet homme ? Une interrogation qui en amena une autre : pourquoi se préservait-elle à ce point ? Son excès de prudence lui faisait peut-être rater de belles histoires. Elle songea à Clémence qui, malgré une expérience désastreuse avec un pervers, n'avait pas hésité à faire confiance à Lucas et à le laisser entrer dans sa vie. Pour le meilleur, semblait-il.

Longtemps, elle resta les yeux dans le vague, méditant sur tout ce qu'elle venait d'apprendre. Puis elle finit par quitter l'agence pour rentrer chez elle, sans avoir pris la moindre décision.

Clémence rangea un à un les sacs dans son coffre, vérifiant qu'elle avait bien pris tous les ingrédients demandés par Véronique. Celle-ci tenait à préparer un pot-au-feu avant son retour à Paris, un des plats qu'elle réussissait le mieux. Bien entendu, Lucas et Virgile avaient réclamé les os à moelle dont ils étaient friands.

La neige était tombée en altitude dans la nuit mais, à Gap, les rues étaient sèches, malgré un vent glacial qui ne désarmait pas. La tête rentrée dans les épaules pour se protéger, Clémence alla ranger son caddie et récupéra son jeton. En arrivant sur le parking du supermarché, elle n'avait trouvé une place que tout au bout, mais elle avait pris son temps pour faire les courses et à présent le parking était presque vide. Elle devait rejoindre Lucas à la concession pour faire la route derrière lui, fidèle à sa promesse de ne jamais rentrer seule au chalet. Cette organisation reposait sur ses beaux-parents, et en leur absence il faudrait envisager d'autres solutions. Malgré cela, Clémence ne se sentait pas très inquiète, Étienne ne s'étant plus manifesté. Avait-il réalisé, après son audition à la gendarmerie, qu'il ne pouvait plus agir impunément ? S'était-il découragé ? En tout cas, elle l'espérait, de manière plus sereine désormais.

Elle eut une pensée pour ses filles, qui se réjouissaient tant à l'idée de skier le lendemain avec leur père et Virgile. Comme elles avaient fait de gros progrès cet hiver, elles pouvaient les suivre à peu près partout et rivalisaient d'audace. Sur leurs patins aussi elles évoluaient mieux, grâce à Christophe et Véronique qui avaient passé nombre d'heures à les regarder tourner sur la glace, émerveillés. Mais la saison se terminait et elles étaient pressées d'accomplir leurs derniers exploits.

Alors qu'elle regagnait sa voiture, elle fut soudain saisie puis soulevée par un bras qui se referma autour de sa taille, tandis qu'une main lui écrasait la bouche pour l'empêcher de crier.

— Tais-toi et tout ira bien, murmura Étienne derrière elle.

Se débattant avec l'énergie insufflée par la panique, Clémence ne réussit pourtant pas à desserrer l'étreinte qui l'emprisonnait.

— Je veux seulement parler, chérie. Par-ler. Tu comprends ? Cesse de gigoter et viens.

Il l'entraîna de force vers une Fiat noire, garée un peu plus loin, dont il ouvrit la portière arrière. Sans la lâcher, il la fit monter et s'assit à côté d'elle sur la banquette.

— On n'est pas bien, là, tous les deux ? fit-il avec un rire cynique.

Elle voulut hurler mais une de ces petites claques qu'elle haïssait l'arrêta net.

— Ne m'oblige pas à te faire mal. On parle, j'ai dit, on ne crie pas.

Il la regardait avec une telle intensité, penché sur elle, qu'elle finit par hocher la tête.

— Bon, on y arrive… Ta copine la pimbêche n'est pas là, aujourd'hui, hein ? Elle a plié bagages ! Tu vois, je sais tout de vous, de toi…

Un peu essoufflé, il se redressa, la tenant toujours par un poignet, qu'il serrait trop fort dans sa grande main.

— Tu ne voulais pas d'un tête-à-tête et te voilà à ma merci, chérie ! Tu n'aurais pas dû me fuir comme ça, il y avait de quoi devenir enragé. Qu'est-ce que je t'ai donc fait ?

— Étienne, réussit-elle enfin à articuler après un silence, nous avons divorcé il y a longtemps.

— *Tu* as divorcé ! Moi, je ne voulais pas.

— Nous ne pouvions pas rester mariés, tu étais devenu méchant.

— Moi ?

— Tu viens de me frapper. Tu faisais ça, avant.

— Oh, une petite baffe de rien du tout ! Tu en veux une autre ? En souvenir du bon vieux temps ?

Il la narguait et elle se garda de lui répondre. Sentant des fourmis dans ses doigts, elle tira sur son poignet prisonnier.

— Ta-ta-ta, je ne te lâche pas. Tu vas d'abord m'expliquer ce qu'il a de mieux que moi, ton garagiste à la con.

L'entendre attaquer Lucas la fit réagir malgré elle.

— Il est gentil. Jamais brutal. Il ne me donne pas d'ordres.

— Une lavette, quoi !

— Non, Étienne, seulement quelqu'un de respectueux avec les femmes. Je ne suis pas sa chose, contrairement à ce que tu voulais faire de moi.

Elle s'étonna de parvenir à tenir une sorte de conversation avec lui. Mais avait-elle le choix ? Par chance, elle n'était pas aussi terrorisée que lors de leurs affrontements de ces dernières semaines. Et, bizarrement, elle était presque soulagée de pouvoir enfin s'expliquer avec lui. Sans doute les conseils de son entourage avaient-ils fait leur chemin dans son subconscient. Se contenter d'être une victime apeurée ne servait à rien avec Étienne. Au contraire, puisqu'il aimait l'effrayer. Elle ne devait donc pas entrer dans son jeu. D'abord, se calmer, réfléchir, même si elle savait qu'elle n'aurait pas assez de sang-froid pour arriver à le manipuler.

— Pourquoi m'espionnes-tu ? demanda-t-elle d'un ton plat.

— Je te surveille, rectifia-t-il, vexé.

— Dans quel but ? Je ne reviendrai jamais avec toi, et je suis sûre que tu le sais.

— Eh bien, si c'est comme ça, je vais me contenter de te faire payer ta trahison !

— Je ne t'ai pas trahi.

— Tu m'as quitté pour un minable, un minus !

— Je t'ai quitté parce que je n'étais pas heureuse avec toi.

Il lui redonna une petite claque, moins forte que la première, presque à regret. S'était-elle trompée de stratégie en lui assénant des vérités ? Étienne n'était pas idiot, essayer de l'apaiser avec des banalités ne marcherait pas. Il voulait des explications, que Clémence lui dise pourquoi leur histoire était terminée.

— Tu n'as pas le droit de lever la main sur moi, articula-t-elle lentement. Tu ne l'avais pas davantage quand nous étions mariés. Tu voulais parler, on parle, mais ne me brutalise pas.

En d'autres temps, ces derniers mots l'auraient fait rire, mais contre toute attente, il se recula un peu sur la banquette, sans la lâcher pour autant. Il faisait très froid dans la voiture, il n'avait pas dû mettre de chauffage pendant qu'il la guettait.

— Étienne, il faut que tu m'oublies…

C'était sorti tout seul, et quasiment sans crainte. Se retrouver coincée avec lui dans un si petit espace était plutôt moins effrayant que tout ce qu'elle avait pu redouter. La nuit était tombée et elle ne distinguait plus ses traits. L'endroit qu'il avait choisi se trouvait éloigné du dernier réverbère du parking, maintenant totalement désert. S'il libérait son poignet, aurait-elle le temps d'ouvrir la portière et de s'enfuir ? Bien sûr que non. Il était trop près d'elle, trop sur ses gardes.

— T'oublier, je n'y arrive pas, avoua-t-il d'un ton boudeur.

— Tu y arriveras si tu le veux. Écoute, j'ai des enfants et…

— Ah oui, tes deux morveuses !

— Je les aime, comme n'importe quelle mère aime ses enfants. Ma vie est avec elles, et avec leur père.

— Le petit vendeur de gros 4 × 4 ? C'est ça, ta vie ?

— Aujourd'hui, oui.

— Mais pourquoi ça n'a pas marché entre nous ? s'énerva-t-il. Pourquoi ne les as-tu pas faites avec moi, les gamines ? On s'entendait bien, nous deux…

— Non.

Il parut atterré par ce simple mot.

— Non ? répéta-t-il, incrédule.

— J'avais peur de toi. Tout le temps. Tu ne voulais pas que j'aie des amis, tu ne voulais pas que je voie ma famille d'accueil, tu te mêlais de ma façon de m'habiller, de ma clientèle, de mes déplacements. À la fin, j'étouffais !

Elle s'interrompit, luttant contre le flot de paroles qui cherchait à lui échapper, puis elle reprit, plus bas :

— Lucas, je ne l'ai rencontré *qu'après* t'avoir annoncé que je comptais divorcer. Je ne t'ai pas quitté pour lui, et je le répète, je ne t'ai pas trahi.

— Tu étouffais ! railla-t-il en ignorant ses dernières phrases. La belle affaire !

— Étienne, tu es un homme, tu es fort, tu as des muscles, alors personne ne te fait peur. Mais moi ? Tu m'effrayais quand tu te mettais en colère pour un oui ou pour un non, parce que ma jupe était trop courte ou parce que j'avais mis du rouge à lèvres. J'étais jeune, j'avais envie de vivre un peu ! Et tu me l'interdisais, tu me menaçais… Oui, j'avais la trouille en rentrant le soir. Ça me rendait malade, je voyais bien que ça dégénérait entre nous. La jalousie finit par rendre violent, et c'est ce que tu étais en train de devenir.

— Mais non !

— Si, je t'assure. À ton avis, qu'est-ce que je fais à l'arrière de cette voiture dont tu m'empêches de sortir ? Tu voulais me parler du passé, me questionner. Après tout, pourquoi pas ? Et tu n'as rien envisagé d'autre qu'utiliser ta force. Tu aurais pu me téléphoner, me proposer de boire un café pour qu'on puisse discuter, je n'aurais pas refusé. Mais tu as préféré m'espionner, m'intimider, me bousculer… et forcément, me gifler. Tu ne sais pas faire autrement.

Il haussa les épaules, mécontent, pourtant il n'avait pas l'air en colère. L'espace de quelques instants, elle hésita à poursuivre. Lui donner une leçon de morale et qu'il semble l'accepter était si paradoxal !

— Je ne peux pas vivre sans toi, bougonna-t-il. J'ai essayé, je suis parti loin, et rien n'y a fait.

— Sauf que tu ne peux pas non plus vivre avec moi.

— Pourquoi ?

— Parce que nous deux, c'est fini, Étienne. Je ne reviendrai pas. Et par la force, tu n'arriveras à rien. L'amour ne se commande pas, ne s'oblige pas. Je ne suis plus la petite Clémence gamine, je suis devenue une autre femme.

Était-il en train de le comprendre ? Son visage s'était assombri, fermé.

— Tu es la même, s'obstina-t-il en martelant ses mots d'une voix sourde. Si je te déshabille, je vais trouver les mêmes seins ronds, les mêmes petites fesses rebondies, le…

Elle se hâta de le couper. Ce terrain-là était trop dangereux. Si elle le laissait s'enflammer, il serait hors de contrôle.

— Je me suis remariée, répéta-t-elle patiemment, j'ai eu des enfants. Oublie-moi, Étienne, il le faut.

Tout pouvait encore basculer et elle ajouta :

— Tu vois, là, on parle et c'est ce que tu voulais. Il ne se passe rien de grave, rien d'irrémédiable. D'ailleurs, tu peux lâcher mon poignet, je ne vais pas m'enfuir.

Elle demandait beaucoup, pourtant il desserra son étreinte. Pendant près d'une minute, ils restèrent silencieux. Clémence sentait son cœur battre à un rythme affolé, mais elle se contraignit à ne pas bouger, sachant qu'il était le seul à pouvoir siffler la fin de la partie. Tout ce qu'elle lui imposerait risquait de les ramener à la case départ.

— Alors…, commença-t-il.

Au même instant, les réverbères du parking s'éteignirent, puis les lumières du supermarché, qui venait de fermer. Parcourue d'un frisson, Clémence eut de nouveau conscience du froid polaire qui régnait dans la voiture.

— Et si je t'emmenais avec moi loin d'ici ? demanda-t-il dans l'obscurité.

— Sans mes filles, je me laisserai mourir.

— Avec !

— Si tu les kidnappais, il y aurait une alerte enlèvement et toutes les polices de France te rechercheraient.

Elle avait réussi à répondre calmement, comme s'ils avaient une discussion normale, et elle enchaîna :

— Tu devrais refaire ta vie, Étienne. Il y a quelque part une femme qui saura t'aimer… si tu es gentil avec elle. Le travail ne te fait pas peur, je le sais, et tu es encore jeune, tu pourrais être heureux.

— Sans toi ?

— Mais oui !

Elle l'affirmait avec véhémence, tout en pensant le contraire. Pour surmonter ses démons, Étienne avait besoin d'autre chose que de belles paroles ou de vagues espérances. Son comportement, depuis qu'il était revenu dans la région, était celui d'un malade mental. Néanmoins, ce soir, elle lui avait tenu tête sans qu'il devienne enragé, et elle n'en revenait pas. Décidée à se montrer forte jusqu'au bout, elle demanda :

— Je peux partir, maintenant ?

Il se pencha si brusquement vers elle qu'elle sentit son souffle sur sa joue, et tout le poids de son corps sur le sien. Paniquée, elle se recroquevilla, mais elle entendit la portière s'ouvrir, puis il s'écarta, la libérant.

— File avant que je change d'avis !

Clémence prit pied sur l'asphalte, mais ses genoux faillirent se dérober et elle se retint d'une main au toit de la voiture. À aucun prix elle ne devait courir, pour ne pas avoir l'air de le fuir. Au jugé, elle se dirigea vers sa propre voiture, avant d'avoir l'idée d'actionner la télécommande de la clef. Les lumières du 4 × 4 s'allumèrent, l'éblouissant. Il n'y avait aucun bruit derrière elle, Étienne ne la poursuivait pas et il n'avait pas non plus mis son moteur en route. Raide comme un automate, elle s'installa au volant, ferma sa portière et la verrouilla. Au lieu de démarrer aussitôt, elle laissa tomber sa tête entre ses mains, secouée de sanglots secs, étouffant de soulagement. Mais elle ne s'autorisa que quelques instants d'abandon. Lucas devait s'inquiéter, elle était très en retard. Elle mit le contact, ce qui enclencha automatiquement les phares. Devant elle, à vingt mètres, la Fiat ne bougeait pas, tous feux éteints. Pour gagner la sortie, elle amorça un grand virage sur le parking sombre et désert, les yeux rivés au rétroviseur. Dès qu'elle retrouva l'éclairage public, elle accéléra, d'abord modérément, puis fila en direction du garage. Un incroyable sentiment d'allégresse lui fit pousser une sorte de rugissement qui résonna dans l'habitacle. Elle s'en était sortie seule ! Elle avait surmonté sa trouille, rejeté le rôle de proie, et elle était même arrivée à s'adresser à Étienne comme s'il n'était pas son pire ennemi. Serait-ce suffisant pour qu'il disparaisse ? Il avait prétendu – et ce, depuis le début – qu'il voulait parler avec elle : c'était chose faite. Trouverait-il un autre prétexte pour la traquer ou allait-il enfin se résigner ?

En arrivant devant la concession, elle vit que Lucas l'attendait au volant de sa voiture. Il descendit pour venir l'embrasser mais elle fut plus rapide que lui et courut se jeter dans ses bras.

— Tu t'es perdue dans ton supermarché préféré ? plaisanta-t-il.

— Si tu savais ce qui vient de m'arriver !

Réfugiée contre lui, enfin en sécurité, elle fut submergée d'une telle frayeur rétrospective qu'elle se mit à trembler.

À peu près au même moment, Philippine sirotait une coupe de champagne en compagnie de Laetitia, qui était rentrée de Genève. Après avoir longuement parlé des préparatifs de son mariage, Laetitia demanda des nouvelles de son frère et parut stupéfaite d'apprendre sa rupture avec Philippine.

— J'ignorais tout ça, il ne m'a pas appelée pour me le raconter ! En tout cas, c'est bien dommage. Crois-tu que ce soit définitif ?

— J'en ai peur. Car, vois-tu, il m'a déjà trouvé une remplaçante !

— Tu plaisantes ?

— Hélas, non. Il était un peu distant ces derniers temps, et quand j'ai compris qu'il y avait anguille sous roche, c'était déjà trop tard.

— Mais ça ne lui ressemble pas du tout, Philippine. Pas du tout…

Laetitia grignota une petite madeleine au parmesan avant de reprendre :

— Virgile n'agit jamais sur un coup de tête.

— Pourtant, il m'a annoncé un beau jour qu'il souhaitait arrêter notre histoire. Comme ça. Sans états d'âme. Or, cette fille, je crois qu'il ne l'avait vue que deux fois !

— Écoute, Virgile est quelqu'un de posé, de réfléchi, et surtout de profondément gentil. Il…

— Oh, épargne-moi la litanie des merveilleuses qualités de ton frère ! Il a tout de même réussi à se fâcher avec votre père, votre oncle, il ne voit quasiment jamais votre mère, il sait très bien couper les ponts quand ça l'arrange. Mais je ne croyais pas qu'il m'éjecterait de sa vie si brutalement. Il m'a fait envoyer mes affaires par un transporteur et il n'a rien oublié, comme s'il voulait supprimer le moindre objet qui puisse lui rappeler mon existence. Un traitement radical destiné à m'effacer, ni plus ni moins.

Philippine adressa un signe au serveur pour qu'il leur apporte deux autres coupes. Confortablement installées au bar de l'hôtel Bristol, elles s'efforçaient de parler à mi-voix, mais parfois la colère de Philippine lui faisait hausser le ton. Elle prit une poignée de noix de cajou, qu'elle mastiqua distraitement.

— Je vais réorganiser ma vie, finit-elle par déclarer. Être de nouveau à Paris ne me déplaît pas mais il faut que je renoue des contacts. À Gap, on est vraiment loin de tout, et l'éloignement géographique m'a fait perdre des amis.

Elle se réconfortait en parlant, mais la blessure infligée par Virgile était profonde, et pas uniquement pour son orgueil.

— Quand je me suis installée là-bas, dans ce foutu chalet auquel ils tiennent tous les trois comme à la prunelle de leurs yeux, je n'ai pas réalisé que j'allais me couper du monde. Sports d'hiver six mois de l'année, randonnées en alpage le reste du temps, calme absolu pour travailler, avec grand confort douillet à l'intérieur, et tout ça en compagnie de l'homme que j'aimais… Ça semblait idyllique ! La contrepartie était qu'il fallait aussi supporter Clémence et sa mièvrerie, les jumelles et leurs cris de gamines surexcitées, les parents de Lucas qui s'invitaient souvent… Bref, une vie de famille qui ne me concerne pas du tout mais que Virgile adore. Parfois, je me suis demandé s'il n'enviait pas Lucas, s'il n'aurait pas aimé être garagiste et que son père soit peintre en bâtiment ! Et il m'assommait, avec son désir d'enfants.

— Oh, ça, c'est légitime…, murmura Laetitia. Je me marie dans ce but.

Philippine se rembrunit, agacée de voir Laetitia prendre le parti de son frère. Elle s'attendait à un peu plus de compassion, et elle eut un doute : le fait d'avoir été rejetée par Virgile la rendait peut-être inintéressante aux yeux de toute la famille Decarpentry. Pourtant, elle avait permis la réconciliation de Virgile avec son père, ce qui aurait dû lui valoir un minimum de reconnaissance.

— Et qui est cette femme pour laquelle Virgile aurait craqué, d'après toi ? voulut savoir Laetitia.

— Aucune idée. Je crois qu'elle travaille dans l'immobilier, je n'en sais pas plus. Sauf qu'elle n'est même pas belle !

— Ah bon ?

— Disons, insignifiante.

— Tu l'as donc vue ?

— Une première fois, quand elle est venue visiter le chalet, puisqu'ils veulent le vendre, et une autre fois à l'hôpital quand…

— Vendre le chalet ? s'écria Laetitia, stupéfaite. Sincèrement, Philippine, je tombe des nues avec tout ce que tu me racontes.

— Ce sont Clémence et Lucas qui ne veulent pas rester. Figure-toi que le premier mari de Clémence a refait surface et la harcèle comme si elle était encore sa femme. Mon coude, c'est lui, il m'a bousculée parce que je voulais m'interposer. Bref, ça a flanqué la pagaille. Alors, maintenant, Lucas veut habiter en ville pour protéger sa famille.

— Et Virgile, dans tout ça ?

— Tu le connais, si Lucas veut vendre, il vendra. Mais je crois qu'il a proposé d'autres solutions. Aujourd'hui, je ne sais pas où ils en sont, et sincèrement, je m'en fiche pas mal !

Son aigreur était si flagrante que Laetitia n'osa pas insister. Elle prit une autre de ces madeleines qu'elle trouvait délicieuses et médita quelques instants sur ce qu'elle venait d'apprendre. La dernière fois qu'elle avait eu Virgile au téléphone, elle lui avait demandé d'être témoin à son mariage. Il avait accepté en la félicitant, cependant il était resté muet quant à ses propres soucis. Par discrétion ? Par manque de confiance ? Ou peut-être simplement pour ne pas perturber le bonheur de ses fiançailles. Elle se reprocha d'avoir parlé à tort et à travers de l'organisation de son mariage à Philippine, prenant conscience qu'elle ne pourrait pas l'inviter. Restait à savoir si Virgile viendrait seul ou accompagné. D'avance, elle se sentait dévorée de curiosité et mourait d'envie de rencontrer la mystérieuse jeune femme qui avait fait succomber son frère si sage. Avec un petit pincement au cœur, elle comprit que Philippine allait disparaître de leurs vies à tous. En tout cas, si cela offrait la possibilité de donner des cousins aux enfants qu'elle souhaitait avoir, alors l'avenir se présentait sous de bons auspices. Laetitia rêvait d'une famille classique, ce dont Philippine ne semblait pas vouloir, ainsi que Virgile l'avait laissé entendre à leur mère. Si c'était aussi pour cette raison qu'il s'était séparé d'elle, pouvait-on lui donner tort ? Afin de dissimuler des pensées aussi peu charitables, elle adressa à Philippine un de ces sourires affables et artificiels qu'elle destinait généralement aux clients de la banque, mais elle cessa de l'écouter, n'ayant aucune envie de critiquer son frère.

9

Chloé raccompagna l'acquéreur potentiel jusqu'à la porte de l'agence, promettant de l'appeler sans faute dans les prochains jours. Au vu du budget annoncé par ce monsieur, Damien avait cru bon d'assister au rendez-vous, mais il avait laissé sa sœur mener l'entretien.

— Eh bien, dis-moi, des clients comme ça, on n'en accueille pas tous les jours ! s'exclama-t-il dès qu'ils furent seuls.

— Il sait ce qu'il veut, il le veut tout de suite et il a de gros moyens, mais avons-nous ce qu'il cherche en portefeuille ?

— Un chalet de cette taille et à cette altitude précise, je ne vois que celui de Decarpentry. Tu devrais le contacter pour lui demander où il en est de ses tergiversations.

— Ça ne le fera pas réfléchir plus vite. D'ailleurs, il n'est pas seul en cause.

— Lui et ses copropriétaires seront peut-être séduits par une offre concrète, à saisir tout de suite. Ils n'en auront pas forcément beaucoup d'autres.

Une moue dubitative se dessina sur le visage de Chloé. Vendre sa maison répondait toujours à des raisons précises, à des impératifs, et elle se doutait bien que tout n'était pas résolu dans le cas de Virgile, Lucas et Clémence. De plus, elle ne souhaitait pas avoir l'air de l'appeler sous un prétexte immobilier.

— Des acheteurs d'un tel calibre sont rares, j'aimerais bien qu'on donne satisfaction à celui-là, ajouta Damien.

Elle ne pouvait pas risquer de lui faire rater une affaire à cause de considérations personnelles, mais elle répugnait à l'idée de solliciter Virgile, persuadée qu'il avait besoin de se remettre de sa rupture, même s'il ne le croyait pas.

— Vous êtes en relation, tous les deux, alors c'est mieux si ça vient de toi, poursuivit Damien.

La perspective d'une belle vente le mettait toujours d'excellente humeur. Il avait manifestement conservé l'entrain de ses débuts.

— Vas-y ! suggéra-t-il en désignant le téléphone.

Impossible pour elle de se défiler. Au moins, l'appel proviendrait du numéro de l'agence, pas de son portable. Après trois sonneries, elle fut soulagée de tomber sur sa boîte vocale, ce qui lui permit de laisser un message très professionnel.

— Tu parles d'un truc chaleureux ! s'esclaffa Damien.

— S'il écoute son répondeur entre deux opérations, autant que ce soit bref.

— Ah oui, il doit être à l'hôpital… Justement, il habite trop loin de son lieu de travail, fais-lui remarquer que c'est l'occasion rêvée pour se rapprocher.

— Non, il veut rester en altitude, de toute façon.

— Drôle d'idée.

— C'est pour le paysage, et aussi pour skier quand il veut, en chaussant ses skis dans son garage.

— Ça, je peux comprendre.

Pendant la saison, Damien rejoignait Superdévoluy ou La Joue du Loup presque tous les dimanches et lundis, mais durant ses cinq jours de travail hebdomadaire, il tenait à habiter près de son agence afin d'être toujours disponible, y compris pour des visites tardives. S'il adorait les sports d'hiver, il aimait encore plus son travail.

— Ah, les clients et leur indécision ! soupira-t-il. L'année dernière, j'ai mis huit mois à conclure une affaire toute simple. Tu te rends compte ?

Comme elle ne répondait rien, songeant encore à Virgile et au fait qu'elle-même se sentait toujours indécise à son égard, il enchaîna :

— Puisque nous sommes tranquilles, tous les deux, là, avant nos prochains rendez-vous, je voulais te demander si tu avais réfléchi à ma proposition.

— De continuer à travailler avec toi ?

— Et ainsi d'agrandir notre agence. Tu n'as sûrement pas envie de rester mon employée. Tu vaux mieux que ça, et on pourrait s'associer. Figure-toi que la boutique d'à côté va être à vendre d'ici quelques semaines. Le fonds, pas les murs. Mais comme elle appartient au même propriétaire que l'agence, il serait d'accord pour qu'on s'agrandisse en faisant communiquer les locaux. Le fonds ne vaut pas très cher, vu que l'affaire de mercerie périclitait depuis un moment. Évidemment, il y aurait les travaux à notre charge… Je n'ai pas très envie de me lancer tout seul là-dedans, en revanche, avec toi, ça me brancherait !

Cette fois, elle était au pied du mur.

— Je ne sais pas si je suis vraiment faite pour ce travail, dit-elle prudemment.

— Moi, je sais ! Tu obtiens déjà plus de résultats que mes négociateurs. Dès le début, j'ai vu que tu allais faire des étincelles. Non seulement tu possèdes la formation juridique et la rigueur comptable requises, mais tu as un contact formidable avec les gens. On a envie de te faire confiance parce que tu es sûre de toi, posée et sans chichis. Tu n'as pas l'air de quelqu'un qui va mentir ou raconter n'importe quoi pour réaliser une vente. Tu dis la vérité avec diplomatie et tu n'embarques pas les clients dans des visites inutiles qui font perdre du temps à tout le monde. D'autre part, notre région est en pleine expansion, la population augmente, et il y a des emplois. Enfin, et surtout, tu es ma seule famille, je n'ai pas envie de te voir partir.

Damien ôtait rarement son masque enjoué et protecteur avec elle, cependant il venait de montrer son émotion. Il était incapable de s'attacher durablement à une femme, et sa sœur était son unique point d'ancrage affectif. Il la laisserait partir si elle le souhaitait, il continuerait à veiller sur elle de loin, mais elle lui manquerait, il l'avouait sans honte.

— Durant tes quatre ans dans l'armée, j'ai continué à croire qu'un jour nous ferions quelque chose ensemble. Je me doutais bien que tu ne suivrais pas une carrière militaire. Tu supportes mal la hiérarchie et tu n'aimes pas obéir aveuglément. Quand tu étais gamine, il fallait toujours qu'on t'explique le pourquoi des décisions, sinon tu ne les acceptais pas… Sacrée caboche, sœurette !

Il eut un petit rire amusé, reprenant son rôle habituel de grand frère joyeux. Sa gaieté, réelle ou factice, avait souvent été une consolation pour Chloé après le décès de leurs parents.

— Gap est un endroit agréable, finit-elle par déclarer. J'apprécie le climat et les environs. Je suis comme toi, Damien, je n'ai pas d'attaches pour le moment. En revanche, j'ai envie de fonder une famille. Ici ou ailleurs, ça m'ira, je sais m'adapter. Mais en attendant de trouver l'élu, oui, je resterais bien.

— L'élu ? répéta-t-il d'un ton railleur. Tu as quelqu'un en vue ?

— Juste une option. Disons, une piste à creuser.

Cette fois, il rit carrément.

— Creuse, ma sœur, creuse ! Et pendant que tu creuses, on s'associe, on prend le local d'à côté ?

Elle planta son regard dans celui de son frère et hocha la tête. Sa décision était prise, elle ne souhaitait pas partir à l'aventure, elle se sentait bien là.

— On va créer une petite société, proposa-t-elle. Ne t'inquiète pas, je me charge des démarches administratives, mais je tiens à ce que nous fassions les choses dans les règles. Comme ça, si un jour je veux m'en aller, je pourrai facilement te céder mes parts. Modestes, bien sûr, puisque c'est avant tout ton affaire.

— Magnifique ! Tu surveilleras les travaux d'agrandissement ?

— Je ne me sens pas une âme de chef de chantier, mais je peux le faire.

— Tu étudieras aussi le financement ?

— C'est dans mes cordes.

— Alors, on tope ?

Il lui tendait la paume de sa main, qu'elle claqua avec la sienne.

— Dorénavant, précisa-t-elle avec un sourire angélique, quand je mènerai un entretien avec un client, je ne veux plus que tu viennes regarder par-dessus mon épaule.

Il se contenta de la toiser d'un air goguenard, s'épargnant la peine de répondre.

— D'accord, admit-elle, tu as plus d'expérience que moi…

— Mais tu as plus de charme ! Tu vas voir, nous formerons un bon tandem.

Elle allait devoir s'impliquer davantage dans l'affaire, ce qui ne lui déplaisait pas. Jusqu'ici, elle s'était surtout intéressée aux ventes. Il lui faudrait maintenant prospecter, afin de décrocher de nouveaux biens – une occasion rêvée pour se balader dans toute la région. Avec le printemps qui arrivait, la perspective semblait réjouissante. Comme chaque fois qu'elle prenait une décision importante, elle se sentit confiante et déterminée.

Lucas freina sec, projetant une gerbe de neige sur Virgile, qui protesta :

— Tu ne pouvais pas t'arrêter plus loin ?

Bien décidés à profiter d'une de leurs dernières journées de ski alpin avant la fermeture des stations, ils étaient arrivés tôt pour s'offrir plusieurs descentes sur les pistes noires. Tout en haut du massif, à deux mille cinq cents mètres d'altitude, il y avait encore beaucoup de neige, mais en bas elle commençait à se raréfier. Peu à peu, le blanc céderait la place au vert, le paysage se modifierait entièrement d'ici la fin avril.

— Gardons un peu de forces pour cet après-midi, rappela Lucas d'une voix essoufflée.

Ils avaient promis aux jumelles de les emmener avec eux dès qu'elles auraient déjeuné, et elles devaient déjà piaffer d'impatience.

— Rentrons, proposa Virgile. On mangera un petit truc avant de repartir.

— Un grand truc ! Je suis affamé. Pas toi ?

Pour gagner le parking, ils déchaussèrent leurs skis, les mirent sur leurs épaules.

— J'espère que tu te sens plus détendu, dit gentiment Virgile.

— Oui, ça m'a fait du bien, je n'ai pensé à rien d'autre qu'à essayer d'aller plus vite que toi !

Son sourire franc prouvait qu'il allait mieux, aussi Virgile en profita-t-il pour enchaîner :

— Alors, oublie tout le reste. Je suis persuadé que les choses vont s'arranger.

— Crois-tu ?

Ils s'installèrent dans le 4 × 4, ôtèrent leurs gants, lunettes et casques qu'ils expédièrent d'un même geste sur la banquette arrière.

— Tout de même, j'en ai encore cauchemardé cette nuit, avoua Lucas. Imaginer Clémence quasiment dans les bras d'Étienne !

— Elle s'en est sortie d'une façon admirable. Je ne suis pas sûr que beaucoup de femmes auraient pu gérer une situation aussi tendue.

— C'est vrai, mais pourquoi ne veut-elle pas le dénoncer ? Il l'a enlevée devant un supermarché, séquestrée dans sa bagnole, les gendarmes doivent être mis au courant.

— Pourquoi ? reprit Virgile. Tu connais la chanson, c'est parole contre parole. Et au bout du compte, il n'est rien arrivé à Clémence.

— À part une grosse trouille !

— Comme argument juridique… En fait, Clémence est celle qui peut le mieux juger cet homme. Si elle estime que la crise est passée, qu'il a admis son échec et qu'il va quitter la région, elle a sans doute raison.

— Une simple hypothèse, parmi d'autres ! Quand je l'écoute me raconter cette scène surréaliste, j'ai l'impression qu'elle trouve à Étienne des circonstances atténuantes. Elle est tellement soulagée qu'il l'ait laissée partir !

— Et qu'il l'ait écoutée. Elle a pu lui dire ce qu'elle avait à dire. N'oublie pas que, depuis le début, il voulait parler avec elle. Rien d'autre, d'après lui. Maintenant qu'il a eu sa discussion, peut-être que…

— Ma parole, tu es prêt à l'absoudre !

— Bien sûr que non.

— Clémence elle-même a l'air de vouloir tourner la page, comme si tout ça n'avait pas eu lieu !

— Calme-toi, vieux, ou tu vas faire une sortie de route.

Lucas resta silencieux quelques instants, le temps de négocier un virage en épingle à cheveux qu'il avait abordé trop vite. Ils entendirent leurs casques s'entrechoquer à l'arrière.

— Et maintenant, reprit Lucas plus bas, Clémence refuse de quitter le chalet. L'appartement que lui a montré ta copine l'avait déjà passablement découragée.

— Ce n'est pas ma copine, hélas ! Enfin, pas encore... Mais je sais que ta femme était déprimée, après cette visite. Elle m'en a longuement parlé.

Virgile jeta un coup d'œil à Lucas et ajouta, ironique :

— Parce qu'elle me fait des confidences, figure-toi. Je suis son *ami*, et elle le sait.

— Oh, arrête ! On s'est déjà expliqué là-dessus. *Mea culpa*, d'accord ? Je suis content qu'elle ait un ami comme toi, bavardez autant que vous voulez.

— Merci.

— Mais si elle croit que tout est réglé, eh bien, je ne partage pas son optimisme ! Mes parents s'en vont demain et je frémis d'avance de la savoir seule.

— Elle était déjà seule, sur ce parking. Elle sera forcément seule de temps en temps. Tu peux faire venir sa famille. Jean et Antoinette seront ravis, néanmoins un jour ou l'autre ils rentreront chez eux. Et Clémence a le droit de vivre comme une femme normale, ni chapeautée ni assistée, parce que c'est une autre forme de surveillance.

— Voilà de belles paroles, Virgile, mais s'il arrivait quoi que ce soit à Clémence, à mes filles...

— Tu penses qu'Étienne pourrait devenir un assassin ?

— Je ne prends pas le pari.

— Pourtant, Clémence le prend. Elle a pleuré à cause du chalet, pleuré à l'idée de devoir abandonner le fruit de votre travail à tous les deux. Elle est révoltée de perdre ce qui est pour elle la preuve d'une réussite à la force du poignet. C'est aussi sa revanche sur une enfance passée dans des endroits moches, où elle n'était pas aimée. Avant d'atterrir chez Jean et Antoinette, tu sais bien qu'elle a été une gamine malheureuse et sans avenir. Ils l'ont aidée à reprendre espoir, mais ensuite, elle est tombée sur Étienne et elle a su très vite qu'elle dégringolait de nouveau. Jusqu'à toi. Et elle affirme qu'elle aurait volontiers vécu avec toi dans une grotte ou une cabane. Alors, notre chalet, elle le considère comme une somptueuse cerise sur le gâteau et elle ne supporte pas qu'on la lui vole. C'est en tout cas ce qu'elle m'a expliqué.

— Elle est plus bavarde avec toi qu'avec moi.

— Parce qu'elle ne veut pas que tu l'imagines trop attachée à un symbole, à des pierres et à des poutres. Elle est toujours prête à te suivre dans une cabane. Mais par sa faute, tu perdrais au change, et les filles aussi.

Mâchoire crispée, Lucas parut réfléchir. Il serrait tellement le volant que les jointures de ses doigts étaient blanches.

— Arrête-toi, je vais conduire, proposa Virgile en lui posant une main sur le bras.

Lucas se rangea sur le bas-côté, poussa un profond soupir et articula :

— Je ne parviens pas à digérer cette histoire.

— Il va bien falloir.

— J'aurais dû aller parler à Étienne moi-même. Puisqu'il voulait une « conversation », je lui en aurais servi une bien musclée !

— Tu te serais mis en tort, tu aurais balancé de l'huile sur le feu, et tu ne serais probablement pas sorti vainqueur.

— Que ferais-tu à ma place ?

L'intonation était quasiment agressive mais Virgile conserva un ton calme pour répondre.

— J'attendrais. Si Clémence ne se trompe pas, Étienne va s'en aller. Il est pervers, jaloux, violent… mais pas fou.

Ils descendirent du 4 × 4 et échangèrent leurs places.

— Donc, on ne fait rien ? insista Lucas, tandis que Virgile démarrait.

— Non.

— Et pour le chalet ?

— Non plus. Là aussi, attends. Quand tout sera redevenu normal, nous y repenserons tous les trois. On saura qui a envie de rester ou de partir et pour aller où. Ce sera peut-être l'occasion de redéfinir nos priorités. Depuis le début de l'hiver, les cartes ont été rebattues, chacun verra ce qu'il a dans son jeu.

Après un long silence, et alors qu'ils arrivaient à l'entrée du chemin menant au chalet, Lucas demanda :

— Dans ton jeu à toi, n'y aurait-il pas la dame de trèfle, une petite femme brune ?

— J'espère bien la découvrir, cachée derrière l'as de cœur !

Lucas semblait avoir retrouvé un peu d'insouciance et de gaieté, mais pour combien de temps ? Solide en toutes circonstances, il devenait plus fragile dès qu'il était question de Clémence. La sentir menacée et ne pas pouvoir la défendre le perturbait profondément.

Avant d'entrer dans le chalet, Virgile s'attarda quelques instants pour observer la façade. Les balustrades des balcons, les volets et les débords de toit avaient bien résisté à l'hiver. Chaque année, Lucas et lui consacraient un week-end ou deux à les recouvrir d'un mélange d'huile de lin augmentée d'un peu de térébenthine. L'occasion de quelques prises de bec, qui se terminaient toujours par des fous rires. Aussi attentifs l'un que l'autre à l'entretien du chalet, ils avaient appris de Christophe bien des secrets de bricolage. Ce dernier suggérait toujours à Virgile de préserver ses mains avec des gants, estimant sans doute qu'un chirurgien ne devait pas manier des outils aussi grossiers qu'une perceuse ou une scie sauteuse.

Philippine n'avait pas participé aux travaux de finition et d'embellissement qui les avaient beaucoup occupés au début. Elle prétendait n'avoir aucun don pour les travaux manuels, qu'en réalité elle détestait. Virgile, pour sa part, y trouvait les moments de détente et de complicité dont il avait besoin.

Philippine… Il se reprocha de n'avoir pas beaucoup pensé à elle depuis son départ, se bornant à espérer qu'elle allait bien. Devait-il lui envoyer un message affectueux, lui assurer qu'il souhaitait rester son ami et qu'elle pouvait compter sur lui ? Ce ne seraient que « de belles paroles », comme l'avait fait remarquer Lucas tout à l'heure. Et sans doute était-ce trop tôt pour reprendre contact avec elle. Lorsqu'elle serait apaisée, il lui ferait savoir qu'il ne l'oubliait pas et qu'elle occuperait toujours un petit coin de son cœur, en souvenir des bonnes années passées ensemble. Mais, même s'il essayait de s'en défendre, il ne pensait plus qu'à Chloé.

Aux mots qu'elle avait laissés sur sa boîte vocale. Elle évoquait un acheteur ferme pour le chalet, désirait en discuter avec lui. Un simple appel professionnel ? En tout cas, le ton manquait de chaleur. Pour ne pas avoir l'air trop pressé, il avait attendu le lendemain avant de la rappeler, mais sans succès. Et aujourd'hui, il n'osait pas le faire : elle souhaitait peut-être avoir la paix le dimanche.

Il tripotait malgré tout son portable, au fond de la poche de son blouson. Un SMS pouvait faire l'affaire. L'agence étant ouverte le samedi, elle ne devait pas l'être le lundi, et la perspective d'attendre jusqu'au mardi le décourageait. Il tergiversa un peu puis finit par envoyer un message proposant un rendez-vous le mardi ou le mercredi à l'heure du déjeuner, avec ou sans déjeuner d'ailleurs, mais c'était sa seule plage horaire disponible. Sauf si elle préférait un dîner, et dans ce cas il aurait tout son temps.

Lorsqu'il se décida à monter les marches du perron, une réponse laconique s'afficha sur son téléphone : « Mercredi à 13 heures, où vous voudrez. Cordialement. » C'était plutôt sec, mais il avait obtenu gain de cause.

Étienne regarda autour de lui pour vérifier qu'il n'avait rien oublié. Son bagage était peu encombrant, il savait voyager à la légère. Cent fois, il avait remué dans sa tête le face-à-face avec Clémence. Une Clémence qui n'était plus vraiment *sa* Clémence, et qui n'avait qu'enfants et mari à la bouche. Mais bon sang, c'était lui, son mari ! Le premier, et d'ailleurs le seul qui comptait, pour ceux qui croyaient aux bondieuseries.

Il s'étonnait encore de l'avoir laissée partir. Il avait pourtant eu envie, à un moment, de lui arracher ses vêtements et de la prendre de force sur la banquette. Qu'était-il arrivé, pour que son envie se dilue et s'éteigne ? L'avait-elle embobiné avec des mots lénifiants ?

Mais non, il la connaissait bien, elle ne savait pas mentir. Quand ils vivaient ensemble, elle préférait se taire et obéir. Une époque révolue. « Je suis devenue une autre femme. » Était-ce possible ? Lui n'avait pas changé, il restait amoureux d'elle. En plus, elle lui avait asséné des choses horribles ! « Je n'étais pas heureuse avec toi. J'avais peur de toi. J'étouffais. Pour nous deux, c'est fini, je ne reviendrai jamais. L'amour ne se commande pas. » Vraiment ? Il pouvait très bien commander, ordonner, la faire plier, pourtant il avait continué à l'écouter. Parce qu'elle avait avoué autre chose, aussi… Qu'elle ne l'avait pas trahi, à l'époque, qu'elle ne l'avait pas quitté pour le garagiste. Là non plus, à l'évidence, pas de mensonge. Pas davantage quand elle avait évoqué ses enfants. « Sans mes filles, je me laisserai mourir. » Probablement. Ce qui rendait impossible la reconquête. Où qu'il l'emmène, elle essaierait de s'échapper, ou ferait la grève de la faim, tomberait malade. Tout ce qu'il tenterait contre elle se retournerait contre lui. Elle ne resterait pas docilement en son pouvoir, pas en laissant un mari et des gamines derrière elle.

Donc, il était dans l'impasse. Furieux de son impuissance, et néanmoins assez lucide pour comprendre qu'elle ne lui avait pas tenu tête sottement mais avec une détermination farouche, sans la moindre faille. Elle se trouvait en quelque sorte hors d'atteinte. Il n'était même pas sûr de lui avoir fait peur. Avec quel aplomb elle avait affirmé qu'elle n'allait pas s'enfuir s'il acceptait de lâcher son poignet ! Un poignet fin, où palpitait une veine sous ses doigts… Mais à cet instant précis, il avait déjà capitulé. Il ne retrouverait jamais *sa* Clémence, celle de ses souvenirs, celle qui avait hanté ses nuits et ses jours depuis des années. Celle-là était morte, remplacée par une autre, au caractère bien différent.

Autant s'en aller. Des pays de montagne, ce n'était pas ça qui manquait. Ici, les gendarmes le surveillaient, il le sentait. Et sur ce parking, en regardant Clémence s'éloigner vers sa voiture, il avait deviné qu'elle n'irait pas le dénoncer aux autorités mais qu'en revanche elle se précipiterait dans les bras de son foutu garagiste.

Il ne voulait plus y penser. Ne pas recommencer en vain à bouillir de rage. Plutôt tracer sa route et mettre de la distance entre lui et cette femme qui n'était plus que son passé. Il n'était pas assez stupide pour ne pas comprendre qu'il avait pris des risques inouïs depuis qu'il était revenu dans la région. Les gendarmes ne le lâcheraient plus s'il commettait un faux pas supplémentaire, et il finirait avec un casier judiciaire. Le jeu n'en valait plus la chandelle. Foutue Clémence !

Ne prenant pas la peine de baisser le chauffage, il sortit du pavillon. Le proprio n'aurait qu'à régler la facture avec l'argent de la caution. Il s'en moquait. Il jeta son sac de voyage dans le coffre, décida qu'il rendrait sa voiture de location là où il arriverait, peu importait où.

— Tu t'imaginais quoi, mon gars ? Recréer un petit nid d'amour avec ta Clémence ? T'as vu dans quoi elle habite, aujourd'hui ? Atterris ! Elle s'est embourgeoisée, ta petite coiffeuse ! Lui faire des mouflets ? Elle en a déjà, elle les a fabriqués avec un autre, dès qu'elle s'est débarrassée de toi. Tu n'avais qu'à la retenir, refuser le divorce. Maintenant, c'est mort et enterré…

Accepter son échec serait difficile, il le savait, mais il n'avait plus le choix. Il devait mettre de l'espace entre elle et lui, beaucoup d'espace. Une question de survie. Se préserver de lui-même et des actes inconsidérés dont il pourrait encore avoir la tentation.

Il décida qu'il allait rouler au hasard, le plus longtemps possible. Descendre vers les Pyrénées ou remonter en direction du Jura. Trouver d'autres cols et d'autres vallées. Changer de vie. Foutue Clémence…

Le mardi soir, Chloé avait appelé Virgile pour décommander leur rendez-vous du lendemain. Elle s'était excusée, navrée du contretemps que lui imposait un client dans une affaire importante, et elle avait proposé une autre date. Virgile s'était engouffré dans la brèche, suggérant alors de remplacer le déjeuner prévu par un dîner. Pour la convaincre, il avait ajouté qu'il serait plus disponible et détendu en fin de journée, ce qu'elle avait fini par admettre sans enthousiasme, et ils étaient alors convenus de se retrouver à La Voûte, un restaurant du centre.

Arrivé le premier, Virgile eut tout loisir d'observer Chloé lorsqu'elle entra dans la salle. Comme lors de leurs précédentes rencontres, elle semblait n'avoir pas fait d'effort particulier. Elle portait une veste bleu marine de bonne coupe sur un chemisier blanc et un jean, avec une écharpe rouge vif négligemment nouée. Son seul maquillage était une touche de mascara sur les très longs cils qui bordaient ses grands yeux sombres. Virgile put de nouveau constater qu'il appréciait tout : le petit nez droit, les pommettes hautes, et le sourire poli qui ne tarderait pas à révéler les dents du bonheur.

— Merci d'avoir accepté ce dîner, dit-il en se levant.

— Vous êtes très persuasif, répliqua-t-elle avec une petite grimace.

— C'est vous qui m'avez contacté.

— Pas forcément pour partager un repas.

— Mais puisque vous êtes là, que diriez-vous d'une coupe de champagne ?

— Plutôt un kir à la mirabelle.

Il passa commande, choisissant la même chose qu'elle, et attendit que les verres soient posés devant eux.

— Avant tout, je vous renouvelle mes excuses pour la pénible scène de l'hôpital. Mais au moins, vous aurez pu constater que je suis seul dans la vie. Ce qui me donne le droit de vous poser la question à laquelle vous n'aviez pas répondu la dernière fois.

— À savoir ?

— Y a-t-il quelqu'un dans la vôtre ?

— Pourquoi tenez-vous à l'apprendre ?

— Pour vous faire la cour.

— Quelle expression désuète !

— Je ne peux pas avoir la prétention de vous séduire sur-le-champ, ni de vous charmer, vous n'êtes pas un serpent. Excusez-moi, je ne sais pas pourquoi j'ai dit ça, c'est ridicule.

— Vous savez le faire ?

— Quoi ? Charmer les serpents ? Non ! C'est une autre expression désuète…

— Bon, alors venons-en à votre amie, votre ex, puisque j'ai fait sa connaissance malgré moi. Qu'avez-vous bien pu lui raconter pour qu'elle soit jalouse de moi ?

— Elle a des yeux pour voir… Quant à la jalousie, j'ai l'impression d'en avoir fait une cure, ces temps-ci.

Elle esquissa un autre sourire, plus spontané que le précédent.

— À propos, comment va Clémence Vaillant ?

— Mieux que personne n'aurait pu l'imaginer. Elle s'est offert une véritable explication avec le fou qui la poursuivait et qui a failli l'enlever sur un parking de supermarché.

— Oh, la pauvre ! Et alors ?

— Il l'a finalement libérée. Sans doute parce qu'il n'est pas tout à fait fou. Maintenant, elle semble croire que le problème est réglé.

— Est-ce qu'il l'est ?

— Je l'espère.

— En conclusion, vous ne vendez plus votre chalet ? Si c'est le cas, vous auriez très bien pu m'en informer par téléphone !

— Ne vous fâchez pas. On n'est pas si mal que ça, dans ce restaurant. Regardez la carte, il y a plein de bonnes choses. Par exemple un tartare de saumon, ou un…

— Pour moi, ce sera un croustillant au chèvre.

— Parfait. Et ensuite ?

— Magret de canard.

— Eh bien, voilà, on va se régaler ! Un peu de vin ?

— Un verre de pouilly.

Il fit signe à la serveuse et lui indiqua leurs choix. Lorsqu'ils furent de nouveau seuls, il reprit la parole.

— Pour le chalet, c'est Clémence qui ne veut pas vendre.

— J'aurais parié que c'était plutôt vous.

— Perdu. Mais à vrai dire, même si ça reste confus pour nous, avoir évoqué l'éventualité de ne plus habiter ensemble cet endroit qu'on adore a en quelque sorte ouvert une boîte de Pandore. Nous ne nous étions jamais posé la question d'une séparation. Je cohabite avec Lucas depuis si longtemps ! Peut-être trop longtemps.

— Vous êtes fâchés ?

— Non ! Mais est-ce un bon mode de vie ? À quatre, l'équilibre se faisait à peu près, seulement aujourd'hui, nous sommes trois. Trois adultes, avec deux enfants auxquelles je me suis trop attaché et qui ne sont pas les miennes. Lucas pourrait trouver que finalement…

Il laissa sa phrase en suspens, ne sachant comment l'achever.

— Sans doute n'y pense-t-il pas, enchaîna-t-il. Toutefois, Clémence n'a aucune raison de faire la cuisine pour moi ou de balayer mes miettes.

— Vous n'avez qu'à vous y mettre, ironisa-t-elle.

— J'essaye. Mais c'est bancal. Partager une coloc entre hommes était différent. Un truc de jeunesse.

— Pourquoi avez-vous récidivé avec une copropriété ?

— Parce que nous sommes tombés amoureux du chalet. Ni l'un ni l'autre ne pouvions l'acheter de notre côté, il était trop grand, trop cher, il restait trop de bricoles à terminer. Ensemble, ça devenait possible, et la perspective de se retrouver sous le même toit nous amusait beaucoup.

— Et maintenant ?

— La vie change. Rien n'est jamais immuable. Peut-être devrions-nous nous installer chacun de notre côté, tout en restant très proches. Mais c'est aussi une question de moyens. Comment retrouver autant d'espace, de confort ? Nous jouissons d'une vue imprenable, d'un lieu dont nous avons pensé chaque détail… Habiter à plusieurs est une contrainte qui, paradoxalement, offre aussi plus de liberté, grâce à l'entraide.

Chloé avait abandonné son air réservé et paraissait réellement intéressée par ce qu'il disait. Puis soudain, elle éclata de son rire communicatif.

— Si je comprends bien, je vais devoir chercher deux chalets aux jardins mitoyens ? Vous croyez au père Noël !

— Je vous rappelle que nous n'avons toujours rien décidé et que nous sommes les clients les plus versatiles de toute votre carrière.

— Ma carrière immobilière est très récente mais, en effet, j'espère ne pas en rencontrer beaucoup dans votre genre. Vous possédez un bien exceptionnel, que vous pouvez vendre aujourd'hui avec une belle plus-value, et vous continuez d'hésiter, par peur du changement. J'ai un client ferme, qui ne discutera pas le prix, pourtant j'ai l'impression que vous allez laisser passer cette occasion…

Elle termina son croustillant, repoussa son assiette et planta son regard sombre dans celui de Virgile.

— Si nous avons fait le tour de cette histoire de vente fantôme, nous pouvons passer à d'autres sujets. Par exemple, pourquoi ne pas me dire ce que vous attendez de moi, à titre personnel ?

— Je croyais avoir été clair. Vous me plaisez infiniment. Laissez-moi la possibilité de vous apprivoiser un peu.

— Encore un mot étrange. J'ai l'air sauvage ?

— Bardée de défenses, non ?

— Peut-être, mais les hommes ne sont pas tous fiables, mieux vaut se préserver des mauvaises surprises.

— Quitte à se priver des bonnes ?

De nouveau, elle eut ce rire si gai qui le charmait.

— Vous ne savez pas draguer, constata-t-elle d'un ton désinvolte. Je suppose que vous n'en avez jamais eu besoin. Prestige du chirurgien !

— Je n'ai pas choisi mon métier pour cette raison. Un autre verre de pouilly ?

— Vous voulez me faire boire ? Je ne suis pas facile à soûler, l'armée m'a blindée. Va pour le pouilly.

La serveuse leur apporta les verres en même temps que les magrets de canard, et elle adressa un clin d'œil discret à Chloé. Virgile l'ayant remarqué, il murmura :

— Cette jeune femme nous croit en plein dîner romantique…

— Il en faudra davantage pour me convaincre ! lança Chloé.

Sa gaieté prouvait au moins qu'elle ne s'ennuyait pas. Mais serait-ce suffisant pour obtenir un autre rendez-vous ?

— Que faites-vous de vos loisirs ? voulut-il savoir.

— Je dessine beaucoup, j'adore ça. Je nage, je fais du fitness et je cours avec mon frère, pour entretenir ma condition physique.

— Le dessin, pourquoi ?

— J'ai pris pas mal de cours quand j'étais jeune. Mes parents m'avaient acheté une belle boîte de Caran d'Ache et je tenais à m'en servir. Après, j'y ai pris goût, j'ai progressé. J'ai lâché les crayons de couleur pour passer à la mine de plomb et au fusain.

— Vous ne vouliez pas en faire votre métier ?

— Il a fallu que je gagne ma vie assez vite. Après le décès de mes parents, j'ai touché juste assez d'argent pour me payer des études solides. Dessinatrice n'était pas un programme sérieux. Mais c'est resté mon hobby, je me fais plaisir.

— Quel âge aviez-vous lorsque vous avez perdu vos parents ?

— Je venais d'avoir vingt ans.

Virgile n'osa rien ajouter. Il la contemplait, oubliant de manger. Lorsqu'il en prit conscience, il eut beau fouiller dans sa mémoire, jamais il n'était resté aussi béat devant une femme. Avant d'être complètement ridicule, il avala quelques bouchées de canard.

— Et vous, Virgile, à quoi consacrez-vous votre temps libre ?

— À skier, dès l'ouverture des stations et jusqu'à leur fermeture. Ski alpin, ski de fond : Lucas et moi sommes passionnés.

— Mais vous n'êtes pas d'ici ?

— Non, parisiens tous les deux. Nous ne venions qu'en vacances, et durant l'un de nos séjours, pour occuper une fin d'après-midi en attendant d'aller manger une raclette, nous avons eu l'idée de nous faire couper les cheveux. Lucas et Clémence se sont regardés, et nos existences ont basculé. Il s'est installé à Gap le premier, pour être avec elle. Plus tard, un poste s'est libéré à l'hôpital et j'ai saisi l'occasion de les rejoindre.

— Vous avez quitté Paris sans états d'âme ?

— Aucun. J'étais en désaccord avec ma famille, Lucas me manquait, la montagne aussi.

— C'est aussi simple que ça ?

— Rien ne l'est jamais tout à fait. Mais je n'ai pas regretté mon choix.

— Et que faites-vous l'été, quand vous avez rangé vos skis ?

— Des randonnées, de la photo. De temps en temps, nous partons nous défouler sur un circuit automobile avec nos 4 × 4, ou bien nous y prenons des cours de pilotage. Mais il faut faire près de cent cinquante kilomètres pour rejoindre celui du Grand Sambuc.

— Gap est dans un trou de la carte. Qu'on veuille descendre à Aix ou monter à Grenoble, les grandes villes sont loin.

— Ce qui explique le succès de notre centre hospitalier et la manière dont il s'est développé. Sinon, je lis beaucoup, et pas uniquement des parutions médicales puisque je suis amateur de polars ! Enfin, pour compléter le tableau afin que vous ayez toutes les cartes en main, je rêve d'avoir un chien… et bien sûr des enfants, c'est ma pire frustration.

— De quelles cartes parlez-vous ?

— Celles dont vous avez besoin pour porter un jugement.

Chloé le dévisagea avec curiosité, sans sourire cette fois.

— Vous êtes assez… surprenant, dit-elle enfin.

— Je le prends comme un compliment.

— Pas sûr…

Elle paraissait un peu déstabilisée, et elle refusa le dessert ou le café qu'il proposait. Sans insister, il alla régler la note tandis qu'elle enfilait son manteau. Sur le trottoir, en sortant, il posa la question qui lui tenait à cœur.

— Je peux vous rappeler dans quelques jours ? À titre personnel, évidemment.

— Je le ferai moi-même. Je préfère.

Elle faillit lui tendre la main, se ravisa et se mit sur la pointe des pieds pour lui déposer un baiser furtif sur la joue. Sans un mot de plus, elle s'éloigna d'un pas vif et ne se retourna pas une seule fois.

Clémence vaporisa un nuage de laque sur les cheveux de sa cliente, puis positionna une glace ronde derrière elle pour qu'elle puisse voir aussi sa nuque dans le miroir d'en face.

— Parfait ! La couleur, la coupe… Je suis ravie, je trouve que ça me rajeunit.

Apparemment très satisfaite du résultat, elle donna un généreux pourboire à Sonia avant de quitter le salon.

— Descendons grignoter quelque chose, proposa Clémence. Le prochain rendez-vous n'est que dans une demi-heure, et si personne ne se présente entre-temps, on sera tranquilles.

La journée s'annonçait fatigante, comme si le printemps donnait envie à toutes les femmes de changer de tête. Elles gagnèrent le sous-sol, où régnait un certain désordre.

— Et dire que je me promets chaque matin de ranger ce fourbi ! s'agaça Clémence.

— Si tu veux, on s'y met lundi prochain, je te donnerai un coup de main.

L'offre était généreuse, le lundi étant leur jour de congé.

— On va faire un coin pour tes filles, elles y feront leurs devoirs les jours où tu ne pourras pas faire autrement que les emmener ici après l'école.

— Avec une table et deux tréteaux, on peut leur préparer un bureau.

— Et on prend deux des vieux fauteuils du salon, ceux qu'on a entassés là-bas au lieu de s'en débarrasser.

— Mais on conserve notre espace cuisine de l'autre côté, avec le micro-ondes et le petit frigo.

— Il suffira d'apporter une jolie lampe, des affiches… Ce sera très cosy !

Ravies de leur idée, elles mirent une pizza à chauffer. Pour ne pas fermer le salon à l'heure du déjeuner, elles se contentaient de grignoter, parfois ensemble, parfois à tour de rôle. Leur précédent apprenti s'étant révélé aussi paresseux qu'incompétent, elles en attendaient un nouveau pour la semaine suivante mais, pour le moment, elles devaient tout assumer à elles deux.

— Tu sais que je ne peux pas m'empêcher de regarder encore dans la rue ? dit Sonia en ouvrant un Tupperware contenant quelques crudités.

— Je crois qu'il est parti.

Sonia devina une nuance d'hésitation dans la voix de Clémence.

— Tu crois ou tu es sûre ?

— Je ne peux pas l'être à cent pour cent.

— Mais tu prends le risque.

— Comment faire autrement ? Quand je rentre avec les filles, le soir, je regarde sans arrêt dans mon rétroviseur, et si une voiture arrive derrière moi, j'ai une bouffée d'angoisse. Une fois au chalet, je ne m'arrête jamais devant le perron, je descends directement au garage, j'actionne la télécommande et j'attends que la porte soit refermée avant de sortir de la voiture. Pour que les filles ne s'inquiètent pas, j'invente des jeux idiots.

— Comment peux-tu vivre avec cette inquiétude permanente ?

— Je ne le laisserai pas gagner ! Il ne m'aura pas, il ne me détruira pas, ni tout ce que j'ai réussi à construire. Mon mariage, mes jumelles, la clientèle du salon, cette bonne vie que je bénis chaque matin… Eh bien, il ne me prendra rien, je me le suis juré ! Quand je me suis retrouvée contre lui, coincée sur la banquette arrière, j'ai pensé que ça finirait mal, que je n'étais pas de taille à lui tenir tête. Des tas de souvenirs sont remontés d'un coup à la surface. J'ai ressenti la peur qu'il m'inspirait quand nous étions mariés, et je me suis rappelé ma lâcheté d'alors. Un lapin pris dans les phares ! Je ne voulais pas revivre ça. Le courage m'est venu quand j'ai osé parler de Lucas, de mes filles, quand je lui ai dit en face qu'il ne comptait plus pour moi.

— Avait-il espéré le contraire ? s'indigna Sonia.

— Oui ! Il est revenu avec cette idée fixe que notre histoire n'était pas terminée, qu'il pourrait la reprendre où je l'avais arrêtée. Mais il a beau être obsédé, la vérité s'est frayé un chemin malgré tout. Je l'ai senti fléchir. Et je suis presque certaine qu'il n'est plus là, même si j'ai tout le temps besoin de le vérifier.

La sonnette de la porte tinta, à l'étage au-dessus, et Sonia avala en hâte sa dernière bouchée.

— J'y vais, annonça-t-elle.

Clémence avait trop parlé pour penser à manger, aussi dut-elle remettre sa part de pizza dans le micro-ondes. Regardant autour d'elle le désordre du sous-sol, elle imagina la sorte de salle d'étude qu'elle allait y arranger pour ses filles. Elles y seraient à l'abri pendant qu'elle s'occuperait des clientes en fin de journée. Le salon se développait, et elle ne pouvait pas laisser tout le travail à Sonia. C'était son affaire, elle avait eu du mal à la monter, à l'empêcher de péricliter lors de son mariage avec Étienne, à s'y maintenir au moment de la naissance des jumelles et de toutes les nuits blanches qui avaient suivi, à affronter le poids des charges, les mauvais apprentis et les saisons creuses. Ce combat-là, elle l'avait gagné. Et celui qu'elle venait de livrer à Étienne aussi. La petite Clémence, partie de rien, avait tenu bon. Elle eut soudain une pensée reconnaissante envers Jean et Antoinette, qui avaient su la réconcilier avec la vie alors qu'elle était arrivée chez eux comme un petit chat famélique et apeuré. Ils lui avaient redonné confiance et elle s'était enfin permis d'espérer. Elle leur devait son CAP de coiffeuse et l'acquisition de ce modeste salon. Même si elle les avait remboursés depuis longtemps, elle aurait toujours une dette envers eux. Avec un sourire attendri, elle prit son portable pour envoyer un long SMS à Antoinette, lui réaffirmant qu'elle et son mari seraient toujours les bienvenus. Mais elle ne les appelait pas à l'aide et les laissait libres de venir quand ils en auraient envie, peut être durant l'été selon leur habitude.

Une nouvelle fois, la sonnette du magasin tinta, et Clémence grimpa l'escalier quatre à quatre.

À son tour, Chloé haussa le ton, exaspérée par l'agressivité de son client. Non, elle n'avait pas un autre bien similaire à lui proposer, en tout cas pas pour l'instant, et qu'il fasse donc le tour de toutes les agences de la région s'il le souhaitait. Obtenant en réponse quelques propos cinglants, elle finit par raccrocher après une vague formule de politesse. Elle se fit aussitôt le reproche de manquer de patience, un mauvais point pour le commerce. Mais les gens étaient parfois si têtus et si arrogants ! Ils cherchaient tous le mouton à cinq pattes, pas cher de préférence, sans tenir compte des lois du marché. Ils surestimaient ce qu'ils avaient à vendre, et sous-estimaient ce qu'ils voulaient acheter.

Elle se leva, s'étira, fit le tour de son bureau. Pourquoi, depuis quelques jours, éprouvait-elle l'impression pénible d'être prise au piège ? D'abord, il y avait Damien, et cette association qu'il avait proposée. Elle n'était pas mécontente d'avoir accepté, mais il lui avait un peu forcé la main. Entre l'aider de façon ponctuelle et se retrouver embarquée dans l'affaire avec un partage réel des responsabilités, il existait une grande marge, qu'elle avait franchie. Jamais elle n'avait pensé devenir agent immobilier, c'était la vie de son frère, pas la sienne. Néanmoins, le travail lui plaisait et présentait de gros avantages, comme celui de se fixer à Gap, près de son frère, qui était sa seule famille. Ayant toujours été bienveillant avec elle, il n'allait pas se transformer en associé hargneux ! Ils se complétaient et leur collaboration pouvait devenir fructueuse. Malgré tout, elle n'avait pas décidé elle-même, elle n'avait pas choisi. Il en allait de même pour Virgile. Cet homme avait jeté son dévolu sur elle. Lors de leur première rencontre, quand il avait franchi la porte de l'agence, elle ne lui avait pas prêté une attention particulière, elle s'était concentrée sur les photos du chalet, épatée par le charme de cette construction assez exceptionnelle. Flairant une vente hors norme, alors qu'elle n'était dans l'agence que pour remplacer une négociatrice absente, elle s'était montrée aimable mais n'avait rien fait pour lui plaire. L'armée lui avait d'ailleurs appris à ne pas jouer de sa séduction, ni se laisser impressionner par un beau physique. Elle était donc restée indifférente. Mais pas lui, ainsi que l'avaient prouvé leurs rendez-vous suivants.

Damien l'avait choisie, Virgile l'avait choisie, elle ne décidait donc plus de rien ? Elle s'était fixé comme règle de mener sa barque sans se laisser distraire, de ne décider qu'en fonction d'elle-même et jamais des autres, de ne pas céder à la facilité d'opportunités parfois mensongères. Alors, que lui arrivait-il ?

Le récent dîner avec Virgile avait cependant été agréable. Il semblait sincère, aimait bavarder à propos de tout et de rien, riait volontiers. À moins qu'il ne soit un excellent comédien, il avait paru intéressé par tout ce qu'elle disait. Combien d'hommes savaient écouter ? Se pouvait-il qu'il soit différent ? Son métier le rendait-il plus concerné par les autres ? En tout cas, il était fidèle en amitié, sa manière de faire référence à Lucas était sans équivoque. Elle n'avait pas voulu courir le risque du fameux *dernier verre*, filant assez vite après le dîner pour lui ôter la possibilité de tenter une quelconque approche. Pas de flirt intempestif, pas de rendez-vous programmé. Elle devait encore y réfléchir, et comprendre pourquoi un chirurgien de son âge, sympathique et doté d'un intense regard bleu saphir, était encore célibataire. Durant la visite de l'hôpital, elle avait bien vu que toutes les femmes du personnel soignant fondaient littéralement devant lui. Difficile de croire qu'il n'avait jamais craqué pour l'une d'entre elles, Philippine ou pas. Et la phrase de cette dernière résonnait toujours : « N'espérez pas être aimée, il ne sait pas ce que c'est ! » Malgré la colère, il pouvait y avoir un fond de vérité dans ce jugement. Si c'était le cas, pourquoi se lancer dans l'aventure ? Évidemment, Virgile ne lui déplaisait pas, mais il n'avait pas provoqué le coup de cœur qu'elle semblait avoir déclenché chez lui et qui demeurait incompréhensible. Elle n'était pas d'une beauté à faire tomber les hommes à la renverse. Quand elle s'examinait dans la glace le matin, elle se trouvait mignonne, sans plus, et on ne se retournait pas sur son passage.

— On verra bien…, se chuchota-t-elle à elle-même.

Prudente, elle l'avait toujours été et comptait le rester. Elle avait tout son temps. À son retour à l'agence, elle se mit à rédiger une note au sujet du très désagréable client du matin.

10

Virgile et Lucas avaient remis leurs blousons, mais ils étaient bien décidés à rester sur le balcon qui entourait le premier étage. De là, la vue sur la vallée était splendide, et le soleil couchant embrasait tout le paysage d'une lumière rose.

— Je t'avais dit qu'on aurait froid, rappela Virgile en relevant son col.

— Ne boude pas ton plaisir, c'est le premier apéritif dehors de la saison, vive le printemps !

Lucas avait sorti une petite table pliante sur laquelle étaient posés leurs verres, une bouteille de vin blanc suisse et un bol d'amandes grillées.

— Clémence ne va pas tarder à planter quelques fleurs.

— Pas tout de suite, insista Virgile. Il peut encore y avoir de bonnes gelées matinales début mai.

— Rabat-joie… Tu vas rester morose tant que Chloé ne t'aura pas donné de nouvelles ?

Virgile leva les yeux au ciel en souriant faiblement.

— J'aimerais bien en avoir, admit-il.

— Euphémisme ! Tu regardes ton portable vingt fois par soir. D'ailleurs, tu l'as dans la main.

— Je ne suis pas sûr qu'elle ait envie de me revoir.

— Disons qu'elle prend son temps. Et puis, au pire, on ne peut pas gagner à tous les coups.

— Si ma mémoire est bonne, tu n'aurais pas aimé perdre avec Clémence.

— C'est juste. Tu es mordu à ce point-là ?

— J'en ai peur. Tout en trouvant ça… fantastique ! Être amoureux me met dans un état second. À la fois sur un nuage et fébrile. Je ne pensais pas que je pouvais succomber de cette façon.

— Mais tu es incapable de m'expliquer ce qu'elle a de si particulier.

Virgile hésita puis secoua la tête sans arriver à trouver les mots. Lucas prit les verres et lui en tendit un.

— Admettons que ça marche entre vous, que l'histoire devienne sérieuse. Que feras-tu ?

— Dans l'idéal ? Mariage, lune de miel, enfants.

— Ma parole, tu deviens fleur bleue !

— Il y a de quoi. Elle est jolie, bourrée de charme, intelligente, déterminée…

— Et sur ses gardes, apparemment. Revenons-en à ma question. On a beaucoup débattu à propos du chalet, sans arrêter une décision. Je te souhaite d'arriver à fonder ta famille avec Chloé puisque tu le veux tellement, mais à ce moment-là…

— À ce moment-là, on avisera, trancha Virgile. Pour l'instant, ta femme a choisi de rester, et je n'ai pas l'intention de la contrarier.

— Tu donnes toujours raison à Clémence. Je devrais mal le prendre.

Lucas l'avait dit pour plaisanter, mais Virgile répliqua :

— Tu l'as déjà mal pris, comme un gros débile que tu es.

Pour atténuer son propos, il envoya une bourrade amicale dans l'épaule de Lucas, qui renversa la moitié de son verre.

— Brute !

Leur attention fut attirée par une voiture qui venait de s'engager sur le chemin du chalet.

— On attend quelqu'un ? demanda Lucas.

— Pas que je sache.

La voiture se rangea devant le perron, et à la stupeur de Virgile, ce fut Laetitia qui en descendit. Il la héla alors qu'elle claquait sa portière.

— Bonsoir, Laeti ! Quelle bonne surprise…

Il lui fit signe qu'il descendait, mais quand il arriva au rez-de-chaussée, Clémence avait déjà accueilli Laetitia.

— Tu es toute seule ? D'où viens-tu ? dit-il en embrassant sa sœur.

— J'arrive de Genève.

— Pourquoi ne m'as-tu pas appelé pour me prévenir ? En tout cas, je suis ravi que tu sois là. Tu restes dîner et dormir, je suppose ?

Elle se contenta de hocher la tête en se mordant les lèvres. Virgile remarqua sa pâleur, ses yeux cernés et son air perdu. Soudain inquiet, il la prit par le bras et la conduisit jusqu'à l'un des canapés, devant la cheminée.

— Viens t'asseoir. Qu'est-ce qui se passe ? Il y a une mauvaise nouvelle ?

Il songea à leurs parents, mais elle n'aurait pas fait le voyage s'il leur était arrivé quelque chose, elle aurait téléphoné. Il s'agenouilla devant elle, lui prit les mains.

— Laetitia ?

Voyant qu'elle restait silencieuse, Clémence et Lucas s'éclipsèrent, sous prétexte d'aller surveiller le bain des jumelles.

— Vas-y, l'encouragea gentiment Virgile, dis-moi ce qui t'arrive.

Elle avait le même regard bleu pailleté d'or que lui, mais il était plein de larmes.

— J'ai rompu mes fiançailles, il n'y aura pas de mariage, souffla-t-elle.

— Pourquoi ?

— J'ai… Oh, comment t'expliquer ça ? Mon Dieu, c'est fou ! J'ai rencontré quelqu'un. Quelqu'un d'autre.

Il la scruta, stupéfait. Son mariage programmé avec un Suisse travaillant dans le domaine bancaire avait paru si évident que personne ne s'était posé de questions.

— Quelqu'un ? répéta-t-il.

— Un garçon merveilleux. Très… différent. Il s'appelle Marc. Je suis amoureuse, Virgile ! Et je ne l'avais jamais été, je m'en suis enfin rendu compte. Alors, j'ai rendu ma bague de fiançailles à Gérald et j'ai filé.

— Waouh… Filé où ?

— Chez Marc. Ça te choquerait si je t'avouais qu'on a passé trois jours sous la couette ?

— Pas du tout. Et puis ?

— Papa n'arrêtait pas de me laisser des messages sur mon portable. Gérald lui avait raconté les choses à sa manière. Remarque, il n'y a qu'une façon de les dire. J'ai fini par rappeler papa et ça a été épique ! Il est tellement furieux qu'il me fait licencier. Il ne veut plus me voir à la banque, plus me voir du tout tant que je n'aurai pas « repris mes esprits ».

— Pourquoi ?

— Parce que Marc est d'un milieu très… modeste.

— Que fait-il ?

— Même à toi, j'ai du mal à le dire.

Virgile se mit à rire et se releva.

— Je te sers un verre ? Tu as l'air d'en avoir besoin. Et tu vas tout me raconter, d'accord ? Tu sais, pour moi, que ton Marc soit tatoueur ou montreur d'ours, ce n'est pas un problème.

— Mais pour papa, tu imagines ? En fait, Marc est moniteur dans un centre équestre.

— Un cavalier, donc ?

— Oui, mais seulement employé et mal payé. Il habite au centre, dans une chambre au-dessus des box.

— Elle est là, sa couette ? rigola Virgile.

— Si tu trouves ça drôle, moi pas. Je n'ai pas ton caractère, je n'ai jamais pu affronter papa.

— Je sais. Et tu as toujours tout fait pour lui plaire, pour te conformer à ce qu'il attendait de toi, à ce qu'il avait décidé pour toi. D'autant plus qu'il avait échoué avec moi et qu'avec toi, il tenait sa revanche.

Il lui tendit un petit verre de cognac, qu'elle avala d'un trait.

— Bon. Qu'y a-t-il de si terrible à être moniteur d'équitation ? Je suppose qu'il est beau à cheval ?

Son ton joyeux finit par arracher un sourire à Laetitia. Elle avoua la suite d'une traite.

— Gérald a un cheval dans ce club hippique, c'est comme ça que j'ai rencontré Marc. Tu vas trouver ça bête mais j'ai subi un vrai coup de foudre.

— Je comprends parfaitement, crois-moi.

— J'ai pris des cours avec lui, on s'est vus tous les matins, et entre nous l'attirance est devenue irrésistible. Voilà.

— Pourquoi n'es-tu pas avec lui en ce moment ?

— Parce que Gérald a fait tout un scandale et que Marc a été viré.

— Oh, là, là…

— Maintenant, il cherche une autre place, alors il est parti écumer tous les clubs de la région. Il refuse de rester sans boulot. Les chevaux comptent énormément dans sa vie.

— En somme, vous êtes au chômage tous les deux ?

— Pour l'instant. En ce qui me concerne, j'ai quelques économies, et je retrouverai facilement du travail, à peu près n'importe où.

— Eh bien, l'avenir n'est pas si sombre ?

— Je ne veux pas me brouiller avec les parents. J'ai déçu papa et je pense avoir fait beaucoup de peine à maman.

— Mais tu es heureuse ?

— Oui ! Culpabilisée, inquiète, mais *très* heureuse. Marc m'appelle matin et soir, on se manque déjà beaucoup. Si ça ne te gêne pas trop, j'aimerais attendre ici.

— Évidemment ! Tu es chez toi.

— Que vont penser Clémence et Lucas ?

— À quel propos ? C'est ta vie, chérie ! Et que tu viennes te réfugier chez ton frère en cas de problème, quoi de plus naturel ? De toute façon, ils seront adorables avec toi.

— Et les parents ? Ils vont finir par avoir l'idée de t'appeler.

— Ne t'inquiète pas, je leur répondrai.

— Gentiment ?

— En fonction du ton employé.

Elle voulut protester mais y renonça. Venant chercher de l'aide auprès de Virgile, elle ne pouvait pas lui dicter sa conduite, mais elle savait que l'antagonisme entre père et fils risquait de se raviver à cause d'elle.

— Je vais t'installer dans une chambre d'amis. Tu as des bagages ?

— Juste un sac de voyage dans le coffre. J'ai loué une voiture à Genève, il faudra que je la rende.

— On s'en occupera demain. Je récupère ton sac et on monte faire le lit ensemble.

Clémence, qui descendait prudemment l'escalier de peur de les déranger, avait entendu les dernières phrases et elle s'exclama :

— Je m'en charge !

Les jumelles, derrière leur mère, semblaient dévorées de curiosité en examinant la visiteuse.

— Vous vous souvenez de ma petite sœur, les filles ? leur lança Virgile.

— Laetitia ? dit timidement Émilie.

— Laetitia, répéta Julie.

Pour la première fois depuis son arrivée, Laetitia eut un vrai sourire.

— Qu'elles sont mignonnes !
— Et championnes de ski, ajouta Virgile.
Sa sœur était soudain plus détendue, et Virgile se sentit reconnaissant envers Clémence. Les deux femmes allaient bien s'entendre, il n'en doutait pas.

Après une discussion avec son chef d'atelier au sujet de l'hivernage des pneus neige de certains clients, Lucas regagna le hall d'exposition. Globalement, la saison qui s'achevait avait été assez bonne pour le chiffre d'affaires. Seul concessionnaire Land Rover dans la région, les amateurs de 4 × 4 performants venaient tous chez lui malgré une gamme de prix assez élevée. Et il se félicitait chaque jour de travailler dans cet environnement de véhicules d'exception. Comme Clémence, il était conscient d'avoir réussi son parcours professionnel, et mieux encore, sa vie sentimentale puis familiale. Seule ombre au tableau, l'irruption d'Étienne. Mais la menace semblait s'être éloignée, selon Clémence. Devait-il y croire lui aussi ? La conviction de sa femme reposait sur le face-à-face qu'elle avait dû subir au bout d'un parking et dont elle pensait qu'elle était sortie gagnante. Peut-être. Après tout, elle connaissait Étienne mieux que personne. D'ailleurs, elle péchait rarement par excès de confiance, et jamais elle n'aurait mis leurs filles en danger sans une certitude. Lucas n'avait pas d'autre choix que s'incliner. Le faisait-il parce que, au fond, considérer l'histoire comme réglée l'arrangeait ? Ne rien changer à une vie qui lui convenait parfaitement était un véritable soulagement, même si une petite inquiétude perdurait et ne disparaîtrait sans doute pas avant un certain temps. Au moins, l'hiver touchait à sa fin, les jours avaient beaucoup rallongé et les routes n'étaient plus enneigées.

Il vérifia ses courriels, constata avec satisfaction que la livraison d'un Discovery Sport en commande depuis trois mois était enfin annoncée. Et qu'il ne tarderait plus à recevoir les brochures et la documentation relatives au nouveau Range Rover Velar, un modèle avant-gardiste riche de technologies intégrées. De quoi satisfaire les plus exigeants et réaffirmer l'image de la marque qu'il défendait.

Égayé par ces nouvelles, il se mit à aller et venir entre les modèles exposés. La présence de Laetitia au chalet, qui l'avait d'abord étonné, l'amusait, maintenant qu'il en connaissait la raison. La petite Laetitia, si prude et si sage ! Elle qui, jeune fille, regardait Lucas d'un air réprobateur pour imiter sa maman. Autant Virgile était bien accueilli chez les Vaillant, autant Lucas était quasiment indésirable chez les Decarpentry. Leurs parents respectifs ne s'étaient rencontrés que très rarement et sans sympathiser, séparés par des barrières sociales dont Virgile ne tenait aucun compte. Laetitia avait voulu marcher dans les traces familiales, et pour se conformer au diktat paternel, elle n'avait plus rencontré son frère qu'en cachette, avant de se choisir un fiancé convenable. Tout ça venait de voler en éclats, tant mieux pour elle ! Les tabous étant tombés, elle aurait sans doute une vie plus passionnante et plus heureuse. Et bien sûr, elle pouvait compter sur son frère qui allait, de façon très paradoxale, se retrouver à faire tampon entre sa sœur et ses parents. En attendant, Clémence se mettait en quatre, avec sa gentillesse habituelle, pour que Laetitia se sente à l'aise au chalet. Elle avait une façon bien à elle de pratiquer l'hospitalité, devinant quelle petite attention pouvait faire plaisir. Par sa simplicité et sa gaieté, elle savait détendre l'atmosphère pour la rendre cordiale. Moins sophistiquée et plus empathique que Philippine, elle recevait toujours famille ou amis avec bonheur. Ne pas avoir eu de vrai foyer durant son enfance lui donnait sans doute envie de rendre le sien chaleureux, et elle y parvenait. D'ici peu, Laetitia aurait l'impression d'être chez elle.

Cessant de tourner autour des voitures, il gagna le petit bureau de sa secrétaire, qui était en train de classer des dossiers.

— Vous me rappelez de plus en plus ma mère, Élise ! Ma mère il y a vingt-cinq ans, bien entendu.

Élise leva les yeux au ciel, amusée, mais la réflexion n'était pas nouvelle.

— À vous entendre, ironisa-t-elle, vous êtes quasiment né dans un garage.

— En tout cas, c'est là que j'ai passé mes meilleurs moments. Je n'aimais pas beaucoup l'école. Sans Virgile, je crois que j'aurais tout arrêté avant le bac.

— Le docteur Decarpentry était donc votre ange gardien.

— Surtout mon meilleur copain. Au lycée, j'ai pas mal pompé sur lui, avec son accord.

Élise enferma le dernier classeur dans une armoire métallique. Même si elle maîtrisait bien l'informatique, elle jugeait nécessaire de conserver, à l'ancienne, une version papier, arguant qu'une machine pouvait toujours vous lâcher à cause d'un virus. Lucas se moquait d'elle, sans pour autant lui donner tort.

— Si le bilan de cet hiver se confirme, annonça-t-il, vous allez avoir droit à une prime.

— C'est bien ce que j'espérais, car je connais nos chiffres aussi bien que vous.

Il salua sa réponse d'un petit rire joyeux et lui conseilla de rentrer chez elle. En la regardant partir, il songea encore une fois à sa mère. Au dévouement dont elle avait fait preuve durant les semaines passées au chalet, à l'amour inconditionnel qu'elle portait à ses petites-filles, à la gentillesse dont elle entourait Clémence comme pour compenser tout ce que celle-ci n'avait pas connu dans son enfance. Ainsi que le répétait Virgile, Lucas avait des parents formidables. « Réfléchis bien avant de vendre ! » lui avait conseillé son père le jour du départ. Pour Christophe, cette éventualité était un renoncement, une fuite.

Lucas jeta un coup d'œil dans l'atelier, où les lumières étaient éteintes et le rideau de fer baissé. Avant de sortir, il brancha l'alarme du hall d'exposition, reliée directement au commissariat, puis il quitta le garage par une petite porte qu'il verrouilla soigneusement. Gap était une ville assez tranquille, mais la prudence restait de mise.

Prudence ? Ils n'avaient pas cessé d'être sur leurs gardes et de faire attention à tout ce qui les entourait, ces derniers temps. Mais Lucas n'avait pas été confronté directement à Étienne, qui ne s'en était pris qu'à Clémence. La vision de Clémence quasiment enlevée et même brutalisée continuait de le faire bouillir, l'obligeant à admettre que lui aussi pouvait être en proie à un pénible sentiment de jalousie. Qu'il suffisait de pas grand-chose pour devenir possessif ou même soupçonneux. Virgile avait failli en faire les frais, ce qui était stupide. Comment un doute pareil avait-il pu ne serait-ce que l'effleurer ? À l'évidence, Virgile pourrait bien rester seul avec Clémence sur une île déserte, il ne la toucherait jamais. En tant qu'épouse de son meilleur ami, elle lui était sacrée. Et quand on connaissait la droiture de Virgile, il y avait vraiment de quoi avoir honte. Plus grave encore, imaginer Clémence capable de le trahir était d'une injustice impardonnable. Ce genre de pensée, même fugace, aurait pu les conduire tous les trois au désastre. Il fallait impérativement qu'il en efface toute trace dans son esprit, en espérant n'avoir pas créé une faille dans une amitié de vingt ans.

Une fois dans sa voiture, au lieu de prendre la direction du chalet, il fila vers le centre-ville. Il allait acheter des fleurs pour Clémence et deux bouteilles de champagne. C'était sans doute futile, mais peu importait, il éprouvait un impérieux besoin de se racheter.

Afin que sa première journée en montagne soit agréable, Virgile avait suggéré à Laetitia de rendre sa voiture de location puis de passer à la concession de Lucas, qui avait proposé de lui prêter un véhicule tout-terrain. Ainsi, elle pourrait se promener à sa guise et visiter les environs.

Pour la jeune femme, la sensation inconnue de découvrir la liberté était très excitante. Depuis des années, elle n'avait fait que ce qu'on attendait d'elle.

Études, soirées de rallyes mondains, diplômes, débuts à la banque : elle était restée dans un chemin tout tracé, qu'elle considérait aujourd'hui comme une ornière où elle avait bien failli s'embourber. En se laissant aller à son irrésistible attirance pour Marc, elle avait révélé une nature plus fantaisiste et plus ouverte, que personne n'avait soupçonnée jusque-là.

Bien qu'elle soit déjà venue chez son frère, à l'occasion d'un ou deux week-ends de ski, elle redécouvrait le chalet. Sans la neige, qui ne s'étalait plus que sur les sommets, le paysage de la vallée était différent, magnifique. Elle l'avait longuement admiré en ouvrant ses volets, ce matin-là. Puis le petit déjeuner avait été joyeux, bruyant et roboratif. Ensuite, ils étaient tous partis et Laetitia avait pu explorer la maison. Elle ne se souvenait pas d'autant d'espace à l'intérieur, ni de la noblesse des matériaux utilisés et d'une atmosphère aussi douillette. Il ne restait pas trace de Philippine, comme si aucune femme n'avait vécu là avec son frère. Pourtant, elle avait dû participer à l'élaboration de la décoration, qui semblait soigneusement choisie. Dans l'immense séjour où il faisait si bon se tenir, un mur de pierres apparentes faisait face à un mur de lambris blonds. Côté cuisine, le sol était composé d'ardoises asymétriques, et côté salon, d'un béton ciré que réchauffait un très grand tapis moderne. Les canapés de cuir étaient si moelleux qu'on devait s'y endormir sans s'en apercevoir. Cependant le confort n'avait pas été sacrifié à l'esthétique du lieu, et les clichés d'un environnement trop montagnard avaient été évités. Comment ne pas se plaire ici ? L'éventualité d'une vente, évoquée par Philippine, paraissait absurde. Jamais Virgile ne se séparerait d'un tel bijou.

Plus tard dans la matinée, Laetitia était descendue à Gap et avait rendu sa voiture de location. Elle s'était promenée en ville, curieuse de tout, puis avait reçu un appel de Marc. Ils avaient parlé longtemps, s'étaient de nouveau juré un amour éternel. En fin de semaine, Marc devait aller à Grenoble, où il avait une piste pour un emploi de moniteur. Spontanément, puisque Grenoble n'était qu'à deux heures de route, Laetitia lui suggéra de la rejoindre s'il était libre le dimanche. Il pourrait ainsi faire la connaissance de Virgile. Sans se l'avouer, elle attendait beaucoup du jugement de son frère, et dans le récent bouleversement de son existence, elle éprouvait le besoin d'être confortée.

Ensuite, elle se rendit à la concession de Lucas, qui mit à sa disposition un vieux Freelander d'occasion servant de véhicule de courtoisie pour les clients. Il lui affirma qu'avec, elle pouvait emprunter sans risque n'importe quel chemin boueux ou escarpé, au fil de ses balades. Attentionné, il lui recommanda quelques itinéraires dotés de points de vue admirables, où elle aurait peut-être la chance d'apercevoir des marmottes ou des chamois. Sa gentillesse la toucha et elle eut une pensée rageuse pour son père qui, par dérision, taxait Lucas de *brave gars tout simple* et n'avait jamais accepté que son fils en fasse son meilleur ami.

Après avoir acheté dans une épicerie de quoi improviser un pique-nique, elle programma le GPS et se dirigea vers le plateau d'Ancelle. De là, elle pourrait entrer dans la vallée étroite du Valgaudemar puis accéder à la cascade du Voile de la Mariée, au pied des glaciers.

Virgile regarda l'écran de son téléphone et soupira.

— Finis ta cigarette tranquillement, je dois prendre cet appel, dit-il à Sébastien.

Ils étaient sortis ensemble, selon leur habitude, après une intervention, l'un pour fumer et l'autre pour profiter de l'air frais du printemps. Avant de répondre, Virgile s'éloigna de quelques pas, s'apprêtant à essuyer les foudres de son père.

— C'est quoi, ce message insensé que tu m'as laissé ? Ta sœur est chez toi ?

Comme prévu, son père l'attaquait de front et sans préambule.

— Oui, elle est ici.

— Je rêve ! Elle ne nous a donné aucune nouvelle, c'est le pauvre Gérald qui nous a tenus au courant. Il était dans tous ses états, inutile de te dire. Stupéfait, furieux, blessé… Alors, nous avons discuté, entre hommes. J'ai dû user de la salive pour minimiser les dégâts, et j'ai expliqué que si Laetitia avait commis une telle folie, c'était sans doute qu'elle avait pris peur devant l'engagement du mariage. Je la croyais plus solide que ça, crois-moi ! Pour rompre ses fiançailles, elle n'a rien trouvé de mieux que se jeter à la tête du premier venu ! Un type de bas étage, d'après Gérald, mais je suppose qu'il exagère. Tu sais quelque chose ?

— À propos de quoi ?

Il y eut un court silence avant que son père reprenne, d'un ton tranchant :

— Tu te fous de moi, Virgile ?

— Non. Pour l'instant, je ne connais pas l'homme dont tu parles. Laetitia me le présentera si elle le souhaite. Je te rappelle qu'elle est largement majeure et qu'elle fait ce que bon lui semble.

— Y compris rater un mariage qui l'aurait rendue heureuse ? Gérald a une très grosse situation, une maison de rêve à Genève, un appartement sur la Côte d'Azur. Il avait offert à ta sœur une bague de fiançailles sublime, il était prêt à la couvrir de cadeaux, à…

— Peut-être que tout ça ne l'intéresse pas.

— On voit que tu ne la connais pas !

— Crois-tu ?

Nouveau silence. Au bout de quelques secondes, Virgile déclara :

— Je suis à l'hôpital, entre deux opérations, et j'ai peu de temps. Laetitia va très bien, c'est le principal, tu pourras rassurer maman.

— La rassurer ? Tu plaisantes ? Elle ne fait que pleurer parce qu'elle doit tout annuler ! Tu n'es pas marié, tu ne sais pas ce que c'est qu'organiser une cérémonie de cette envergure. Un peu plus et les cartons d'invitation partaient. On a échappé au pire… Oh, et puis j'imagine qu'au fond tout ça t'amuse ! Que ta sœur se rebelle à son tour doit te réjouir, non ? Tu as montré l'exemple. Surtout, ne pas faire ce qu'on attend de vous, hein ?

— J'ignore ce que tu attendais, mais je considère que je m'en suis bien sorti. Je suis chirurgien, papa, ce n'est pas si mal. Quant à Laetitia, elle a un métier entre les mains, un diplôme sérieux et déjà de l'expérience, elle saura mener sa barque. Il ne lui est rien arrivé de grave, elle s'est seulement aperçue qu'elle n'était pas amoureuse de Gérald.

— Et hop ! On claque des doigts et on brise les cœurs, sans le moindre scrupule ! D'ailleurs, il paraît que tu as flanqué Philippine dehors ?

— Nous nous sommes séparés.

— Ça te regarde. En revanche, je veux que Laetitia m'appelle. Tu entends ?

— Inutile de crier, mon téléphone fonctionne très bien. Je lui transmettrai ta demande, mais si c'est pour l'engueuler, mieux vaudrait attendre que les choses se tassent.

— Et comment vont-elles se *tasser*, d'après toi ? Ma fille a jeté son dévolu sur un moniteur d'équitation, un crève-la-faim qui vivra à ses crochets… Ah, elle se prépare une belle vie ! Et quand son coup de tête sera passé, que deviendra-t-elle ?

— Papa, il va vraiment falloir que je te laisse. Cette discussion ne nous mène nulle part. Tu es en colère, et rien de ce que je pourrai dire ne t'apaisera.

— Très bien. Je vois ce qu'il en est. Je vais devoir prendre un train et traverser toute la France pour raisonner moi-même Laetitia, puisque tu ne le feras pas.

— Non.

— Non quoi ?

— Ne viens pas.

Pour la troisième fois, son père marqua un temps d'arrêt, puis il demanda abruptement :

— Tu me fermes ta porte, Virgile ?

— Pas du tout. Ma maison vous est grande ouverte, à maman et toi. Mais laisse Laetitia en paix ces jours-ci.

Tu n'obtiendras rien d'elle et vous allez vous fâcher. Je te donnerai de ses nouvelles, d'accord ?

— J'ai bien peur de n'être jamais d'accord avec toi.

La communication fut coupée net. Virgile était à la fois agacé et attristé. Son père ne voulait ou ne pouvait comprendre ce qui arrivait à sa fille, et parce qu'elle s'était réfugiée chez son frère, il finirait par tenir celui-ci pour responsable. Bien sûr, il était déçu que le mariage n'ait pas lieu et que Gérald ne devienne pas son gendre. Déçu par la rébellion de Laetitia et par ce qu'il considérait comme un choix aberrant. Déçu, sans doute, de n'avoir pas trouvé en son fils un allié.

Relevant la tête, Virgile découvrit que Sébastien, qui n'avait pas bougé, l'observait de loin. Il le rejoignit et se sentit obligé de fournir une explication.

— Petits soucis de famille… C'était mon père, avec lequel je ne m'entends pas.

— Je ne suis pas au mieux avec le mien non plus. Son troisième mariage sombre déjà et je commence à le trouver pathétique. Pour le tien, quel est le problème ?

— Intransigeance, œillères, autoritarisme.

— À ton âge, tu t'en fous, non ?

Virgile hésita puis sourit en hochant la tête.

— On peut dire ça comme ça. Tu as raison, mon vieux ! Mais c'est dommage pour ma mère, parce qu'ils ne divorceront jamais, quoi qu'il arrive. Question de conventions.

Avec un dernier coup d'œil de regret vers le ciel uniformément bleu, Virgile et Sébastien réintégrèrent l'hôpital.

Après les moments de folle passion – et de terrible angoisse – vécus à Genève, Laetitia se sentait un peu apaisée. La vie au chalet était tellement différente de la caricature qu'en avait dressé leur père ! Oui, les jumelles étaient parfois turbulentes mais le plus souvent adorables, l'hospitalité de Clémence était d'une désarmante simplicité, et la joyeuse complicité entre Virgile et Lucas égayait toutes les soirées.

Les deux premiers jours, Laetitia s'était beaucoup promenée. Son existence de citadine l'avait coupée des plaisirs de la nature, qu'elle découvrait avec curiosité. Par téléphone, elle racontait ses excursions à Marc, qui riait de sa naïveté. Elle l'appelait avant de s'endormir et pouvait bavarder avec lui durant des heures sans voir le temps passer.

Elle décida de changer de programme le vendredi pour mieux visiter Gap. Elle fit le tour des fontaines de la ville, s'attardant devant le bronze insolite d'une femme assise lisant au bord d'un bassin, visita le musée puis la chapelle des Pénitents, devenue salle de concert, alla relever les horaires du bowling et de la patinoire, s'offrit une assiette de produits du terroir au café Saint-Roch, puis entra dans un magasin de sport pour acheter quelques vêtements confortables et décontractés. Enfin, elle eut envie d'aller faire rafraîchir sa coupe de cheveux chez Clémence.

Bien installée dans l'un des fauteuils du salon, une tasse de thé posée devant elle, elle s'examinait dans le miroir, tout en écoutant les suggestions de Clémence.

— Tu as la même nature de cheveux que ton frère. Même blond cendré, même souplesse. Si tu as envie d'un look un peu plus dynamique, on pourrait tenter un dégradé effilé très fluide, avec une frange longue, facile à ramener sur le côté…

Depuis qu'elle avait commencé à travailler dans le monde de la finance, Laetitia portait les cheveux longs, ramenés en chignon ou attachés par un catogan. Une allure qu'elle avait jugée élégante jusque-là mais qu'elle trouvait soudain trop stricte.

— Vas-y, acquiesça-t-elle, ça me tente !

Clémence eut un sourire espiègle pour déclarer :

— Tu me fais confiance ? Je suis flattée. Philippine n'a jamais accepté que je touche à ses cheveux, elle avait un coiffeur attitré à Paris.

— J'ai l'impression que tu ne la regrettes pas.

— Si, d'une certaine manière. Même si nous n'étions pas les meilleures copines, nous avions l'habitude de vivre ensemble sans heurt. Et Virgile semblait heureux avec elle. En tout cas, jusqu'à l'année dernière. Après, je l'ai senti plus tendu. Elle ne voulait pas d'enfant et il s'impatientait. Le fossé s'est creusé entre eux.

— Et il a rencontré une autre femme.

— Oui, mais je crois qu'il lui court après sans succès.

— Tu la connais ? Philippine prétend qu'elle est quelconque.

— Je ne trouve pas. Elle est très charismatique et elle dégage quelque chose de spécial. En tout cas, ton frère est amoureux comme un gamin ! De là à dire que ça débouchera sur quelque chose…

— Virgile est têtu, il ne se décourage pas facilement.

Tout en bavardant, Clémence avait commencé sa coupe et des mèches de cheveux tombaient sur le peignoir.

— Il lui a fallu beaucoup de caractère pour tenir tête à papa et à notre oncle, poursuivit Laetitia. Je n'aurais jamais osé. D'ailleurs, je n'ose toujours pas…

Son téléphone sonna et Clémence s'interrompit pour la laisser répondre. Elle en profita pour aller jeter un coup d'œil au sous-sol, où les filles apprenaient gentiment leurs leçons. Quand elle remonta, Laetitia lui annonça que Virgile comptait passer pour se faire couper les cheveux, lui aussi.

— Comme prévu, il a eu droit aux foudres paternelles, mais apparemment, il s'en est bien sorti. Et surtout, il a dissuadé papa de venir me faire la morale ici. Tu imagines ?

Clémence éclata de rire à cette idée, puis elle reprit ses ciseaux.

Chloé avait passé un après-midi épuisant en compagnie d'un couple déterminé à examiner de près chaque détail de la maison qu'ils voulaient acheter. Au bout de trois heures à piétiner sur place, ils s'étaient enfin décidés à faire une offre ferme. Le prix était correct, le vendeur avait aussitôt accepté et une date avait été arrêtée pour la signature du compromis.

Contente de la manière dont elle avait mené l'affaire, elle s'était autorisée à quitter l'agence vers 18 heures. Elle devait dîner chez des amis de Damien, mais elle avait tout son temps pour flâner un peu. Elle avait déjà ses habitudes dans la ville, avec ses bistrots favoris, la salle de sport où elle s'était inscrite, et une épicerie fine, L'Épicurien, où elle trouvait de bons produits.

Depuis quelques jours, elle tergiversait, retardant le moment d'appeler Virgile. Elle en avait laissé venir l'envie, qui se faisait plus précise, et elle estimait qu'une nouvelle soirée passée ensemble leur permettrait de mieux se connaître. Jusqu'ici, ils n'avaient appris que peu de chose l'un de l'autre et elle voulait en savoir davantage. Tout en trouvant Virgile séduisant, elle se méfiait encore de lui, sceptique devant la rapidité avec laquelle il prétendait être tombé amoureux. Elle ne croyait pas au coup de foudre et doutait de sa sincérité. De par son métier, combien de femmes côtoyait-il à longueur d'année ? Rien ne prouvait qu'il ne soit pas un coureur invétéré, ou qu'il n'ait pas des défauts rédhibitoires soigneusement dissimulés. Mais elle n'y croyait pas non plus et s'amusait de ses propres doutes.

Sa promenade l'avait conduite à proximité du salon de coiffure de Clémence, dont elle avisa la devanture. Un acte manqué ? La preuve qu'elle pensait davantage à Virgile qu'elle ne voulait l'admettre ? Sur le trottoir d'en face, alors qu'elle s'apprêtait à traverser, elle s'arrêta net. Comme la nuit tombait, on voyait très bien tout ce qui se passait dans le salon de coiffure brillamment éclairé.

L'espace d'une ou deux secondes, elle eut du mal à réaliser ce qu'elle avait sous les yeux, mais c'était bien Virgile qui enlaçait une très jolie jeune femme. Celle-ci, grande et élancée, riait aux éclats. Virgile ébaucha un geste plein de tendresse pour lui passer la main dans les cheveux et elle se laissa aller contre lui.

On devinait qu'ils avaient l'habitude l'un de l'autre, qu'ils ne s'étaient pas rencontrés récemment. À côté d'eux, Clémence souriait, complice. Le cœur cognant dans sa poitrine, Chloé recula un peu mais son regard resta rivé sur la vitre du salon. Indifférents à ce qui se passait dans la rue, ils semblaient heureux tous les trois et continuaient à parler avec animation. Toujours appuyée familièrement sur Virgile, la jeune femme leva la tête tandis qu'il se penchait vers elle. Sortant de sa stupeur, Chloé fit brusquement demi-tour et dévala la rue, pressée de mettre de la distance entre elle et le salon de coiffure. La scène à laquelle elle venait d'assister la laissait si désemparée qu'elle n'arrivait pas à ordonner ses pensées. Cette jeune femme, qui n'était pas Philippine, semblait pourtant tout aussi belle et élégante. Virgile devait donc apprécier ce genre de silhouette, cette façon de s'habiller, de se maquiller. Mais s'il aimait les femmes sophistiquées et longilignes, pourquoi lui courait-il après ? Pour l'inscrire à son tableau de chasse ? En tout cas, il n'avait pas attendu longtemps pour remplacer Philippine !

La stupeur cédait la place à la colère. Elle avait l'impression d'avoir été dupée par un baratineur, alors qu'elle se croyait très avisée. Et dire qu'une heure plus tôt elle avait été sur le point de l'appeler pour lui proposer un rendez-vous !

— Pauvre idiote…, ragea-t-elle à voix basse.

Un passant qui la croisait lui jeta un coup d'œil étonné. Sans doute paraissait-elle très agitée. Elle ralentit son pas, reprit le contrôle d'elle-même, et sa colère fut à son tour remplacée par du dépit. Virgile s'était bien moqué d'elle, il n'attendait pas du tout son appel, il était passé à autre chose. Elle allait donc en faire autant. Pour éviter toute tentation, elle s'arrêta devant la devanture d'un fleuriste, prit son téléphone dans son sac et effaça le numéro de Virgile du répertoire. Puis, se souvenant qu'elle dînait chez des amis de son frère, elle entra dans la boutique pour acheter un bouquet.

Ce même soir, au chalet, le dîner s'était déroulé dans une ambiance très conviviale. Laetitia était ravie de sa nouvelle coupe qui adoucissait son visage et la rendait plus sexy. Elle avait hâte de pouvoir la montrer à Marc, hâte de le retrouver. Son entretien d'embauche à Grenoble n'avait rien donné mais il avait un autre rendez-vous près d'Aix-en-Provence, beaucoup plus prometteur.

— Il s'agit d'un important centre équestre, expliqua Laetitia, et s'il décroche un poste de moniteur là-bas, ce sera le rêve !

— Tu t'installerais à Aix ?

— Les yeux fermés ! C'est une grande ville, je suis sûre d'arriver à trouver du travail sur place.

Virgile réprima un sourire. Voir sa sœur si déterminée à chambouler son existence l'étonnait encore. Suffisait-il donc d'une rencontre pour que tout change ?

— Est-ce qu'il passera nous voir ? demanda-t-il. Je suis curieux de le connaître.

— Lui aussi ! Je lui ai beaucoup parlé de toi. De l'admiration que j'ai pour toi parce que tu as montré l'exemple en imposant tes choix. À l'époque, je trouvais ça effrayant, je n'imaginais pas pouvoir obtenir une telle indépendance.

— Mais tu as fini par y arriver.

— L'amour est vraiment un puissant moteur.

— Oh, oui ! s'exclama Clémence. Avec Lucas, je me suis senti pousser des ailes, il m'a donné tous les courages.

Son mari lui adressa un regard tendre et reconnaissant avant de murmurer :

— Moi aussi, tu m'as tout apporté.

Virgile les observa une seconde puis se leva pour ajouter une bûche à la flambée. Malgré l'arrivée du printemps, les nuits étaient encore très fraîches en altitude. Confortablement installés sur les deux grands canapés, ils profitaient de la fin de soirée pour bavarder à bâtons rompus. De temps à autre, Virgile jetait un coup d'œil à son téléphone, déçu de n'avoir ni appel ni message de Chloé. Il ne voulait pas la harceler, puisque ce n'était pas à lui de prendre l'initiative, mais il se demandait combien de temps il allait devoir attendre avant d'avoir de ses nouvelles. Leur dernier dîner s'était pourtant bien déroulé, elle avait ri, ils s'étaient interrogés mutuellement, avaient établi un contact authentique. Alors, pourquoi ne se manifestait-elle pas ? Comme un gamin, il piaffait d'impatience, mais ne voulait pas gâcher ses chances.

Remarquant que Clémence, Lucas et Laetitia échangeaient des regards amusés, il remit son portable dans la poche de son jean.

— Allez-y, moquez-vous…

— Tu es trop mignon ! lui lança Lucas. Je ne t'ai pas vu comme ça depuis le lycée, et encore, tu y attachais moins d'importance. Sauf la petite Valentine, peut-être ?

— Tu te souviens de cette fille ?

— Toi aussi, puisque tu vois très bien de qui je parle.

— Elle était très jolie.

— Toute la classe lui courait après ! Et elle ne t'a fait attendre que quelques jours, si ma mémoire est bonne.

— Les temps ont bien changé, Chloé me laisse dans l'expectative.

— Je dirais plutôt sur le gril !

— Arrête de te foutre de moi, Lucas.

— C'est trop tentant.

Se tournant vers Laetitia, il ajouta, avec un sourire réjoui :

— Jusqu'ici ton frère semblait parfait, ça agace tout le monde. Le genre posé, raisonnable, bienveillant, loin des passions… Et hop, le voilà qui soupire, qui trépigne !

— *J'agace* tout le monde ? s'indigna Virgile.

Lucas éclata de rire, imité plus discrètement par Clémence et Laetitia.

— Pour une fois qu'une femme te tient en respect, laisse-nous en profiter !

— Ravi d'être l'attraction de la soirée, maugréa Virgile.

Cependant, il n'était ni vexé ni fâché. Les réflexions de Lucas, qui n'étaient qu'amicales, contenaient sans doute une part de vérité, à laquelle il se promit de réfléchir. Manquait-il de fantaisie ? S'obstinait-il à offrir une image trop lisse ?

— Marc viendra déjeuner dimanche ! s'exclama Laetitia qui était en train de lire ses SMS.

Elle se tourna vers son frère et demanda avec inquiétude :

— Tu as bien dissuadé papa de débarquer ici ? Une confrontation entre eux me rendrait malade…

— Il ne viendra pas, sois tranquille. Mais un jour ou l'autre, tu devras l'affronter. Et aussi lui présenter Marc, si ça doit durer entre vous.

— Ça durera ! affirma-t-elle sans hésiter.

Son enthousiasme semblait soutenu par une volonté inédite. Elle avait tenu tête à Gérald, rompu ses fiançailles et rendu sa bague sans frémir, mais faire face à son père serait un mauvais moment à passer. Virgile revint s'asseoir à côté d'elle, heureux qu'elle ait eu le réflexe de se réfugier chez lui. Ils s'étaient perdus de vue trop longtemps, et il avait l'impression de retrouver enfin sa petite sœur. Il eut alors une pensée pour sa mère, qui n'osait jamais prendre parti contre son mari. Allait-elle se mettre à téléphoner à sa fille en cachette, comme elle l'avait fait pour son fils ? La tyrannie de cet homme sur sa famille s'émoussait, et la retraite lui avait fait perdre de son influence. Il risquait de beaucoup s'aigrir s'il ne mettait pas un peu d'eau dans son vin. En aurait-il la lucidité ?

— On écoute un peu de musique ? proposa Lucas.

— Et je prépare des chocolats chauds ! ajouta joyeusement Clémence.

Laetitia acquiesça avec un sourire béat, puis elle s'enfonça davantage dans le canapé moelleux.

À l'évidence, elle appréciait l'atmosphère du chalet et elle ne regrettait pas de s'y être réfugiée.

Le samedi, Virgile capitula. L'attente devenant insupportable, il décida de passer à l'agence pour en avoir le cœur net. Le prétexte de « faire une petite visite » était parfaitement ridicule, il en avait bien conscience, mais le silence de Chloé le désespérait. Lui qui, dans son service à l'hôpital, était un modèle de sang-froid, se sentit aussi anxieux qu'un gamin en poussant la porte. Ce fut Damien qui l'accueillit, de manière chaleureuse, et lui offrit un café pour le faire patienter, Chloé étant en rendez-vous dans le bureau du fond.

— J'espère que vous venez nous annoncer votre décision de vendre ? s'enquit Damien avec entrain.

— Non… Toujours pas, désolé. Je venais juste faire une petite visite.

Voilà, il n'avait rien trouvé d'autre, c'était pitoyable.

— Chloé sera ravie, elle n'en a pas pour longtemps.

Ravie, rien n'était moins sûr puisqu'elle n'avait pas donné signe de vie. En bon agent immobilier, Damien commença à parler de la région, de certaines maisons récemment rentrées dans son portefeuille, de l'opportunité de placer son argent dans la pierre. Il fut interrompu par un appel téléphonique, et tandis qu'il répondait avec sa verve habituelle, Chloé sortit de son bureau, raccompagnant son client. Le coup d'œil qu'elle jeta à Virgile au passage fut indifférent, et elle ne se fendit même pas d'un sourire. En revenant, elle lui fit signe de la suivre.

Elle ferma la porte du bureau avant de se tourner vers lui et de le toiser. Sans lui proposer de s'asseoir, elle s'enquit, d'un ton glacial :

— Que puis-je pour vous ?

Stupéfait par cet accueil, il eut du mal à formuler une réponse.

— Je passais… et j'avais envie de vous voir.

— Nos envies ne sont pas forcément les mêmes.

Elle restait debout, très droite, ne perdant pas un pouce de sa taille pour lui faire face. Un tel changement d'attitude était très déstabilisant.

— Vous paraissez hostile, je ne comprends pas pourquoi, dit-il à mi-voix.

— Vraiment ?

Elle passa derrière le bureau, comme pour mettre de la distance entre eux.

— Je crois que vous avez une vie bien remplie, Virgile, et je ne tiens pas du tout à y trouver une petite place.

De nouveau, il hésita, chercha ses mots.

— Mon métier est très prenant, finit-il par admettre. Mais il me laisse heureusement…

— Du temps pour autre chose, je n'en doute pas !

Le ton devenait carrément agressif. Indécis quant à la conduite à adopter, Virgile se borna à demander :

— Qu'est-ce qui se passe, Chloé ? Si je vous ai dérangée dans votre travail, je peux très bien revenir à un autre moment.

— Non, merci. À aucun moment. Restons-en à des rapports professionnels, ce sera parfait. Alors, à moins que vous n'ayez une demande de cet ordre, j'aimerais retourner à mes affaires.

Cette fois, vexé, il se braqua. Elle venait de le traiter avec un mépris trop brutal pour qu'il insiste.

— Bonne journée, lança-t-il sèchement.

Qu'avait-il bien pu faire ou dire pour qu'elle soit aussi ouvertement désagréable ? Il devait y avoir une raison, mais elle lui échappait. Être traité comme un importun était assez humiliant, et tout à fait nouveau pour lui.

En traversant l'agence, il adressa un petit signe de tête à Damien, qui était toujours pendu au téléphone. Une fois dehors, il respira un grand coup, très perturbé. Naïvement, il avait beaucoup espéré de cette visite, or Chloé venait de réduire à néant tous ses espoirs. Il devait abandonner l'idée de la séduire et la sortir de sa tête au plus vite ! Un peu perdu, il fit ce qu'il avait toujours fait dans les instants difficiles, il décida d'aller voir Lucas.

Au garage, il dut encore patienter, tandis que Lucas finalisait une commande avec un client. Pour s'occuper, il tourna autour des véhicules d'exposition, mais il avait la tête ailleurs.

— Tu veux changer de voiture ? s'exclama Lucas en le rejoignant un quart d'heure plus tard.

— Pas du tout, j'adore la mienne. Ce que je veux, c'est parler avec toi.

— Oh, mon pauvre vieux, la tête que tu fais ! Un problème ?

— Une déception.

— Ah… Je t'offre un café ?

— Quelque chose de plus gai serait bienvenu. Il est midi, et je sais que tu as du champagne au frais pour tes clients.

— Du champagne ? Comme tu y vas ! On fête un truc ?

— Le champagne est la boisson de *toutes* les circonstances, mariages ou enterrements.

— Et qu'est-ce qu'on enterre ?

— Mes illusions.

— Je vois. Chloé ?

— Je sors de son agence, où elle m'a accueilli comme un chien galeux.

— Pourquoi ?

— Aucune idée. Pas de signe avant-coureur, rien.

— Donc, tu es au fond du trou ?

— J'y attachais une importance disproportionnée, je sais. Et, quitte à me faire jeter, j'aurais au moins voulu connaître ses raisons. Mais elle m'a congédié sans s'expliquer.

— Bon, entendu, je t'offre à boire.

Ils gagnèrent le bureau de la secrétaire, qui venait de partir, et Lucas prit une demi-bouteille de champagne dans le petit frigo. Il fit sauter le bouchon, emplit deux verres.

— On trinque, ensuite je t'emmène déjeuner pour te remonter le moral. Ta sœur est à la piscine avec les filles, et Clémence a une grosse journée au salon. On va pouvoir s'offrir un repas de célibataires !

Virgile s'installa dans le fauteuil de la secrétaire, tandis que Lucas s'asseyait sur un coin du bureau.

— Je vais avoir trente-huit ans, soupira Virgile. Par ma faute, j'ai perdu beaucoup de temps avec Philippine, sans vouloir admettre que nous n'avions pas d'avenir. Ce qui s'appelle se voiler la face ! Mais c'était plus facile, je pouvais me consacrer à mon poste de chirurgien et je voulais arriver à prendre la tête du service. Les années ont filé sans que nous avancions d'un pas, elle et moi.

— Elle ne t'avait pas dit tout de suite qu'elle ne voulait pas d'enfant.

— Quand elle l'a annoncé, j'aurais dû comprendre qu'elle ne reviendrait pas sur sa décision, qu'il ne servait à rien d'attendre. Lâcheté, paresse, confort…

— Regarde le bon côté des choses. Tu aurais tout de même rencontré Chloé un jour, et tu aurais eu le même coup de foudre. Tu n'aurais pas voulu détruire ta famille, tu aurais été malheureux pour le restant de tes jours.

— Non, je n'aurais pas rencontré Chloé parce que je n'aurais pas eu de raison de pousser la porte d'une agence immobilière.

— Mais si ! À cause d'Étienne, souviens-toi.

— Avec des enfants, je n'aurais pas imaginé vendre le chalet, je t'aurais plutôt racheté ta part.

Lucas but une gorgée, secoua la tête.

— Ce sont des hypothèses, des suppositions. On ne peut pas récrire l'histoire. Qu'est-ce que tu envisages, aujourd'hui ?

— Je ne sais pas. Je suis désespérément amoureux et terriblement déçu.

— Tu es solide, tu vas t'en remettre.

Virgile eut une moue dubitative, avant de vider son verre.

— Sans doute, soupira-t-il. Mais je croyais vraiment que c'était la bonne, et j'avais mille projets formidables en tête. J'avais rencontré l'évidence, j'ai cru que je tenais enfin ma chance, comme toi avec Clémence. On n'éprouve pas un éblouissement pareil tous les quatre matins ! Avoir le cœur qui bat vite devant une femme, être dans ses petits souliers, fondre au moindre sourire : c'est exaltant ! Alors, y renoncer est très…

Il n'acheva pas, les yeux dans le vague. Au bout de quelques instants, il regarda de nouveau Lucas.

— Et nous, mon vieux, où en sommes-nous ?

— Clémence et moi avons abandonné toute idée de quitter le chalet. On s'y accroche !

— Malgré Étienne ?

— Il est vraiment parti. Les gendarmes pensent savoir qu'il est installé en Alsace.

— Pas la porte à côté !

— Tant mieux.

— Tu crois qu'il y restera ?

— Clémence y croit. Moi, j'aurai toujours un doute mais je peux vivre avec. Si ça se confirme, la balle sera dans ton camp.

— Pourquoi ?

— Parce que tu as l'air de trouver que notre cohabitation est devenue bancale.

— C'est vrai, non ? Quand nous étions deux couples, les choses s'équilibraient.

— Et si ça avait marché, avec Chloé ?

— Je crains que ce ne soit plus d'actualité.

— Peut-être, mais tu ne vas pas rester seul toute ta vie ! Ni même longtemps, à mon avis. Quand tu auras encaissé le choc, tu t'intéresseras à d'autres femmes.

— Possible…

— Certain.

Virgile tendit son verre vide à Lucas, qui le remplit à moitié en disant :

— Là où je te rejoins, c'est que nous avons peut-être manqué de maturité pour nous obstiner à rester ensemble. On se sentait toujours un peu comme des étudiants, de joyeux copains…

— Nous ne sommes pas des copains, protesta Virgile. Tu es mon meilleur ami, quasiment mon frère. Je suis le parrain de tes *deux* filles. Et nous sommes aussi des adultes qui prenons de l'âge, avec tout un tas de responsabilités.

— D'accord. Alors, je te le redemande, que faisons-nous ? Quand je voulais partir, tu m'as dit que tu respecterais mon choix. Si tu souhaites t'en aller aujourd'hui, j'en ferai autant.

Virgile scruta Lucas durant quelques instants. Quand il prit la parole, ce fut avec gravité.

— Je crois que nous devrions envisager, en prenant tout le temps nécessaire pour le faire au mieux, de changer notre mode de vie. Définir, chacun de notre côté mais simultanément, un projet immobilier correspondant à nos aspirations et qui nous permettrait de rester tout proches. Je suppose que c'est faisable, puisqu'il n'y a pas d'urgence. Penchons-nous là-dessus maintenant. Parce que, si j'arrive à fonder ma famille, nous pourrions rencontrer des problèmes. Autant prévoir et nous les épargner, non ?

— Mais nous n'avons jamais rencontré de problèmes !

— Il y a trop de questions en suspens, Lucas. Qui sera la femme de ma vie ? Qui nous garantit que Clémence et cette inconnue parviendront à s'entendre sous le même toit ? Chez elle, une femme est la maîtresse de maison, ça ne se partage pas. Philippine s'en moquait, d'autant plus qu'elle était arrivée après coup, mais avec une autre, ce sera forcément différent. Ne prenons pas le risque de nous quereller pour des broutilles.

Lucas avait pâli. Soudain, il semblait inquiet. Virgile lui adressa un sourire rassurant avant d'enchaîner :

— Je sais ce que représente le chalet pour vous deux. Néanmoins, ça reste une copropriété. Vois la situation sous un autre angle. Si vous voulez laisser quelque chose à vos filles après vous, ne vaudrait-il pas mieux investir dans un bien propre ?

— Comme tu es raisonnable ! ironisa amèrement Lucas.

— Je tiens à toi. À vous deux. À vous quatre, en fait. Je ne veux pas d'ombre entre nous, pas de gêne, pas d'ambiguïté.

Lucas abandonna le coin du bureau où il était resté assis, et il se mit à arpenter la petite pièce.

— Je comprends tout ce que tu me dis, mais tu devras le faire admettre à Clémence.

— Pourquoi moi ?

— Parce que ce sont tes arguments.

— C'est ta femme. Et autant elle ne voulait pas être l'unique responsable de la vente qui aurait eu lieu en catastrophe, à cause d'elle et de son passé, autant elle écoutera une autre version.

Lucas conservait un visage fermé, et Virgile se sentit obligé de lui livrer le fond de sa pensée.

— Tu sais quoi ? Quand nous dînons tous les trois, j'ai parfois l'impression d'être un intrus. Clémence s'en aperçoit et elle déploie d'énormes efforts pour que je me sente bien. Tout ça n'est pas normal.

— Tu n'as pas vraiment tort…

Interrompant son va-et-vient, Lucas s'appuya au mur derrière lui. Il garda le silence un long moment puis eut enfin une petite grimace qui pouvait passer pour un sourire.

— Rassure-moi, Virgile, tu ne fais pas tout ça pour avoir une bonne raison de retourner voir Chloé ?

— Il me reste suffisamment de dignité pour ne plus jamais pousser la porte de son agence. D'ailleurs, elle ne nous prendrait pas au sérieux, depuis le temps qu'on lui joue la valse-hésitation pour le chalet. On s'adressera à quelqu'un d'autre.

Lucas retourna vers le bureau et vida la fin de la demi-bouteille de champagne dans son verre, qu'il but à petites gorgées. Ils échangèrent un long regard, chacun respectant la réflexion de l'autre.

— On va déjeuner ? proposa Virgile.

D'une manière ou d'une autre, ils finissaient toujours par tomber d'accord après une discussion. Le plus important n'était pas de conserver le chalet mais de préserver vingt ans d'amitié et de confiance.

— Où veux-tu aller ? Il faut que je sois de retour à la concession à 14 h 30 au plus tard.

— Choisis, puisque c'est toi qui m'invites ! Et pas un boui-boui, ne sois pas radin, je te rappelle que tu m'as promis un bon repas de célibataires.

Lucas leva les yeux au ciel et ouvrit la porte du bureau.

— En plus, je dois te consoler de tes déboires amoureux… Ou, plus exactement, de ton *premier* chagrin d'amour. À ton âge !

Ils sortirent en se bousculant et en riant, toujours aussi complices.

11

Marc n'était arrivé d'Aix-en-Provence qu'en fin d'après-midi, porteur d'une bonne nouvelle : il avait obtenu le poste qu'il convoitait. Il se réjouissait d'autant plus que le centre équestre où il allait travailler lui offrait la possibilité de préparer son diplôme d'instructeur, alors qu'il n'était que moniteur. Une fois ce cap franchi, il aurait davantage de responsabilités et un meilleur salaire.

Laetitia, épanouie, le présenta à Virgile avec une fierté évidente et, dès les premiers instants, le contact s'établit entre les deux hommes. Marc était grand, avec des épaules larges et un visage marqué par la vie au grand air. Très ouvert, souriant, viril, il inspirait confiance et ses élèves cavaliers devaient sûrement l'apprécier.

Toujours accueillante, Clémence avait préparé un dîner de fête pour le nouveau venu. Celui-ci semblait sous le charme du chalet et du paysage alentour, que Laetitia lui avait dépeints et vantés par téléphone.

— Mais la réalité est éblouissante ! s'enthousiasma-t-il. Je comprends que vous vous plaisiez tous, dans un tel paradis.

Virgile et Lucas échangèrent un coup d'œil, sachant que le paradis en question était en sursis.

— Toute la région est belle, affirma Virgile. Où que vous vous promeniez, il y a de superbes points de vue, des animaux à observer, des curiosités à découvrir pour les amoureux de la nature. Chaque vallée est différente, les randonnées n'y sont jamais les mêmes.

— Et bien sûr, le ski est roi la moitié de l'année ! ajouta en riant Laetitia.

— C'est ce qui vous a donné envie de vivre ici ? demanda Marc.

— Entre autres. Lucas et moi étions dingues de sports d'hiver, on s'en est donné à cœur joie et on continue. Mais Gap est aussi une ville agréable, qui se transforme et s'améliore constamment. Pour moi, le centre hospitalier qui draine toute la région a été une opportunité à saisir.

— En s'installant à Aix, on ne sera pas très loin de toi ! fit remarquer Laetitia, ravie.

Elle envisageait donc bien son avenir avec Marc, sans hésiter. Discrètement, Virgile examina de nouveau le jeune homme. Pouvait-on se fier à sa seule apparence sympathique ? Laetitia ne le connaissait que depuis quelques mois, et personne d'autre ne savait qui il était ni d'où il venait. Virgile se rendait compte que lui aussi, sans vraiment connaître Chloé, avait été prêt à en faire la femme de sa vie, les yeux fermés. Sans doute valait-il mieux prendre le risque de faire confiance plutôt que passer à côté du bonheur. Pour lui, hélas, l'occasion était manquée.

Ils burent un verre de vin blanc dehors, en regardant le soleil se coucher.

— La nuit sera froide, annonça Virgile. Je vais aller chercher quelques bûches pour faire une belle flambée tout à l'heure. Vous venez m'aider, Marc ?

L'invitation était claire, Virgile provoquait délibérément un aparté. Ils contournèrent le chalet jusqu'à l'auvent qui abritait le bois sur la façade arrière.

— Vous avez une grosse réserve ! constata Marc en avisant les rangées de rondins.

— L'hiver a été dur et le printemps peut encore réserver une mauvaise surprise. Nous sommes très prévoyants.

Se tournant vers Marc, Virgile croisa les bras, signe qu'il n'allait pas tout de suite s'occuper du bois.

— Je suis content que vous ayez pu venir, j'avais hâte de vous rencontrer, commença-t-il.

— Moi aussi. Vous avez dû être un peu choqué par la rapidité avec laquelle Laetitia a rompu ses fiançailles…

Il allait droit au but, preuve de sa franchise, ce qui plut à Virgile.

— Choqué est un grand mot. Je ne connaissais pas Gérald.

— Je ne dirai pas de mal de lui, malgré toute son… arrogance. Mais Laetitia n'avait pas vraiment envie de l'épouser, ça crevait les yeux.

— Elle n'aurait pas dû s'engager. Son excuse est d'avoir subi la pression familiale, mon père étant très persuasif. Elle était plus ou moins sous sa coupe, je pense qu'elle en est libérée, aujourd'hui.

— Alors, vous l'approuvez ?

— De vous avoir choisi ? Aucune idée ! Vous êtes encore un inconnu pour moi.

Marc eut un petit sourire crispé, puis il enfouit ses mains dans ses poches, un peu nerveux.

— Je vous raconterai en détail mon parcours, qui a été assez simple jusqu'ici, dicté par ma passion des chevaux. La difficulté est d'en vivre, pourtant on peut y arriver, avec un peu d'ambition et d'acharnement. J'aimerais avoir mon club un jour, ou bien me tourner vers l'élevage, mais c'est prématuré. Quant à mes parents, ils habitent du côté d'Annecy, non loin du lac. Ils sont retraités et étaient tous les deux professeurs.

— De quoi ?

— Ma mère d'histoire-géo, et mon père d'anglais.

— Vous êtes fils unique ?

— Non, j'ai deux frères aînés. Qui ont suivi des études classiques. L'un est parti à Londres, l'autre à Paris.

Il se pliait volontiers au jeu des questions, sans manifester la moindre impatience.

— Si j'ai bien compris, insista Virgile, vous comptez vous installer près d'Aix avec ma sœur…

— Oui. Je suis sûr de moi, et je crois qu'elle l'est aussi.

— Vous a-t-elle parlé d'elle, de sa vie jusqu'ici, de ses habitudes ?

— Longuement. Elle avait besoin de se confier, peut-être même de se lâcher. Elle a eu une existence d'enfant gâtée, elle l'avoue, et je ne pourrai pas lui offrir le genre de vie que Gérald lui aurait assuré, dans la continuité de votre famille. Mais ce n'est pas ce qu'elle souhaite puisqu'elle y a renoncé. De toute façon, elle est indépendante, elle trouvera sans mal une meilleure situation que la mienne. Je veux dire par là qu'elle ne sera pas à ma merci. Elle fera ce qu'elle veut, et j'espère qu'elle restera avec moi, que je ne serai pas seulement celui qui a ouvert la porte de la cage dorée.

Virgile hocha la tête en signe d'approbation, et Marc se sentit encouragé à poursuivre.

— Pour dédramatiser la situation, je rencontrerais volontiers son père, s'il le voulait bien.

— Il ne le voudra pas. En tout cas, pas maintenant. Il est trop en colère. Peu importe la réalité, il vous tiendra pour responsable de la trahison de sa fille.

— Je préfère être sa cible et qu'il ne se brouille pas avec Laetitia. Elle en souffrirait. On ne rompt pas impunément avec sa famille.

— En fait, si. On y arrive.

Se détournant, Virgile saisit un panier à bois. Ce moment d'échange avec Marc l'avait satisfait. La franchise du jeune homme et sa manière spontanée de répondre étaient convaincantes. En suivant son coup de cœur, Laetitia semblait avoir eu raison.

Chargés de bûches, ils rejoignirent les autres à l'intérieur du chalet, où flottait une délicieuse odeur de soufflé au fromage. Laetitia, qui aidait Clémence à mettre le couvert, lança un regard interrogateur à Virgile. Il lui adressa un sourire rassurant, avant de s'attaquer à la flambée.

Les jumelles, en pyjama, descendirent du premier pour dire bonsoir. Ayant adopté Laetitia ces derniers jours, elles dévisagèrent Marc avec beaucoup de curiosité avant d'aller faire une bise à chacun.

— Tu viens nous lire une histoire ? demanda Émilie à Virgile.

— Une histoire, répéta Julie.

— Laissez-le tranquille, intervint Clémence.

— Mais toi, tu es occupée avec ton dîner ! protestèrent-elles ensemble.

— Papa va monter dans cinq minutes, promit Lucas, qui décantait du vin dans une carafe.

Les fillettes s'en allèrent à regret, traînant les pieds dans l'escalier.

— Virgile est le conteur officiel des jumelles, il paraît qu'il y met le ton qu'il faut, expliqua Clémence à Laetitia. Bien qu'elles sachent lire, elles préfèrent s'endormir en l'écoutant.

— Au lycée, Virgile s'était inscrit dans une classe de théâtre, il adorait déclamer des vers de Racine, y compris sous la douche ! railla Lucas.

Ce rappel de leur jeunesse leur fit échanger un clin d'œil, mais Virgile éprouva ensuite une petite bouffée de nostalgie à laquelle il n'était pas habitué. Voir sa sœur tendrement appuyée contre l'épaule de Marc, et Lucas qui venait de prendre Clémence par la taille, le ramenait à sa solitude. Il aurait donné n'importe quoi pour que Chloé soit là ce soir et pour faire des projets avec elle. Mais il devait se résigner, elle ne voulait pas de lui, elle le lui avait bien fait comprendre. Penser encore à elle ne servait à rien. Il eut soudain hâte d'être au lendemain, dans son service de chirurgie, où il était trop occupé pour songer à autre chose qu'aux interventions et aux malades.

Le lundi matin, Marc repartit pour Genève afin de liquider ses affaires là-bas. Puis il reviendrait chercher

Laetitia et prospecterait avec elle pour trouver un logement du côté d'Aix-en-Provence.

Lucas avait proposé à Clémence une petite escapade en amoureux. Le salon de coiffure étant fermé, les filles à l'école, et lui-même n'ayant pas de rendez-vous au garage, ils pouvaient s'offrir cette parenthèse. Il avait choisi Le Clos, un restaurant gastronomique où ils avaient savouré, sur la terrasse pour profiter du jardin, une fricassée de Saint-Jacques au bleu du Queyras. Le temps était radieux, avec quelque chose de très excitant dans l'air léger du mois de mai. Au moment du café, Lucas s'était décidé à aborder les questions qui pesaient sur l'avenir. Il avait exposé les arguments de Virgile, qu'il n'était pas loin de partager.

— Avoir une maison bien à nous serait agréable aussi. Un projet nouveau nous motiverait. Et on peut s'arranger pour rester tout proches, Virgile et nous.

— Oui, sinon les jumelles le vivront mal !

— Toi aussi ?

— Moi aussi quoi, mon chéri ? J'aime beaucoup Virgile, je n'en fais pas mystère. Tant mieux pour toi, d'ailleurs, puisque vous êtes comme des frères. Mais ne plus vivre sous le même toit que lui ne m'attristera pas. On le verra tant qu'on voudra, il aura son couvert chez nous, vous continuerez à skier ensemble et à vous lancer vos défis de gamins ! Je comprends qu'il se sente mal à l'aise entre nous deux, maintenant qu'il est célibataire. Il a compris qu'il aurait suffi d'un rien pour que tu deviennes bêtement jaloux, et il veut éviter ce qui n'a pas lieu d'être mais qui pourrait vous séparer.

Lucas posa sa main sur celle de Clémence en signe de paix.

— Nous en avons parlé. Toi et moi, lui et moi, c'est réglé.

— Sûr ? Je peux continuer à dire tout le bien que je pense de lui ?

— Je surenchérirai.

Elle se mit à rire, puis elle but son café, croqua une des mignardises qui l'accompagnaient.

— Alors, proposa-t-elle, discutons de notre nouveau projet, celui qui ne sera qu'à nous et à nos filles.

La vie avec elle était si facile, si pleine d'amour, qu'il se sentit profondément ému. Toute l'angoisse liée à la vente du chalet, provoquée par l'irruption d'Étienne et les événements de l'hiver, semblait soudain apaisée. Comme si elle avait deviné ses pensées, Clémence murmura :

— Il ne reviendra pas. On va l'oublier pour de bon.

Pour la préserver, il n'eut pas le courage d'émettre un doute. Et si c'était vrai ? Ayant perdu son pouvoir sur Clémence, peut-être ce pervers se chercherait-il une autre victime, une autre obsession.

— Nous avons encore du temps avant la sortie de l'école, déclara-t-il. Allons nous promener le nez au vent.

— Non, on prend la voiture et on sort de Gap pour inspecter un peu les environs. Si ça nous donne des idées…

Ils quittèrent Le Clos main dans la main, heureux d'être en parfait accord.

Le lendemain, Laetitia vint attendre Virgile à sa sortie de l'hôpital. Elle avait passé une grande partie de la journée rivée à son iPad, en quête de renseignements. Elle voulait établir une liste des établissements bancaires ou des entreprises auxquels elle pouvait s'adresser à Aix-en-Provence. Elle ignorait si son père la recommanderait, mais elle avait un CV solide et déjà de l'expérience.

Virgile lui fit visiter son service, lui présenta Sébastien, qui parut ébloui par la nouvelle conquête de son confrère jusqu'au moment où il comprit qu'il s'agissait de sa sœur. Il tenta alors en hâte un numéro de charme, vite découragé par un Virgile ironique.

Avant de regagner le chalet, Laetitia proposa à son frère de boire un verre dans un endroit tranquille. Ils se retrouvèrent donc au bar Beausoleil, en plein centre-ville, et s'installèrent dehors, à l'une des tables en forme de tonneau.

— Tu as des choses à me dire ? s'enquit Virgile quand ils eurent commandé leurs bières.

— Non, toi ! Je veux savoir comment tu as trouvé Marc et ce que tu penses de lui.

Virgile sourit, amusé par l'anxiété de Laetitia.

— Il est sympathique. Apparemment bien dans sa peau, franc, ouvert.

— Que t'a-t-il raconté quand tu l'as pris en otage pour la corvée de bois ?

— Il a un peu parlé de sa famille, de son projet d'avoir un jour un centre équestre bien à lui… et il a dit qu'il était prêt à rencontrer papa.

— Mauvaise idée !

— Oui. Enfin, pour l'instant.

— Et tu crois qu'il m'aime, qu'il est sérieux ? Qu'il ne m'a pas séduite uniquement pour se prouver qu'il vaut bien un Gérald plein aux as ?

— À mon avis, non. Il est très amoureux de toi, ça se voit à ses regards, à ses gestes.

Elle poussa un profond soupir de soulagement, immédiatement suivi d'un sourire épanoui.

— Je me sens si heureuse ! C'est la première fois de ma vie que j'éprouve ce sentiment de plénitude. Mais j'attendais ton jugement avec impatience parce que tu cernes vite les gens. Une habitude de médecin, sans doute ? En tout cas, tu me rassures, il me restait un doute infime…

— Pourquoi ?

— Gérald m'a prédit le pire.

— Par jalousie et par dépit. Il n'en sait rien. Sois indulgente pour lui, il a dû être vraiment blessé.

— Il me disait que ce « traîne-savates », ce « palefrenier », voulait s'offrir une fille de famille, une bourgeoise, et qu'après avoir bousillé ma vie, il me laisserait tomber sans scrupule !

— Mais tu ne l'as pas cru.

— Non.

— Alors poursuis ta route, fais confiance. Tu as la chance d'aimer quelqu'un qui t'aime, profites-en.

Quelque chose dans l'intonation de son frère dut l'alerter car elle demanda, très doucement :

— Et toi, Virgile, où en es-tu ?

— Nulle part, j'en ai peur. J'y ai cru mais ça ne s'est pas fait.

Pour éviter de s'appesantir, il lui suggéra alors de téléphoner à leur mère.

— Elle doit attendre ton appel. Tu n'es pas obligée de parler à papa, mais elle…

Laetitia sauta sur la proposition, comme si elle n'avait attendu qu'un encouragement. Elle prit son portable tandis que Virgile allait payer à l'intérieur. Il s'y attarda délibérément quelques minutes et, lorsqu'il ressortit, Laetitia rayonnait. Elle lui sauta au cou, toute réjouie de la petite conversation qu'elle venait d'avoir avec leur mère.

— Elle a ri, tu te rends compte ? Pas très fort, mais elle a ri ! Papa ne devait pas être loin parce que, à un moment, elle a même chuchoté. Elle me souhaite d'être heureuse et avoue qu'elle n'aimait pas beaucoup Gérald. C'est dément !

Elle posa ses mains sur les épaules de son frère et se mit sur la pointe des pieds pour l'embrasser.

Chloé ayant décidé de tirer un trait sur Virgile, pour se changer les idées, elle avait demandé à Damien de lui présenter tous les célibataires qu'il connaissait. Depuis, il multipliait les dîners chez lui, et entraînait sa sœur dans des soirées chez ses amis. Elle y avait déjà repéré un garçon suffisamment sympathique pour envisager de boire un verre avec lui à l'occasion. Mais sa méfiance demeurait, encore accrue par sa mauvaise expérience avec Virgile. Trop intelligente pour mettre tous les hommes dans le même sac, elle voulait néanmoins éviter une nouvelle déception.

Alors qu'elle rentrait chez elle à pied, regardant distraitement les vitrines, elle reçut un SMS de Damien, accompagné d'une photo. Le texte annonçait : « Ce mec devrait te plaire, il est super ! J'organise un truc avec lui ce soir au Highlander's pub, rejoins-nous. » Elle s'arrêta un instant pour observer le visage souriant de l'inconnu. Puis elle eut une pensée attendrie envers son frère, si dévoué à lui trouver un partenaire.

— Ah, je t'adore ! s'exclama une voix de femme.

Levant les yeux de son portable, Chloé découvrit, juste devant elle, Virgile et la jeune femme aperçue dans le salon de coiffure de Clémence. Là encore, sur ce trottoir où ils avançaient, enlacés, leur attitude était celle d'un couple. Mais presque aussitôt, Virgile avisa Chloé à son tour et s'arrêta net, figé. Ils étaient trop près les uns des autres pour se détourner ou faire semblant de ne pas se voir. S'enfuir aurait été ridicule, honteux, elle n'y songea même pas.

— Bonjour, lâcha-t-elle, d'un ton qu'elle espérait désinvolte.

— Bonjour…

— On se promène ?

— Oui, euh…

Il semblait tellement mal à l'aise qu'elle aurait pu avoir pitié de lui si un sentiment de colère ne l'en avait empêchée. Elle était plus touchée qu'elle ne l'aurait cru. Vue de près, la jeune femme qui l'accompagnait et ne l'avait pas lâché possédait elle aussi un magnifique regard bleu saphir. Mais elle était plutôt moins belle que Philippine. Virgile la tenait toujours par la taille, sans pour autant quitter Chloé des yeux. Il semblait avoir envie de dire quelque chose et elle préféra le devancer.

— Beau temps pour une balade !

N'ayant rien trouvé d'autre que cette banalité, elle estima néanmoins s'être montrée assez polie pour passer son chemin.

— Tu nous présentes ? intervint la jeune femme.

Son air intrigué mais bienveillant exaspéra Chloé. Elle n'était ni une curiosité locale, ni une ancienne petite amie de Virgile, et elle ne voulait pas s'attarder.

— Bien sûr, bredouilla-t-il. Laetitia, Chloé…

Laetitia était donc le prénom de la nouvelle conquête du séduisant chirurgien, avec laquelle il s'affichait partout en ville. Et ils formaient un beau couple, impossible de le nier. Chloé lutta contre une impression d'infériorité qui la faisait se sentir petite et moche.

— À bientôt, dit-elle platement.

Alors qu'elle s'apprêtait à les croiser pour s'en aller, Laetitia l'interpella.

— Si vous n'êtes pas trop pressée, voulez-vous boire un verre avec nous ?

Avec un sourire engageant, elle désignait la terrasse du Beausoleil, à quelques pas derrière eux. Virgile parut surpris mais ne dit rien, tandis que Chloé cherchait comment décliner l'invitation.

— Il fait si beau ! ajouta Laetitia, enthousiaste.

— Désolée, répondit fermement Chloé, je suis déjà en retard. Une autre fois.

Incapable de faire mieux, elle se contenta d'un signe de tête puis s'éloigna d'un pas vif. En tournant au coin de la rue, elle faillit percuter un passant et grommela une vague excuse. Son cœur battait vite, au rythme de sa marche rapide. Comment cette rencontre pouvait-elle la bouleverser à ce point ? C'était elle qui avait tenu Virgile à distance ! Et d'ailleurs, elle avait été bien inspirée puisqu'il n'hésitait pas à conquérir plusieurs femmes à la fois, pour en avoir toujours une sous la main. *Incapable d'aimer*, selon Philippine, qui était bien placée pour le savoir. Mais toujours en compagnie de vraies beautés à exhiber comme des trophées. Alors, pourquoi diable avait-il voulu épingler l'insignifiante Chloé à son tableau de chasse ?

Ayant marché au hasard, elle s'aperçut qu'elle était arrivée devant le salon de coiffure de Clémence. Au moins, cette femme-là était gentille, simple, authentique. L'idée d'un bon shampooing, qui lui laverait la tête au propre comme au figuré, lui parut soudain tentante. Elle avait besoin d'un moment agréable après cette rencontre, et un joli brushing lui permettrait d'arriver plus confiante à son rendez-vous du soir au Highlander's avec Damien et son ami. Non, elle n'était ni insignifiante ni trop petite, pas question de se laisser complexer. Elle n'avait qu'à faire appel à ses souvenirs de l'armée, où nul n'avait réussi à la déstabiliser, pour retrouver toute sa fierté.

D'un geste déterminé, elle poussa la porte du salon et fut accueillie par Clémence. Après un délicat massage du cuir chevelu, lorsqu'elle fut installée dans un bon fauteuil, face aux miroirs, elle se sentit apaisée. Tandis que Clémence maniait le sèche-cheveux et la brosse ronde, elles bavardèrent comme deux amies, finissant même par rire aux éclats.

— Eh bien si, vous voyez, on va finir par le vendre, ce chalet ! Je sais que nous avons été très pénibles, et vous, très patiente. Je suppose que Virgile va vous appeler pour…

S'interrompant abruptement, Clémence parut s'apercevoir qu'elle venait de commettre un impair.

— Je l'ai croisé tout à l'heure mais il ne m'a parlé de rien, déclara Chloé avec une feinte indifférence.

Il préférera peut-être s'adresser à quelqu'un d'autre. Nous ne sommes pas la seule agence de Gap, tant s'en faut ! En tout cas, c'est un bien magnifique, vous n'aurez aucun mal à trouver un acquéreur.

Rassurée, Clémence poursuivit le brushing en parlant d'autre chose. Quand elle eut terminé, Chloé s'observa dans le miroir, conquise.

— Vous êtes douée ! Comme je suis toujours pressée le matin, je me contente de les attacher en queue de cheval. Là, c'est vraiment différent, j'adore !

— À chacun son métier, n'est-ce pas ? Et vous me faites plaisir, chaque fois qu'une cliente sort d'ici avec le sourire, je me sens galvanisée. La semaine dernière, la sœur de Virgile voulait changer de look et m'a demandé une coupe. La transformation a été radicale et elle a littéralement sauté de joie.

— Sa sœur ? répéta Chloé, soudain prise d'un doute.

— Elle est avec nous depuis quelques jours. Une belle jeune femme, très gentille. Elle a le même regard que son frère, c'est troublant.

— Est-ce qu'elle s'appelle Laetitia ?

— Oui ! Comment le savez-vous ?

— Elle accompagnait Virgile tout à l'heure, dit lentement Chloé.

Découvrant sa méprise, elle en éprouvait à la fois du soulagement et de l'embarras. De quelle façon Virgile avait-il interprété son attitude si ouvertement hostile ? Ne s'était-elle pas un peu ridiculisée avec une sorte de jalousie sans objet ? D'ailleurs, *jalouse*, de quoi et pourquoi ? Contrariée d'avoir perdu un admirateur ? Cette vanité mesquine ne lui ressemblait pas.

Elle remercia Clémence, paya son shampooing-brushing et quitta le salon. Le rendez-vous au Highlander's l'amusait moins qu'une heure plus tôt mais allait lui procurer une excellente distraction.

— Tu devrais arrêter de fumer, suggéra Virgile.

Sébastien haussa les épaules avant d'éteindre la cigarette qu'il venait de terminer.

— C'est ma récréation. Ou si tu préfères, ma récompense.

Ils sortaient d'une longue opération qui leur avait posé des problèmes, heureusement résolus les uns après les autres.

— On a bien travaillé, admit Virgile en souriant.

Depuis l'incident dramatique du patient décédé en cours d'opération, Sébastien était encore plus intraitable avec lui-même.

— Je vais nous chercher deux cafés et on les boit dehors, proposa-t-il.

— Excellente idée ! D'autant plus que, d'après la météo, le temps va changer demain, la pluie arrive et on perd dix degrés.

Sébastien s'engouffra dans le bâtiment, tandis que Virgile en profitait pour faire quelques pas au soleil. Maintenant qu'il était sorti du bloc et qu'il avait l'esprit libre, il pouvait ressasser une fois encore sa rencontre fortuite avec Chloé. Manifestement, elle ne faisait pas que l'ignorer, elle le fuyait. Et après tout, grand bien lui fasse ! Il n'avait rien à se reprocher, si elle ne supportait pas qu'on essaie de lui faire du charme, il n'y pouvait rien. Il la regretterait, mais il finirait par avoir un autre coup de cœur. Peut-être moins évident, moins soudain, moins violent…

— Prends ton café, je me brûle les doigts !

Sébastien lui tendait un gobelet, qu'il saisit avec précaution.

— Il faut qu'on organise quelque chose pour le départ de Norbert, rappela Virgile.

— Le kiné ?

— Il prend sa retraite début juin. Demande aux infirmières du bloc, elles s'en occuperont.

Comme toujours, Virgile pensait à tout et se souciait de chacun dans son service. Il y régnait grâce à lui une atmosphère sereine, aussi bénéfique pour les équipes médicales que pour les patients.

Après avoir siroté leur café, ils se séparèrent. Sébastien avait des dossiers administratifs à remplir, et Virgile plusieurs rendez-vous de consultation. Il gagna son bureau, jeta un coup d'œil à l'agenda tenu par sa secrétaire. Puis il prit son téléphone portable pour le mettre en mode silence, n'appréciant pas d'être dérangé quand il discutait d'une opération avec un patient. Deux messages s'affichaient, dont l'un de Chloé, très bref, qu'il découvrit avec stupeur : « Voulez-vous qu'on prenne un verre ensemble un de ces jours ? » Il relut la question plusieurs fois, sans comprendre la raison d'un tel revirement. À quoi jouait-elle ? Quel plaisir éprouvait-elle à lui infliger pareille douche écossaise ? Et dire qu'il l'avait prise pour une femme bien dans sa peau, déterminée, franche ! Il ne comptait pas se laisser ridiculiser en jouant les toutous qu'on chasse et qu'on siffle tour à tour. Il supprima le message et jeta son téléphone dans un tiroir pour ne plus le voir.

Dès le lendemain, comme prévu, le temps changea. Un ciel chargé de nuages apporta de la pluie et du vent, qui s'installèrent durant quelques jours sur toute la région. Dans cette atmosphère maussade, les promenades devenaient problématiques et Laetitia consacra tout son temps à sa recherche d'emploi. De retour de Genève, Marc partit avec elle pour Aix-en-Provence, où ils devaient se mettre en quête d'un logement qu'ils commenceraient par louer.

Le départ de sa sœur attrista Virgile, mais la voir si heureuse et si pleine d'entrain pour attaquer sa nouvelle vie suffisait à le consoler. Ils s'étaient vraiment retrouvés, durant le séjour de Laetitia, et ils savaient qu'ils auraient l'intelligence de ne plus se perdre de vue.

Au chalet, Clémence, Lucas et Virgile faisaient des projets, prolongeant les soirées devant la cheminée où ils allumaient des flambées pour oublier la pluie. Ils avaient admis que leur lieu et leur mode de vie allaient changer. Même si, par avance, ils regrettaient cet endroit où ils avaient été heureux, ils arrivaient à croire qu'un nouvel horizon leur offrirait sans doute d'autres bonheurs. Et bien sûr, ils conservaient l'idée de rester proches, ce qui ne simplifiait pas leurs prospections. Pour mettre toutes les chances de leur côté, Virgile s'était décidé à contacter plusieurs agents immobiliers qui, dans l'immédiat, n'avaient malheureusement rien d'intéressant à proposer.

Ce soir-là, alors que Lucas et Virgile avaient entamé une partie d'échecs, Clémence choisit de paresser sur l'un des canapés en feuilletant des magazines. Quand elle en eut assez de lire, elle prit l'ordinateur portable de Lucas qu'elle installa sur ses genoux et elle se mit à parcourir les adresses Internet regroupant des annonces immobilières. Sachant que Virgile, délibérément, avait écarté l'agence de Damien et Chloé, elle jeta un coup d'œil à leur site, et ce qu'elle y découvrit retint son attention.

— Je suis tombée sur un truc très intéressant, annonça-t-elle au bout d'un moment.

Sans se laisser distraire, Virgile et Lucas émirent de vagues murmures, qui pouvaient signifier qu'ils avaient entendu.

— Quoi donc ? demanda Lucas après avoir déplacé sa tour.

— Une annonce du côté de Saint-Étienne-en-Dévoluy. Ça pourrait te plaire, Virgile ! Toi qui aimerais rester en altitude… Et il y a d'autres choses par là, vers Saint-Julien ou Saint-Bonnet. On ne serait pas loin, de part et d'autre de la route Napoléon…

Elle avait totalement fait sienne la perspective de quitter le chalet pour s'installer ailleurs avec son mari et ses filles, sans pour autant s'éloigner de Virgile, et elle allait mettre tout son enthousiasme dans ses recherches.

— Sur quel site es-tu ?

— L'agence Couturier, annonça-t-elle d'un ton prudent.

— Ah, non ! s'exclama Virgile.

— Ils ont des exclusivités, reprit-elle sans s'émouvoir.

— Peu importe, je ne veux plus avoir affaire à cette femme.

— Te voilà bien catégorique.

— Je me préserve !

Lucas dévisagea Virgile, surpris par sa véhémence.

— Je peux visiter à ta place, suggéra Clémence. Ce serait dommage de rater une opportunité.

— Non, répéta-t-il, buté. Je chercherai de mon côté. Par exemple auprès des notaires. Ils ont parfois des biens à vendre qui ne passent jamais dans le circuit des agences. Bon, tu joues, Lucas ?

Il semblait tendu, nerveux. Le simple fait d'avoir mentionné Chloé, qu'il avait désigné comme *cette femme*, le mettait apparemment à la torture. Clémence hésita, puis elle éteignit l'ordinateur, le déposa sur la table basse et reprit un journal. Dans le silence qui suivit, Virgile marmonna :

— Désolé, Clém.

Il leva la tête de l'échiquier, sourit à Clémence.

— J'essaie de ne plus penser à elle, expliqua-t-il piteusement.

— Échec et mat ! annonça Lucas. Et ne piétine pas ce jeu. C'est si rare que je te batte…

Content de lui, il donna un petit coup de poing amical sur l'épaule de Virgile.

Le lendemain, sous un ciel très sombre, il pleuvait toujours. Une pluie fine, portée par un petit vent froid, qui faisait frissonner les passants et rendait les trottoirs glissants. Chloé avait allumé sa lampe de bureau dès 16 heures. De temps à autre, elle jetait un coup d'œil vers la fenêtre, sur laquelle des gouttes d'eau formaient d'étranges dessins. En début d'après-midi, elle avait reçu les plans de l'entrepreneur chargé des travaux d'agrandissement de l'agence. Le chantier pouvait être bouclé en trois semaines, sans qu'il soit nécessaire de fermer. Dans le local mitoyen, qui avait été celui d'une mercerie, deux bureaux spacieux pouvaient être aménagés, ainsi qu'une réserve pour les archives.

Songeuse, Chloé se demandait si elle avait pris la bonne décision en s'associant avec son frère. Mais il n'était pas question de regarder en arrière, les dés étaient jetés. Et elle avait fait de l'excellent travail, ces derniers temps. Prospecter, convaincre, mettre en valeur, faire visiter, trouver les financements, rédiger des promesses de vente inattaquables d'un point de vue juridique : toutes les facettes de son nouveau métier lui procuraient un plaisir certain. En revanche, sa vie privée était au point mort. Les amis présentés par Damien n'éveillaient chez elle que de la sympathie, rien de plus.

Une fois ses dossiers immobiliers bouclés, elle s'intéressa de nouveau aux plans, en modifia quelques éléments puis les imprima. Vers 18 heures, elle décida qu'elle en avait assez fait pour la journée. Tout en rangeant ses affaires, elle tourna son regard vers la rue, pour savoir s'il pleuvait encore, et quelque chose attira son attention. Un homme faisait les cent pas, sur le trottoir d'en face. Incrédule, elle reconnut Virgile, qui ne cessait d'aller et venir. Il semblait parfois sur le point de traverser en direction de l'agence, y renonçait et recommençait. Il portait un imperméable qu'il n'avait pas pris la peine de fermer, et il était tête nue. Fascinée, Chloé l'observa quelques instants. Même avec les cheveux mouillés et l'air soucieux, il était vraiment séduisant. Tellement plus que tous les hommes qu'elle avait rencontrés récemment !

Il cessa brusquement de marcher, se réfugia sous le store d'une boutique. Les mains enfouies dans les poches de son imperméable, la tête baissée, il parut réfléchir. La pluie empêchait Chloé de discerner son expression, mais elle devina qu'il allait partir. Pourquoi était-il venu rôder près de l'agence ? Il n'avait jamais répondu à son message, à sa tentative de réconciliation, et elle n'avait pas insisté, vexée. Elle le vit observer une fois encore la vitrine de l'agence, puis il quitta son abri et s'éloigna.

Sans réfléchir une seconde de plus, Chloé sortit en trombe de son bureau, heurta au passage Damien qui était au téléphone, planté au milieu du hall, et se précipita dans la rue. Elle traversa sans regarder, ignora un coup de klaxon rageur, se mit à courir en criant :

— Virgile ! Attendez !

Au moment où il se retournait, elle dérapa sur le trottoir mouillé, battit des bras en vain et s'étala à plat ventre pour une longue glissade. Elle ne s'était pas fait mal mais elle se sentit d'autant plus ridicule que le contenu de son sac, qu'elle avait dû empoigner machinalement, était à présent répandu dans le caniveau. Une main secourable la prit par le bras pour l'aider à se relever.

— Tout va bien ? Rien de cassé ?

— Non, non, non…

Bien sûr, c'était lui. Et il n'avait pas seulement assisté à sa chute spectaculaire, voilà qu'il se mettait à ramasser ses petites affaires.

— Merci, je me débrouille, protesta-t-elle en enfournant pêle-mêle ses clefs, son agenda, un miroir de poche et autres babioles.

Ils se redressèrent ensemble et se retrouvèrent nez à nez.

— J'étais venu vous dire que je suis d'accord pour le verre, dit-il platement.

— Ah… Vous auriez pu entrer ! Il pleut.

Elle leva la tête, comme pour vérifier, et reçut des gouttes dans les yeux.

— Je n'étais pas sûr d'être le bienvenu… Vous changez souvent d'avis.

— Si vous aviez répondu à mon message…

Il amorça un geste qui ne signifiait rien et enchaîna :

— On devrait y aller, maintenant.

— Où ça ?

— Se mettre à l'abri.

À force de rester sous l'averse, ils étaient trempés l'un et l'autre. Baissant la tête, elle constata que sa veste et son jean avaient été salis dans la chute.

— Je suis dans un état…

— Vous êtes très bien comme ça. Toujours très bien.

Il souriait si gentiment qu'elle le trouva soudain irrésistible. Pour dissimuler son trouble, elle regarda ailleurs et constata que Damien les observait depuis la vitrine de l'agence.

— Bon, n'importe quel bistrot fera l'affaire, décida-t-elle.

— Absolument. Je peux vous prendre la main ?

— Oh, je ne tombe pas tous les trois pas !

— C'est par plaisir.

Elle se mit à rire et lui désigna un café proche, avant de lui tendre la main. Une fois à l'abri, ils commandèrent deux kirs. Un peu gênés de se retrouver attablés face à face, ils laissèrent passer un petit silence, que Virgile fut le premier à rompre.

— Match nul, aujourd'hui, on dirait.

— À savoir ?

— Je me suis ridiculisé en déambulant devant votre lieu de travail sans oser franchir la porte, et vous m'avez offert un plongeon de haut vol sur le trottoir, que les passants avaient envie d'applaudir, je vous assure. Mais je plaisante…

Il planta son regard dans celui de Chloé et avoua :

— En réalité, je m'étais promis de ne plus avoir affaire à vous. Jamais. Et comme vous voyez, je n'ai pas été capable de suivre cette bonne résolution.

— *Bonne* ?

— Disons… sage. Vous me rendriez assez facilement cinglé.

De nouveau, elle eut ce rire communicatif auquel il ne pouvait résister.

— Au moins, je vous amuse, soupira-t-il.

— Écoutez… Pourquoi ne repartirions-nous pas de zéro ?

— Zéro, c'est trop peu, quand je pense à tous les efforts que j'ai déployés.

— Alors, après le dîner à La Voûte, dont je garde un assez bon souvenir.

— Parfait. Vous deviez m'appeler.

— C'est juste. Je le fais maintenant.

— Et que me dites-vous ?

— Eh bien… À mon tour de vous inviter à dîner.

— J'accepte ! Quand ?

— Pas ce soir, évidemment.

— Pourquoi ? Vous n'êtes pas du genre à vous pomponner pendant des heures.

— C'est quoi, mon genre ?

— Le meilleur. Sincèrement.

Elle accepta le compliment en ébauchant un sourire, puis elle proposa :

— Si on se tutoyait ?

— Je n'osais pas te le demander.

Ils se contemplèrent en silence quelques instants.

— Ta sœur est une jolie fille, finit-elle par lâcher. Je l'ai prise pour ta petite amie.

— Ah bon ?

Sourcils froncés, il parut réfléchir, puis son visage s'éclaira.

— Et ça t'a contrariée ? Sacrée bonne nouvelle !

— Tu me draguais, et j'en ai conclu que tu courais plusieurs lièvres à la fois. Je n'aime pas les types qui font ça.

— Je ne me sens pas concerné.

Parcourue d'un frisson, elle serra sa veste mouillée autour d'elle. Il se leva aussitôt, déposa de la monnaie sur la table, retira son imperméable.

— Il est sec à l'intérieur, mets-le.

Elle n'hésita qu'une seconde avant de l'enfiler.

— Au point où j'en suis, ironisa-t-elle en constatant qu'il était beaucoup trop grand et trop long pour elle. Viens avec moi, j'ai une tenue de rechange à l'agence et je te rendrai ton imper.

— Inutile, ma voiture n'est pas garée loin. Tu me le rapporteras demain au restaurant.

— Quel restaurant ?

— Là où tu m'inviteras, comme promis. Choisis et envoie-moi un SMS, je te promets d'y répondre. Plutôt deux fois qu'une !

Il ouvrit la porte du bistrot, la laissa passer, et ils se retrouvèrent à nouveau sous la pluie, qui n'avait pas cessé. D'un mouvement vif, presque par surprise, il se pencha vers elle pour déposer un baiser léger sur sa tempe.

— À demain !

Immobile sur le trottoir, indifférent aux gouttes d'eau qui commençaient à mouiller le col de sa chemise, il la regarda traverser en courant et s'engouffrer dans l'agence. Une dernière fois, il contempla la vitrine où s'affichaient les annonces. Changer de maison, changer de vie, il était prêt. Chloé dans sa vie ? Peut-être… Lucas, Clémence et les jumelles, forcément. Jamais sans eux, ils étaient son point d'ancrage et le resteraient. Pourtant, ce serait désormais différent. Et tout ce chambardement, grâce ou à cause d'un pervers jaloux qui avait failli transformer leur hiver en enfer ! Philippine était à Paris, et lui ici, où il voulait être. Comblé si Chloé, improbable coup de foudre, acceptait de faire son chemin avec lui, et de lui donner des enfants, à condition qu'elle en ait envie. En quelque sorte, des cousins pour Émilie et Julie. D'autres cousins encore, si Laetitia et Marc…

Il sourit, soudain confiant dans l'avenir. Quoi que le sort lui réserve, il avait son métier, son meilleur ami, et cet amour fou qui l'avait hanté ces derniers mois. Il était heureux, ou en passe de l'être. Trempé jusqu'aux os, il courut vers sa voiture avec une incroyable sensation de liberté.

Tout le long de la route menant au chalet, il se repassa la scène qu'il venait de vivre. Quel idiot de n'avoir pas osé pousser la porte de l'agence ! Et quelle chance que Chloé l'ait vu arpenter le trottoir… S'il s'était obstiné à éviter tout contact avec elle, il serait passé à côté de ce qu'il considérait comme la chance de sa vie.

En arrivant, il trouva Clémence et Lucas en pleine préparation d'une tartiflette.

— Un plat d'hiver, d'accord, mais avec cette pluie froide on voulait quelque chose de réconfortant ! annonça Lucas qui frottait un plat à gratin avec une gousse d'ail.

L'odeur des lardons et des oignons frits était appétissante. Virgile proposa de mettre le couvert pendant que Clémence grattait la croûte du reblochon. Elle lui jeta un coup d'œil intrigué et ne put s'empêcher de lui demander pourquoi il avait l'air si réjoui.

— Je viens d'avoir une petite discussion avec Chloé, avoua-t-il spontanément.

Lucas se tourna vers lui pour le scruter.

— Et alors ?

— Nous avons dissipé notre malentendu… et décidé de dîner ensemble un de ces soirs.

— Oh, que je suis contente pour toi ! s'exclama Clémence.

Dans son enthousiasme, le couteau qu'elle maniait dérapa, lui entaillant un doigt. Elle étouffa un juron et se précipita vers l'évier pour mettre sa main sous l'eau.

— Fais-moi voir ça, intervint Virgile. Bon, ce n'est qu'une petite coupure, mais il faut la désinfecter.

Il ouvrit le placard qui servait d'armoire à pharmacie en annonçant :

— Mercurochrome, comme pour tes filles, et un sparadrap décoré de Princesses des neiges ! Va t'asseoir, on s'occupera du fromage.

— C'était quoi, votre malentendu ? interrogea Lucas.

— Chloé m'avait vu en ville avec Laetitia et elle a pensé que c'était ma nouvelle petite amie.

— Je crois qu'elle a découvert son erreur le jour où elle est venue se faire couper les cheveux, se souvint Clémence. En apprenant que ta sœur séjournait avec nous, elle a semblé stupéfaite.

— Du coup, elle m'a envoyé un message auquel je n'ai pas répondu.

— Tu t'es drapé dans ta dignité.

— J'étais très déçu.

— Et très vexé, non ? s'amusa Lucas qui venait de disposer les moitiés de reblochon sur le lit de pommes de terre.

Il mit le plat au four puis servit trois verres d'un vin blanc italien que lui avait offert un client.

— Pas uniquement vexé, répondit Virgile au bout de quelques minutes, comme s'il avait pris le temps de réfléchir à la question. Furieux à l'idée de rater quelque chose d'essentiel.

— Alors, applique-toi lors de vos prochains rendez-vous !

Ils rirent ensemble avant de trinquer, et Clémence planta son regard dans celui de Virgile pour déclarer :

— À ton bonheur, que je souhaite de tout mon cœur.

Ils restèrent une seconde les yeux dans les yeux, puis Clémence se tourna vers Lucas.

— Virgile a du retard sur nous, mais je crois qu'il va tout faire pour le combler ! plaisanta-t-elle.

Reposant son verre sur le comptoir, elle désigna l'immense salle de séjour.

— Nous avons vécu de très belles années ici…

— Nous en vivrons d'autres, tout aussi belles, ailleurs, enchaîna son mari.

— Et je me sens stimulée à l'idée de tenter une nouvelle aventure !

Virgile les contempla l'un après l'autre, envahi par le bien-être que lui procurait leur amitié.

— On va y arriver, affirma-t-il joyeusement pour faire écho aux derniers mots, chargés de sens, que Clémence venait de prononcer.

Une nouvelle aventure ? Oui, il était d'accord, il était prêt.

Cet ouvrage a été composé et mis en page
par Nord Compo à Villeneuve-d'Ascq

Imprimé en France par CPI
en novembre 2018
N° d'impression : 3031511

POCKET – 12, avenue d'Italie – 75627 Paris Cedex 13

S28628/02